JN004970

クルマ社会・七つの大罪　自動車が都市を滅ぼす

はじめに

大きなものがたりがなくなってしまったそうだ。人はみな、チマチマとした日常の雑事を小さなものがたりに組み立てるだけで精一杯か、ものがたりそのものに興味を失ってしまったという。

こんな大きなものがたりは、いかがだろうか。

昔、故国の宗教的迫害を逃れたり、故国では望むべくもない地位や名誉を求めたりして、大海原を越えて新天地に集まった人々がいた。彼らだって、まったく欠点のない社会を築いたわけではなかった。先住民を安住の地から追い立てたり、アフリカから連れてきた黒人たちを奴隷として使役したりはしていた。だが、ヨーロッパから自由意志でやってきた仲間たちのあいだでは、故国では考えられないほど自由で平等な社会を形成していた。

こうして大国にのし上がりつつあったアメリカは、アレクシス・ド・トクヴィルという鋭敏な観察者が「合衆国には、人間の意志が諸個人の共同の力の自由な活動をとおして達成できるという希望のもてないものはまったくない」（小山勉『トクヴィル』、286頁）と絶賛するほど、若く理想に燃える国だった。この自由意志による共同の力に対抗できる因習はない……はずだった。

どこかで、微妙に歯車が狂い始めた。アメリカ人たちは、親元を離れて独立してから死ぬまで、自由意志で参加したわけではない集団には片時も属したくないと考えるようになった。

思想にとどまっているかぎり、この考えはとりたてて珍しいものではなかった。中世後期イギリスの政治家にして哲学者でもあったトーマス・モアは『ユートピア』について夢想したし、トクヴィルとほぼ同時代のフランス社会主義者の潮流には、フランソワ・マリー・シャルル・フーリエをはじめとする「空想社会主義者」と呼ばれる人たちがいて、理想の共同体（コミューン）の建設を呼びかけていた。

だが、幸か不幸か、中世イギリスにも、19世紀フランスにも、こうした思想を実現するための道具がなかった。いつでも、どこへでも、自分だけで、あるいは自分が認めた人間たちだけと、出かけるための道具だ。この道具なしには、自由意志によらないあらゆる集団への所属を拒否するという思想は夢想に終わるさだめだった。

しかし、19世紀末から20世紀初めのアメリカは、まさにその道具を手にした。好きなときに、好きなところで、好きなことをする自由を保証する魔法の杖、自動車の実用化だ。こうして鎖を解かれたプロメテウス、アメリカ人は偶然の出会いや交じり合いを避けて、自由意志で選んだ相手とだけ核家族を作り、居住地を選別し、結社を活性化させていった。

その結果は……、肉眼には見えないほどゆるやかな傾斜の、地獄への下り坂だった。トクヴィルが「合衆国では、私は民衆と一緒に生活することが多かった。私が民衆の経験と良識にどれほど感心したかは筆舌に尽くしがたい」（前掲書、18頁）とほめたたえた民衆は、所得水準、人種、宗教、趣味・嗜好に応じて完全に分断され、一握りのエリートたちが思うままに引きずり回す烏合の衆と化した。どこでまちがってしまったのだろうか。

この壮大なものがたりを描くのに、一工夫してみようと思う。現代日本では並ぶものなき博識の主、海野弘にはアメリカの世相史についても、多くの著作がある。その中の一冊、『流行の神話――ロールスロイスとレインコートはいかに創られたか』（光文社文庫、1986年）によれば、まだあまり豊かではなかったころの「アーリー・アメリカンは、乏しい道具、特に一本のナイフだけで、あらゆるものを彫っていた」（同書、232頁）そうだ。

そこで、広大で多様性の権化のようなアメリカという国を描くのに、クルマという科学技術文明の粋を集めた道具ひとつをナイフともノミともカンナとも使って、まるごと彫り出してご覧にいれようとした。どうやら、もっと大きなものを彫り当ててしまったらしい。

うまく行きましたらお慰み、うまく行かなくてもお慰み。お代は見てのお帰りと申し上げたいところだが、お手元のこの本をレジにてお買い上げのうえ、「アメリカのクルマによる一刀彫」という芸当がいったい何を彫り出すのか、ごゆるりとご鑑賞いただけましたら、勧進元としてこれに勝る喜びはない。

さあ、始まり、始まり……。

序章　若き理想の大国、アメリカはなぜここまで落ちぶれたのか

クルマは何をアメリカにもたらしたか？

クルマ社会化が進んだアメリカをいくつかの本に書かれた忘れられないイメージで点描させてもらおう。まず、1927年にある事件が起きた。自動車の大衆化時代の幕開けを告げるとともに、凶悪犯罪の歴史に新しい地平を切り開く事件だった。

ミシガン州の州都ランシング近郊に住む小さな農場主、アンドリュー・キーオは近代的小学校を作るための重税が自分を破綻させたと思いこんで、バース統合小学校と名づけられた小学校の爆破を計画した。そして、5月18日の朝、この狂った計画を実行に移した。

> 村は小学校での凄まじい爆発で揺れることになった。しかし細心の注意を払った綿密な計画であったにもかかわらず、実際には大量に隠されたダイナマイトの半分しか爆発しなかった。……
>
> およそ20分後、キーオは小学校の正面に車を停めて、小学校校長と話すために車を降りた。突然トラックからライフルを取り出すと、彼はダイナマイトと金属片で一杯のトラックに弾丸を撃ち込んだ。「閃光と轟音が響いた」と『タイムズ』の記者は書いている。「キーオは空中

に投げ出され、体が引き千切れた」。校長を含む他の3人の大人たちは、最初の殺戮を生き延びた8歳の男の子もろとも、粉々に吹き飛ばされた。キーオは全部で45名（主に子ども）を殺し、さらに45名から50名以上の重傷者を出した。　（マイク・デイヴィス『自動車爆弾の歴史』、28〜29頁）

このときキーオは、小学生だけで38人の子どもたちを殺していた。あれだけ大量殺人が頻発するアメリカでも、いまだにひとりの犯人が一度に殺した子どもたちの数としては史上最高記録を維持しているらしい。デイヴィスがこの本を通じて力説しているように、自動車爆弾は犯人が爆死覚悟でハンドルを手放さず、アクセルを踏みつづけて目標に突っこみさえすれば、これほど安上がりで確実な大量殺傷兵器はないそうだ。

その自動車爆弾が、その後中東や北アイルランドやロンドンほどには、アメリカで使われていないのは、ちょっと奇妙な感じがする。１９７０年代末あたりから言われ始めた、Ｍe世代とかナルシシズムの時代とかに象徴される過剰な自己愛が、たとえ何十人、何百人を確実に殺せるとしても、自分まで粉々に吹き飛んでしまうのではまっぴらだというかたちで、自動車爆弾の多用に歯止めをかけているのかもしれない。だとすれば、過剰な自己愛も、一概に悪いことばかりではなさそうだ。

ファストフード業界が自動車産業同様に寡占化しているのは、比較的よく知られている。そして、ファストフード産業自体がクルマ社会化と並行して進んだアメリカ人の住居の郊外化と、レストランのドライブイン化、さらにドライブスルー化と密接に関連しているのも、周知の事実だ。

アメリカでは、あらゆる産業が1960年代までもっとも輝かしい成功を収めていた自動車産業のすがたに似せて自分たちを改造しようとした。自動車産業は本来的にたった一社だけが圧倒的な価格支配力、生産調整力を持つガリバー型寡占という業態になりやすい。アメリカならフォードからGMへ、ドイツならフォルクスワーゲン、フランスならルノーといった、市場占有率で同業他社に大きく差を付けた企業がその典型だ。だから、アメリカ中のあらゆる産業がガリバー型寡占への再編を目指した。

もちろん、ファストフード業界も例外ではない。いや、例外でないどころか、ハンバーガーならマクドナルド、フライドチキンならケンタッキー・フライドチキンと、GMが君臨する自動車産業そっくりのガリバー型寡占を作り上げてきた。

だが、アメリカでは、食肉加工業というようなおよそ規模の経済とも宣伝広告による差別化とも縁のなさそうな業界まで寡占化している。ファストフード業界のガリバーたちの膨大な購買力に対抗するには、自分たちも強大なガリバー型寡占を形成しなければ勝負にならないというのが、その理屈だ。そして、アメリカの食肉加工産業では、約10年前にコナグラというふつうのアメリカ人なら聞いたこともなさそうな名前の会社が、そうしたガリバー型寡占に育ちつつあった。

（同業大手の――引用者注）モンフォート買収によって、コナグラは世界最大の食肉業者となった。今日では、北米最大の食品サービス会社でもある。フライドポテトのトップメーカーである（子会社のラム・ウエストンを通じて）うえに、羊肉・七面鳥の加工で国内首位、農薬・化学肥料の販売で首位、冷凍食品の生産で第二位、製粉で第二位、鶏肉・豚肉の加工で第三位、そのほか種苗生産、飼料生産、市況商品先物売買でも大手の地位にある。

（エリック・シュローサー『ファストフードが世界を食いつくす』、２１９頁）

コナグラを始めとする有力寡占業者2、3社に見捨てられた場所では、町全体が廃墟と化してしまう。シカゴのユニオン・ストックヤードは、20世紀初頭にアプトン・シンクレアが『ジャングル』で、当時の屠畜場の劣悪な労働条件と非衛生的な作業工程を暴露してセンセーションを巻き起こした現場だった。そこは今、こうなっている。

1875年に建てられた建物で、壮麗なアーチの両端に、ヴィクトリア朝様式の小塔がそびえている。……アーチの中央から、雄牛の頭部をかたどった彫像が、地面を見下ろしている。ガラスの破片と、擦り切れたスニーカーが片方だけ、その下に転がっていた。雑草の束が、崩れかけた煉瓦の敷石のすきまから生い繁り、薄茶色をしたアーチの表面を、ひび割れが這いまわっている。まるで古代の遺跡か何かのたたずまいだった。さしずめ、失われたアメリカ文明の廃墟だろう。

（同書、２１７頁）

もちろん、背景にあるのは食肉寡占業者たちの屠畜場立地選好が変わったことだった。屠畜場は労働者が組合加入者ばかりの町から、組合のない町へ、そして安上がりで「問題」を起こさない非合法移民を使える町へと、低賃金を求めて移動していった。その結果が、組合加入労働者も多く、周辺住民の衛生意識も高いので食品加工業者には使い勝手が悪く、廃墟と化したユニオン・ストックヤードだった。

そのコナグラも、経営資源の有効活用のために、米国内の食肉加工場網をブラジルの大手JBSに譲渡した。世界最大の食肉業者の座を引き継いだJBSは、最近身代金目当てのハッカーに牛肉加工場の操業を止められてしまった。めまぐるしい経営権の移転が、機密防衛の脇を甘くしている印象は否めない。

こうして、アメリカ中の産業が自動車産業の似すがたに自分を再編すればするほど、アメリカ経済全体がグロテスクで当該寡占企業には儲かるが、社会全体にとっては非効率で非人間的なしろものに変わっていった。

とくに深刻な被害を受けたのが地域共同体だった

そして、居住地域の郊外化が、クルマ社会化と手に手を取って進んだ。さまざまな社会階層に属する家族たちがひとつの町を形成するというあり方は、クルマ社会化が進み、幹線道路・高速道路沿いの今までまったく人が住んでいなかった場所が開発される時代には消滅してしまった。

　郊外の広い地域には、収入の異なった多くの階層がいるけれども、地区としての混合はあまり見られない。このことは郊外が建設された方法を反映しているといえる。小区画ずつ、あるものは、他より高度の制限を設け、特別な収入の標準にあわせている。これは1920年以前に、アメリカ人たちが知っていた生活形態とは非常に異なっている。しかし、それはまた、国家の支配階層を生み出しつつあるところの一つでもあり、また、アメリカのすべての世代のために、中産階層の社会的標準と態度を決定づけたものでもある。

（クリストファー・ターナード、ボリス・プシュカレフ『国土と都市の造形』、19～21頁）

　なんとも歯切れの悪い文章だとお考えの方が多いだろう。著者たちが、「他より高度の制限を設け、特別な収入の標準にあわせている」という婉曲な表現で批判しているのは、クルマ社会化以後のアメリカの不動産業者たちが行った露骨に住宅地差別を推進し、助長する開発行為のことなのだ。そして、こうした開発行為によって、アメリカ国民は所得階層・人種・宗教といった溝によって完全に分断されてしまったという歴史的事実なのだ。

　新しく建設された道路沿いに大きな住宅地を開発した不動産業者は、ほぼ同一の所得・資産水準で、ほぼ同一の生活様式や趣味・嗜好を共有する人たちが集まって住むと、不動産価格も維持しやすいし、開発された住宅地が成熟するにつれて資産価値も上がりやすいというセールストークで、社会階層・人種・宗教にもとづく居住地差別を推進した。そして、それぞれのプロジェクトがターゲットとする白人家族たちに、昔は露骨に、今では注意深くことばを選んでいるが、「生活様式や趣味・嗜好を共有する」とセールストークをすることの具体的な意味は、「黒人や、黄色人種や、ユダヤ人は入れない」ということだった。

多くの中産階級の白人家族、そして、労働者階級の中でも比較的安定した収入を得ている白人家族が「こういうプロジェクトなら、黒人が移り住んでくることで突然資産価値が激減することもない」と安心して、物件を購入した。その結果、作り出されたアメリカ郊外の「プライベートピア」とは、どんな世界になってしまったか。

壁に塗っていいペンキの色はもちろんのこと、屋根材として使っていい瓦の材質から、庭に置いていいブランコが木製か鉄製かにいたるまで、微に入り細をうがって規制される住環境だった。フィラデルフィア近郊のある住宅地に住む老夫婦は、自宅の庭に金属製のブランコを持ちこむという大罪を犯したために、以下のような大騒動の中心人物になってしまった。

夫婦は、問題のブランコへの支持を表明する住宅所有者の4分の3によって署名された嘆願書を提出した。……組合の回答は、ブランコが撤去されるまで1日あたり10ドルの罰金を課すと同時に、ブランコをアースカラーに塗装することを含む一切の妥協案を拒絶するというものであった。この組合はまた、薪の置き場所やうさぎ小屋、街頭のゴミ箱などを管理する規則を成立させた。さらに「攻撃的な行為」はこれを禁止するとしている。「攻撃的な行為」とは、「理事会により、他の住宅所有者に対して、有害あるいは攻撃的と判断される活動」を指すものと定義されている。ある住宅所有者は「一体、どんな小ヒットラーたちが、こういう規則をつくっているのだろう？」と首をかしげている。

（エヴァン・マッケンジー『プライベートピア』、31頁）

こうして郊外に逃げ延びる資金を持っていた中産階級や労働者階級上層の家族が、プライベートピアの圧政に苦しんでいるとき、彼らが逃げ出したために徴税基盤が急激にやせ細った伝統的な都市中心部の生活はどうなっていたか。伝統的都市部の貧困化が歴然と表れたのは、まず初等・中等教育だった。

大きなスペースやさまざまな器材を必要とする、体育・音楽・図工や美術といった教科に当てられる時間数がどんどん少なくなり、そして万が一にも事故の責任をめぐって訴訟に負けたりしたら財政負担を背負いきれないということで、体育はほとんどの貧困地域の公立学校の教科から消えていった。それとともに、運動不足による肥満が小中学校にも蔓延する。ところが、ここにも「地獄の沙汰もカネ次第」という現実が顔を出す。

肥満は階級問題であり、人種問題でもある

貧乏人ばかりが住んでいる学校区では、少しでも教育予算の足しにしようと給食業者を入札で選ぶ。そうすると、気前よく収益の一部を学校運営のために寄付してくれるという条件でも落札できるのは、たいていファストフード・チェーンだ。だから、子どもたちは味覚を養わなければならない大切な成長期に、ハンバーガーだろうがフライドチキンだろうが、あらゆる料理に砂糖や異化性糖や人口甘味料が「隠し味」に使われたくどい味に慣れてしまう。そして、それでも学校予算が足らないので、ソフトドリンクの自動販売機を学校の校舎に置いているケースが多い。

予算不足で学校の授業からは追放されたスポーツを地域のクラブ組織でやる場合でも、格差社会がついてまわる。

アメリカの児童の多くが、スポーツに親しんでいる。サッカー、バスケットボール、野球、体操、テニス、空手、柔道、ダンスなどのクラブは急増している。ところがスポーツクラブは、親が協力し、お金をかけなければならない排他的なエリート集団になりつつある。才能ある優秀な運動選手はいつでも歓迎されるが、あまり才能がない選手、とくに低所得者層の選手は、十代になる前にクラブなどの組織から脱落しがちである。

（エレン・ラペル・シェル『太りゆく人類』、264頁）

「十代になる前に」、プロ級の逸材ではないとしてスポーツクラブの指導者たちからも見放されてしまった低所得層の子どもたちは、その後どんな人生を送るのだろうか？　経済的に恵まれた階層の子どもたちよりはるかに高いパーセンテージで、「肥満という繭のなかで暮らす」ようになる。

《ワシントン・シティ・ペーパー》の記者、ステファニー・メンシマーは、数ヶ月間にわたって、DCに住む貧しい肥満の人たちを取材し、こう書いている。「四年前から、糖尿病でDCの病院にやってくるようになったティーンエイジャーたちがいる。彼らが生まれたのは、大都市で麻薬という非感染性の病が大流行しはじめた時期だ。クラックは、深いところで大都市を変貌させ、その住民に影響を及ぼした。麻薬中毒という悲惨な状況に陥るほどではなかった貧困家庭であっても、その副作用はあった。容赦ない暴力がふるわれ、大勢の男たちが犯罪者として刑務所の壁の向こうに消え、近隣の町がゴーストタウンと化したのだ」。メンシマーは、ジョージタウン移動小児病院のグロリア・ウィルダーブライスウェイト医師の言葉を引用している。「貧乏でいるのは退屈なものです。肥満という繭のなかで暮らすのは、心地よいことなのです」。

（グレッグ・クライツァー『デブの帝国』、159～160頁）

もちろん、そこには階級問題とともに人種問題もある。私は20年以上外資系証券会社のアナリストをやって主として欧米のファンドマネジャーやアナリストに毎年何十人という数で会ってきた。通算では千人をくだらない人数になる。そして、大ざっぱな国籍分類をすれば、アメリカ人6割、イギリス人3割、大陸ヨーロッパとアジア・中東で1割といった構成比だろう。

その中で、明らかに病的肥満と思える人には3、4人しか会っていない。今やアメリカでは国民の3分の1以上が肥満で、イギリスも急速にアメリカに追いつきつつあることを考えれば、奇跡的な少なさだ。自分の健康を管理するための知識も時間的余裕もあり、ありとあらゆるものについて量より質を求めるというぜいたくな暮らしのできる所得を稼いでいる連中のあいだでは、病的な肥満に悩む人間は取るに足りない数しかいないのだ。

しかも、歴然として収入が低い世帯の中でも、黒人家族のほうが白人家族より肥満と判定されるティーンエイジャーが多い。にもかかわらず、それが貧困問題とも人種問題とも考えられず、「肥満を気にしない黒人少女たちは、白人優越の価値観を打ち破るという偉業をなしとげた英雄たちだ」と、リベラル派の白人たちが褒めそやすという、ひねりにひねった不思議な黒人賛美論のオマケがついた人種問題なのだ。

当然、不当にもアメリカン・インディアンと呼ばれているアメリカ大陸の先住民族たちも、白人一般よりはるかに低い年収とはるかに高い肥満率に悩んでいる。西部劇では、どんなに残忍で凶悪な野蛮人というキャラクターを振られても、「インディアン」役は必ず精悍で引き締まった体つきの役者に回ってきたものだ。そのアメリカ先住民たちが、今や黒人やメキシコ系の人たち以上に病的肥満の罹患率が多い人種グループとなってしまったのだ。

大地の恵みが豊かな大草原でバランスの取れた採集・狩猟生活をしていて、非常に均整の取れた筋肉質の体つきだったアメリカ先住民のあいだでさえ、北部や南西部の不毛の荒野に割り当てられた居留地に押しこめられてから、栄養不良気味の人たちが増えてしまった。そこでアメリカ連邦政府は、先住民たちの食慣習を半強制的に欧米人並みの「栄養価豊かな」食生活に「改善」しようとした。

> ナバホ族の食生活が大きく変化し始めたのは、アメリカ連邦政府に設立されたインディアン衛生局が、総じて貧困で栄養失調気味のナバホ族の実態に気づき、一九五八年から小麦粉、コーンミール、米、ドライミルクを定期的に配給するようになってからです。
>
> 一九六一年からはラード、ピーナツバター、乾燥豆、挽肉、地域によってはチーズ、バターも配給食糧として追加され、一九六五年の時点ではナバホ族の六〇〜七〇％の人々がこうした配給食糧を頼り、配給食糧は栄養素摂取量の四五％を担うようになっていました。
>
> （エリコ・ロウ『太ったインディアンの警告』、36〜37頁）

善意あふれる栄養価の高い食品の配給が招いたものは、「糖尿病発症率は一九七〇年代末までに一〇〇〇人中二六・五人と、世界の民族のなかでも最悪となり、八〇年代末頃からは、未成年のⅡ型糖尿病も急増し始めました」（同書、33頁）という悲惨な結果だった。

まるで、飢えで絶滅させることができなかったから、今度は肥満で絶滅させてやろうとでもいうように見える。しかし、実際には連邦インディアン衛生局の役人たちは、あくまでも「インディアンの食生活を改善させてやろう」という崇高な善意から、こうした制度をつくり、運営していたのだ。

一応、自分が運転する自動車を買う程度の経済力はあるが、そのほかではあらゆる面で切り詰めた生活をしていて、健康のために運動をするような経済的・時間的余裕はないというグループに属する人たちが、「風土病」としての肥満のいちばん深刻な犠牲者となる。そういう人たちに潤沢な栄養源を配給したらどうなるかという人体実験をしたようなものだ。それだけに、悪意による虐殺以上にやりきれない思いが残る。

そして、教育が格差を拡大する

居住地差別による貧困地域の教育の劣化は、肥満の蔓延とともに教育そのものに対する不信をも招いている。マーク・バウアーライン『アメリカで大論争!! 若者はホントにバカか』（阪急コミュニケーションズ、2009年）は、軽いタイトルにもかかわらず、現代アメリカ教育が陥った袋小路をしっかり分析した好著だ。その中に、今のアメリカの若者が高校教育の価値をどこまで安く見ているかをはっきり示した箇所がある。

高校を卒業する気はないと言った11％の生徒のうち「学校の勉強が難しすぎるから」と言ったのは9分の1だけだった……。高校を卒業する気がない理由のトップは「これ以上勉強する気はない」が36％で、たんに学校が「嫌いだ」より12％多かった。

（同書、201頁）

しかもそれは、たんに主として貧困家庭の子どもたちが教育からあまり大きな見返りを期待できなくなって、高校の段階でドロップアウトする連中がふえているという事実にはとどまらない。逆に、中学・高校での成績はいつもオールAというような優等生たちのあいだには、どんなに汚い手を使ってでももっと成績を良くして、一流大学の学部を優秀な成績で卒業するだけではなく、大学院でもいい成績を取りたいという強烈な学歴志向を示す連中もいる。

子供たちの心を開放し性格を発展させるべき高校が生き地獄と化してしまい、「ずるがしこい策略の温床」になってしまったのだ。子供たちは成績のためならいじめもするし、ゴマもする。成績を数点上げたり大学に入るのに役立つなら、家庭教師に多額のお金も払う。親は子供のそばを離れることなく世話を焼き、子供のスケジュールを分単位で決める。成績目標が上がったので事態はいっそう悪化し、今ではオールAでも満足しなくなっている。子供たちはリラックスできず、遊ぶこともできない。

（同書、9頁）

残念なことに、著者のバウアーラインは、この点取り虫の子どもたちのことは、冒頭でツカミとして紹介しているだけで、いいとか悪いとかの価値判断さえしていない。議論の大半は、なぜ圧倒的多数の子どもたちは勉強したがらないし、それを悪いこととも思っていないのかに費やしている。

だが、ほんの一握りの点取り虫と、圧倒的多数の怠惰なその他大勢という構図こそが、明らかにアメリカ社会が今抱えている最大の問題なのだ。教育の両極化は、アメリカ的格差社会のありかたをとてもよく象徴しているからだ。アメリカ国民のごく一部だけが、大企業の経営者か金融業界のスタープレイヤーになって、報酬が標準的勤労世帯の300～500倍という生活をするためには何が必要かを分かっている。そして、全人口の0・01パーセントにあたる収入レベルをめざすための学業成績を自分の子どもに取らせるために、最大限の努力をしている。

どのくらいえげつない「努力」をしているかというと、進学期の子どものためにものわかりのいい精神科医を探して「特定学習障害」(SLD)という診断書を書いてもらうのだ。そうすると、ふつうの子どもなら一時間か一時間半で提出させられるテストの答案も、無制限に時間をかけることができる。

ラック(そういった「もの分かりのいい」精神科医のひとり――訳者注)は検査に二五〇〇ドル、S

ＬＤとして認定してくれるよう学校やＥＴＳ（進学適性テストを管轄している非営利団体――訳者注）関係者に働きかける手数料として、患者ひとりにつき、一時間当たり二五〇ドルを請求している。毎年ＳＬＤと認定される生徒は全米で三万人、そのうち裕福な家庭の子どもばかりが不釣り合いに多い。

（デービッド・カラハン『「うそつき病」がはびこるアメリカ』、２３６頁）

一方、一流大学の学部をオールＡで卒業した程度では大した優位は築けないと知っている国民の大多数は、高校卒業資格でさえ努力に見合う利益の上がる「資格」ではないと思っている。問題は、若い連中に「学校でいい成績を取ることは大切だ」とか、「読書が人格を鍛える」とかを教えてやるガンコ爺さんが隣近所にいなくなってしまったことにあるわけではない。子どもたちの大半は、社会に出てから本当に意味のある優位を築くための教育は、とても自分が受けることはできないほどカネがかかるし、それ以下の水準で多少成績が良かろうと、悪かろうと大した違いはないと分かってしまっているのだ。

19世紀半ばのアメリカ人は理想に燃えていた

ここで詩の断片を四つ、引用させていただきたい。最初の二つは、ともに19世紀後半の作品でアメリカがクルマ社会化する前、希望と理想が光り輝いていたころを代表する詩人たちの文章だ。

えもいわれぬ力が
諸世紀をかけて
我が花冠を飾る
あらゆる種からの
極美の花々で

……

もう一度、想念の器に
熱と氷と、湿潤と乾きとを加え
平和も戦いも、交易も、
古代の要素も、
すべての人々のさんざめきも、
加えて、混ぜよ！

人は自ら
あらゆる空間も時間も
生むだろう

原子は錆びず
蘇り
人は見慣れぬ景色にとまどうが
荊の枝に
露に濡れた七色の薔薇は
密かに咲き続けるのだ

（R・W・エマソン「ソング・オブ・ネイチャー」、原悠太郎『歌謡文化考』、133〜138頁）

見たまえ、人跡未踏の広大な領域を、
夢のなかの出来事のように
無人の広野は変貌し、
見る見るうちに充満し、
無数の集団が流れこんで、
今では史上に例を見ぬ第一級の人間、
芸術、制度におおいつくされている。
……
アメリカ人よ征服者よ、人類の精華よ、

極致よ、世紀をかさねた精華よ、
自由よ、大衆よ、
君たちのために歌の目録を。

（ウォルト・ホイットマン作、同書、140～141頁）

もちろん、クルマ社会以前の詩のサンプルとしては、とりわけ理想主義的なアメリカ賛美の熱情がほとばしっている詩を選んだ。エマソンは、歴代アメリカ大統領がもっとも好んで引用した詩人だそうだ。たしかに、格調が高くて気宇壮大な詩が多い。もう一方のホイットマンとなると、詩というよりはアジテーションのビラでも読んでいるようで、ちょっと気恥ずかしくなるくらい堂々と、若き理想の大国アメリカのすばらしさを謳いあげている。

ふたりとも、決して世間的な意味で成功を収めた人たちではない。とくに、ウォルト・ホイットマンは、あの性的規範が厳格な時代に、執拗なホモセクシュアル疑惑につきまとわれ、今なら全然過激ではない表現も性的に露骨過ぎると批判されることが多かった。だが、そういったしがらみすべてをもってしても、ホイットマンがアメリカ文明の私設応援団長を名乗るための障害にはならなかった。

20世紀末から21世紀初めのアメリカ人はどう変わったか

そして、時代は移って、20世紀後半から21世紀初めに書かれた次の2篇は、クルマ社会化が進んだアメリカに批判的な人たちの詩だ。

新しい秩序。いや、むしろ
新しい天と新しい地。
新しいエルサレム。ニューヨークでもブラジリアでもない
変化を求める情熱。あの都市の
ノスタルジア。最愛の共同体
　われわれは消費都市のよそ者
新しい人間だ、オールズモビル新型車じゃない。
（エルネスト・カルデナル作、ハーヴィー・コックス『世俗都市の宗教』、125頁）

オレのモンテカルロがガス欠で
金を借りるのもうんざりだ
バカ野郎たちがところかまわず発砲して
逃げていくのにもうんざりだ
まずは1時間5・50ドルなんて仕事にもうんざりだ
なんでオレはこんなに生意気なんだって

どうせボスは思ってやがるんだ
屁をして咳をするたびにクビになるのもうんざりだ
ガソリン・スタンドの店員として働くのもうんざりだ
マヌケな野郎がしつこくまとわりつきやがるから
いい加減キレちまうのさ
プラスティックのスプーンやフォークにもうんざりだ
建築現場で働くのもうんざりだ
金持ちになれない生活にもうんざりだ

（エミネム『アングリー・ブロンド』、39頁）


ふたつとも、かなり激しく現状を糾弾している。しかも、考えられる限りでもっとも遠く隔たった両対極からの批判だ。

おそらく、ここに登場した4人の詩人のうちで、読者の皆さんにいちばんなじみの薄いのがエルネスト・カルデナルだろう。彼はニカラグアの裕福な家庭に生まれ、アメリカに留学してコロンビア大学で学んだ。さらに、ケンタッキー州ゲッセマニという、いかにも修道院以外何もなさそうな名前の町にある修道院で修練士として修行を積んだ。修練士時代は教区司祭になることさえ尻込みするほど、思索型で行動力に疑問の残るインテリだったらしい。

だが、ニカラグアのソモサ独裁政権による圧政は、この静かな修道士にも決断を迫った。カルデナルは、聖職者という安全地帯に身を置いたまま「解放神学」を唱えることをいさぎよしとしなかった。彼は、ソモサに40年も前に虐殺されたセサール・アウグスト・サンディーノにちなんで「サンディニスタ」と呼ばれる反政府運動に身を投じて、革命成功後はサンディニスタ政権の文化相に就任してしまった。

カルデナルたちは、アメリカが教えてくれた自由と民主主義のありがたみを、サンディニスタ政権を通じて国民みんなで分かち合おうとしているだけだと思っていた。ところが、ときのアメリカ大統領ロナルド・レーガンは、サンディニスタ運動を国際共産主義運動の手先と決め付け、コントラと呼ばれる破壊工作の専門家たちを送りこんで、旧ソモサ政権の復活を画策したのだ。サンディニスタたちの困惑と怒りは想像がつく。というわけで、カルデナルの詩にも、自分をアメリカ物質主義文明の象徴としてのオールズモビルの新型車と混同しないでくれという叫びがこめられている。

エルネスト・カルデナルはコロナ騒動がピークに近づいていた2020年3月にひっそりと亡くなった。享年95歳だから、天寿をまっとうしたと言えるだろう。だが、サンディニスタ政権の文化相を務めていた1984年に、当時のローマ教皇ヨハネパウロ二世によって司祭の資格を凍結され、死の直前だった2019年に現教皇フランシスコによって凍結が解除されるまで司祭としてカトリックの行事に参与することができなかったのだから、決して納得できる人生ではなかっただろう。

そして、自作ラップ詩集のタイトルにもしているように「怒れるブロンド」とも呼ばれ、白人ラップの帝王とも呼ばれるエミネムもまた、現代アメリカを呪詛し罵倒している。高校を中退するころには一生うだつの上がらない生活が続くことをいやおうなく悟らされてしまうシステムへの憤懣が、延々とつづく「うんざりだ」のくり返しに込められている。

エミネムは、多少怒りのボルテージは下がったような気もするが、今も健在だ。彼の半生記を読むと、2歳のときに父親が失踪し、その後ふたりっきりの家族である母親からは虐待され、学校でもつねにいじめの標的にされていたと書いてある。貧困がもたらす家族崩壊は、人種や性的なマイノリティだけではなく、下層階級の白人にとってもいかに深刻な問題かがひしひしと伝わってくる。

アメリカのクルマ社会化を予想できるはずがなかったエマソンやホイットマンが、クルマのないアメリカ社会をこれだけ高らかに賛美し、クルマ社会化したアメリカを叱責する20世紀末から21世紀初頭のカルデナルとエミネムが、まったく違った立場から、アメリカ車の特定のブランドに言及している。これは偶然だろうか？　偶然ではなく、アメリカが陥った苦境は、かなりの部分までクルマ社会化がもたらした害毒あるいは罪悪によって説明することができるのではないだろうか。それが、この本を貫く主張だ。

アメリカの繁栄も衰退も石油とともにあった

非常に大ざっぱなものの見方をすると、アメリカは石油を中心とする輸送機関のエネルギー効率の高さによって世界経済の覇権を握った。そして、石油そのものの希少性が徐々に高まり、石油価格が高くなっていくとともに、エネルギー効率がどんどん悪くなることで没落しはじめた。結局のところ、アメリカは石油によって勃興し、石油によって滅びる、そういう国だった。

世界中の先進国で、クルマが日常交通機関の王者の座を鉄道から奪い去った。東京と大阪という二大都市圏が高い鉄道依存度を維持しながら「高度消費社会」へと突入した日本経済が先進国では唯一の例外だ。日本以外のほとんど全世界の先進国の大都市圏で、クルマの中でもとくにエネルギー効率もスペース効率も悪い自家用車が交通機関の王者の座を占めている。自動車という乗りものは、なぜこれだけ広く世界中に普及して、主要な交通機関になるほど大きく勢力を伸ばしたのだろうか。

1960年代以降の先進国では、あまりにも日常的な風景になってしまったので、だれひとりとして、この現実に疑問を持たない。だが、自動車のエネルギー効率の悪さや、混み合った大都市圏のまん中でも道路や駐車場に広大なスペースを振り向けなければならないという問題点を考えれば、じつは大都市圏までもがクルマ社会化に包摂されてしまうのは、かなりの異常事態だ。しかも、この世界を席巻したモータリゼーションは、ほとんど純粋にアメリカの国内経済事情がもたらしたものなのだ。

出発点からふり返ってみよう。アメリカはなぜあれだけ急速に大きく発展したのだろうか。世界中の先進国が植民地獲得競争をしている中で、アメリカはあまり積極的に植民地獲得競争に参加しなかった。まあ、世界中と言っても、当時はヨーロッパ・アメリカと、その後ちょこっと日本が顔を出しただけだったが。

アメリカが植民地獲得競争でいちばん成功したのは、ハワイだろう。太平洋の真ん中にポツンとある独立国だったハワイ諸島を、宣教師を送りこんでうまく手なずけ、宮廷クーデターみたいなことをやってアメリカの属国にした。その後、アメリカ50州の中の一州にしてしまった。これがアメリカ植民政策のほとんど唯一の成功例だ。

あとは米西戦争をやった後、スペインからフィリピン諸島を譲り受けて、一時フィリピンを植民地にしていたが、全然うまく経営できなかった。フィリピンは、19世紀末には東南アジアでいちばん文明の進んだ国だったが、いまでは東南アジアの中でも貧しいほうの国に留まるという惨憺たる状態に甘んじている。

メキシコについても、何度か植民地にしようとして戦争を仕掛けたりした。だが、結局はカリフォルニア半島の付け根のあたりをカリフォルニア州とし、またネバダ、コロラド、アリゾナ、ニューメキシコの南西山岳部4州を自国領土に取り込んだだけで、メキシコ全土の植民地化には成功していない。

なぜアメリカが大きく伸びたかというと、世界中から移民を受け入れ、若く貧しく、しかしひたすら働く意欲だけはありあまるほど持った人たちが大勢入ってくることによって、内需主導で伸びてきたからだ。ヨーロッパの大国が軒並み植民地主義で外に打って出て伸びたのとは対照的な歩みだった。外に出て行くのではなく、世界中から勤労意欲の高い人を受け入れることで発展した国なのだ。そこに、アメリカ合衆国初期の理想に燃えた若き大国としての栄光があった。

しかも、天然資源の埋蔵量のかたよりと、科学技術の進展の絶妙なバランスによって、若き理想の大国アメリカは、19世紀後半からたんに理想の大国であるだけではなくなっていった。植民帝国を樹立するのではなく、自国内のエネルギー効率の高さで世界の最先端を切りひらく国に成長していった。

地球上の特定の地域に原油や天然ガスが存在することは、非常に古くから知られていた。たとえば、ゾロアスター教というキリスト教より古いペルシャ起源の宗教は、別名拝火教という。自然発火した石油ないし天然ガスがいつまでも消えずに燃えつづけているのを見たことが信仰心を目覚めさせたのだろう。あるいは、やはり中東でのことだが、十字軍が襲来したころから燃える水が噴出する場所があったことが文献に残っている。だが、それは好奇心、ないし「超自然的な」現象に対する畏敬の念を掻きたてる程度にとどまり、原油が実用に供された形跡はない。

アメリカでも、すでに19世紀初めころからペンシルベニア州でどす黒い色をした燃える水の存在が確認されていた。だが、初めのうちはこの燃える水は、草深いいなかを旅して回るインチキ医師や香具師（やし）たちが、万病の薬という触れこみで素朴な村人たちに売りつけるといったかたちでしか「利用」されていなかった。

しかし、時代はアメリカの味方だった。十字軍が聖都エルサレムの奪還を目指して中東に遠征した11～13世紀と違い、19世紀には非常に広範な工業・輸送目的での蒸気機関の実用化が進み、内燃機関(エンジン)の開発も始まっていた。ちょうどその時期に、大英帝国のくびきを離れて、あらゆる国から若く、貧しく、勤労意欲に富んだ人々を呼び集めるという破天荒な国づくりに取り組んでいたアメリカの大地に、潤沢な石油備蓄の存在が確認されたのだ。

このアメリカ国内での豊富な原油備蓄が発見されるとともに、内燃機関の実用化が進んだ19世紀後半のアメリカは、まさに神に祝福された国だった。アメリカは世界でもっとも使いやすいエネルギー源を「ほとんど無尽蔵に保有している」資源大国であると同時に、そのエネルギー源をもっとも有効に利用する手段の開発で先頭を走る国だった。

そして、19世紀末に、自動車という原油利用の最先端のかたちをほぼ開発し終わったアメリカに、ヘンリー・フォードという近代機械制工業における工程管理の天才が現れる。それから先は、皆様よくご存じの歴史が教えるとおりだ。世界中の先進国で、クルマが日常交通機関の王者の座を鉄道から奪い去った。

だが、アメリカは、本当に神に祝福された国だったのだろうか？　自動車は、この福音を運んできてくれた天使だったのだろうか？

エネルギー浪費、高公害、スペース浪費型の自動車文明は衰退する。そして、地上最大のクルマ大国アメリカは没落する。クルマ依存度の高い国は経済発展が進めば進むほど自力脱出の道がない袋小路に追いこまれ、いずれは鉄道依存度の高い社会に負けていくだろう。

ジェイン・ジェイコブズは、１９６１年に処女作『アメリカ大都市の死と生』（邦訳出版は１９７７年、鹿島出版会、同じ出版社から改訳版が２０１０年に出ている）が刊行されるやいなや、アメリカにおける都市問題評論家として論壇のスターダムにのし上がった。彼女は遺著となった『壊れゆくアメリカ』（日経ＢＰ社、２００８年）でも、自動車がかつては豊かで偉大な経済社会を形成していたアメリカを、貧富の格差と犯罪が蔓延する殺伐とした国に変えてしまったという主張をくり返している。ジェイコブズは、人間がクルマを日常生活の足として受け入れ、路地や横丁を邪魔者扱いし出した瞬間からコミュニティの崩壊が始まったのだと、一生をかけて説きつづけた。

そして、死の直前まで書きつづっていたこの遺作でも、ジェイコブズはコミュニティ意識の崩壊がアメリカ社会の隅々にまで及ぼした害毒を糾弾していた。衰退する家族、教育機関であることをやめて博士号や修士号の授与機関と化した大学、専門性の殻に閉じこもって社会性をなくした学者たち、貧富の差をさらに拡大する税制、不正を防げないどころか不正に加担してしまった公認会計士事務所、都心にスラム街を残して富裕層が逃げこんだ郊外の際限のないスプロール化。油断すれば日本でもくり返されそうな光景が、現代アメリカの深刻な問題を浮き彫りにする。

この遺著の随所に、ジェイコブズの社会批評家としての真骨頂を示す鋭い観察眼が光っている。その中で、家族や世帯が歴史の要請に応じていかに千変万化の変容を遂げてきたかを説明する第

２章は、以下の自問自答で締めくくられている。

北アメリカの家族が収入の面でますます追い詰められていった場合には、必要に迫られてどのような世帯が生まれるか、わたしにはわからない。わたしの直感では、その世帯はたぶん強制的なものだろう。

二〇〇〇年以降、アメリカで急激に多様化し拡大している世帯は、刑務所である。

（ジェイコブズ『壊れゆくアメリカ』、54頁）

この主張は、ゴールデン・シックスティーズと呼ばれた、アメリカ文明最盛期には、偏狭な懐古主義者の愚痴としか聞こえなかったかもしれない。だが、エネルギー危機が自動車文明の弔鐘を打ち鳴らし始めた現代にこそ、ジェイコブズのアメリカ文明断罪は輝きを増す。

アメリカには、他人を出し抜き蹴落とすエリートたちが、口先では自由や平等の理念を唱え、一生うだつのあがらない一般大衆は、ますます益荒男（マッチョ）ぶりにしがみつく亀裂が定着してしまった。このアメリカにコミュニティが再生することはあるのだろうか？　貧富の格差が拡大する一方のアメリカの現状では、夢のまた夢でしかないのではないだろうか。

アメリカ社会のありとあらゆる傾向を先読みしたアレクシス・ド・トクヴィルでさえも、唯一見通せなかったのが、アメリカの民主主義はクルマに乗った民主主義（Democracy on Wheels）になるということだった。

「馬のない馬車」(Horseless Carriage) は、欧米社会の階級構成を馬車の持てる5パーセントの富裕層、貸し馬車をチャーターできる15パーセントの中産階級、乗り合い馬車以外の馬車とは縁のない80パーセントの庶民から、良いクルマに乗れる20パーセントのエリート、普通のクルマやぼろグルマに乗る65パーセントの一般大衆、クルマの持てない15パーセントの貧困層に変えた。

ミソは、なんだかんだ不満は言っても馬車など一生持てない身分だった下層民の多くが「馬なし馬車」なら持てる一般大衆になり上がって、それまでよりはしあわせになったということだ。だからこそ、アメリカは世界中から貧しく打ちひしがれた移民たちを受け入れながら驚異的な文化的統合をやってのけ、どんなに貧しい人間にも自助努力さえすれば経済的・社会的・文化的に上昇するチャンスのある国として光り輝いていたのだ。

今までのアメリカ社会の荒廃は、クルマさえ持てない社会的弱者のパーセンテージが、15パーセントから20パーセントへ、そして25パーセントへというふうにじわじわ上がることから来ていた。これだけでも深刻なボディーブローだが、これからはもっと悲惨になる。アメリカ人の8割以上は、自動車がなければ身動きの取れないようなだだっ広い空間に分散して住んでいるのに、一般大衆には自家用車を持つことがぜいたくとなってしまう世の中が確実にやってくるのだ。

２００８年半ばにバレル当たり１６０ドル近辺まで急騰したＷＴＩという原油指標銘柄の先物価格が、２０２０年、コロナ騒動のまっただ中で、投機筋の売りを浴びてとうとうマイナス価格まで下がったことがある。「石油危機」説はまたしても「狼少年」だったという認識が広がっている。原油は決して供給が枯渇するほど希少性の高い資源ではない。むしろ、原油生産大国が協定を結んで供給量を制限しないと値崩れするほど需給のだぶついた資源になってきた。だが、石油さえ枯渇しなければ自動車文明は安泰だとも言えない。重要なポイントがふたつある。

ひとつは、原油価格高騰をきっかけに激減しはじめた自動車の販売台数が、原油価格がこれだけ下がっても2016年の1755万台をピークに減少しつづけていることだ。もうひとつは、アメリカの行動の自由を持つ成人1人当たりの年間走行距離は、2000年代半ばをピークにガソリン価格が下がっても減少を続けていることだ。なお、行動の自由を持つ成人とは、軍務に就いているわけでもなく、刑務所で服役中でもない16歳以上のアメリカ国民を指す。

つまり、あれだけクルマなしには生活できないという思いこみが強かったアメリカ人でさえ、長期的なエネルギー需給とは無縁に、クルマを自由に乗りこなせることがアメリカ的なライフスタイルの象徴とは思わなくなってきたのだ。コロナ危機までは、かなりの貧困家庭でもなければ、一家に2台あったクルマを2台目は乗り潰しても買い換えないといった穏やかな調整にとどまっていた。だが、現在はクルマを一台も持てなくなった世帯、それどころか家を手放さざるをえなくなってたった一台のクルマで寝起きをしている世帯が徐々に増えている。

必ずしも一日かぎりではないが、短期契約の仕事を次々に探して生計を立てている人の多いアメリカの下層勤労者にとっては、むしろ一カ所に定住するよりクルマを住みかとした放浪生活のほうが仕事を探しやすいかもしれない。だが、たった一台のクルマをキャンピングカーに買い替えたり、そのクルマに連結するトレーラーホームを買ったりする金銭的余裕はない人が大部分だろう。ずいぶん窮屈で制約の多い日常生活をしているはずだ。

現在、25～40歳になるミレニアル世代では「クルマを失うより、スマートフォンを失うほうが自分の生活を維持していく上で喪失感は大きい」という人が多くなっている。いずれ、そう遠くない将来に、アメリカの一般大衆のかなりの部分が自家用車を持たない生活に適応せざるを得なくなる。ところが、単純かつ明白な事実として、アメリカ社会はクルマなしでも生活できるようにはできていない。『「うそつき病」がはびこるアメリカ』の表現を借りれば、「一リットルのミルクを買うのに、ガソリンを五〇〇cc使う必要がある」（同書、296頁）場所に住んでいる人たちが大勢いるのだ。

悲惨な交通弱者たちが街に溢れかえれば、それなりの対策も実施されるだろう。だが、今や、貧しい人々の暮らしの舞台でさえ、大半は郊外化している。貧しい人々にとって郊外生活の圧倒的に不利なのが、貧困も悲惨も政策担当者の目に見えないところで深く静かに進行することだ。アメリカは、「クルマ社会」死後の世界が作り出す、広い郊外に満遍なく拡散する貧困にうまく立ち向かえるのだろうか？

なお、グラフや表の出所および原資料は、参考文献リストのあとに、まとめて本文中の当該ページとともに記載しておいた。

大罪その一　エネルギー・スペースの浪費

そして、輸送システムが非効率化する

ほとんどの場合、まったくの見当はずれである「陰謀史観」は、アメリカの鉄道網衰退に関しては歴史的事実だった。１９３０代までは鉄道によって街を発展させながら進んできたアメリカ文明が、国土全体をクルマ社会に転換させたとたんに、街は自動車で通り過ぎるだけで、混雑と渋滞とエネルギー浪費しか意味しない単なる人と資産の密集地帯に変わってしまう。その結果、ふつうの生活をしている人たちがどんなに貴重なものを喪失したのか、今ごろになってアメリカ国民は悟りつつある。

クルマはエネルギー浪費型の交通機関

クルマの鉄道に対する最大の弱点は、エネルギー浪費・高公害の交通機関だということだ。鉄道がひとりの人間を1キロ運ぶのに必要なエネルギー消費量は原油換算で自家用車の約6分の1、同じく二酸化炭素排出量は自家用車の約8分の1ですむ。

だから、日本は世界中の国内総生産の約6パーセントを生み出しているが、エネルギー消費量は3パーセントに過ぎない。エネルギー消費を経済活動に変換する効率が世界平均の約2倍に達しているのだ。アメリカ経済は依然として世界最大で、多くの点で世界一進んだ国民経済だが、

国内総生産が世界に占めるシェアは25パーセントで、エネルギー消費量の世界シェアは16パーセントと、平均値の約1・6倍のエネルギー効率でしかない。それでも21世紀初頭にはどちらも約25パーセントと、多くの発展途上国、低開発国も入れた計算で平均的なエネルギー効率しか達成していなかったのだから、かなり進歩したと言える。

これからも先進諸国のエネルギー効率は、改善の見こみが大きい。最大の理由は、世界経済を牽引する産業が製造業からサービス業に変わり、同じ金額のGDPを生み出すのに必要なエネルギー資源の量が減少に転じていることだ。一般論として、製造業・鉱業・建設業などのものづくりに携わる第二次産業からサービス業を中心とする第三次産業への転換が進んでいる国ほど、同額のGDPを生み出すのに必要とするエネルギー消費量は少なくて済む。この点で、世界の先頭を走っているのは、日本、イギリス、フランスといった国々だ。

しかし、ドイツとアメリカはエネルギー効率の改善が遅れている。ドイツが遅れているのは、いまだに製造業の国民経済に占める比率が高いためだ。アメリカの場合は、産業構造は省エネに向いたサービス業主導になっているのに、直接モノを生産するためにではなく、人やモノの移動手段として使うエネルギー消費量が多すぎるからだ。初版を書いた時点では、アメリカも石油資源が枯渇に向かい、原油価格が慢性的に高止まりする中で、エネルギー資源を節約するためにクルマ社会から脱皮する可能性もあるのではないかと見ていた。だが、現在では、アメリカ国民のクルマ依存度の高さは、経済的な逼迫だけで改善するほど底の浅い問題ではないとわかってきた。

人類は今までも、さまざまな資源に関する需給逼迫危機を乗り越えてきた。比較的最近の事例としては、著名な経済学者スタンリー・ジェヴォンズが１８６５年に『石炭問題』という本を出して、石炭の枯渇によって人類文明は大きく後退するだろうと警鐘を乱打した。だが、ちょうどそのころ本格化した石油利用技術の開発普及によって、この懸念が杞憂だったことが証明された。今後の科学技術研究が、19世紀半ばに比べて緊急かつ有用性の高い方向に向かう努力に欠けるだろうと決めつける理由はなさそうだ。

しかし、当然進むであろうエネルギー効率の改善は、おそらく自動車より鉄道に有利に展開するはずだ。というのは、実際にエネルギーを消費した量というベースで見ると、鉄道の自動車に対する優位は6倍どころではない。日本のデータで見れば、自動車が人間ひとりを1キロ運ぶために消費するカロリー量は約４６０キロカロリーにもなっていて、鉄道の45キロカロリーの10倍強に達しているのだ。

日本の交通エネルギー統計は詳細にわたっているので、どのくらい石油や電力のようなエネルギー源を使ったかだけではなく、どのくらい実際に熱量を消費したかもチェックできるのだ。次ページのグラフで、輸送機関別の本当のエネルギー効率をはっきり読み取ることができる。

自動車が消費する石油量は机上の計算では鉄道の6倍となっていた。だが、実際に消費した熱量は10倍強ということは何を意味しているのだろうか。このグラフを見ているだけでは、１９７0年代の二度にわたったオイルショック以来、資源小国の日本が国民的な課題として取り組んだ

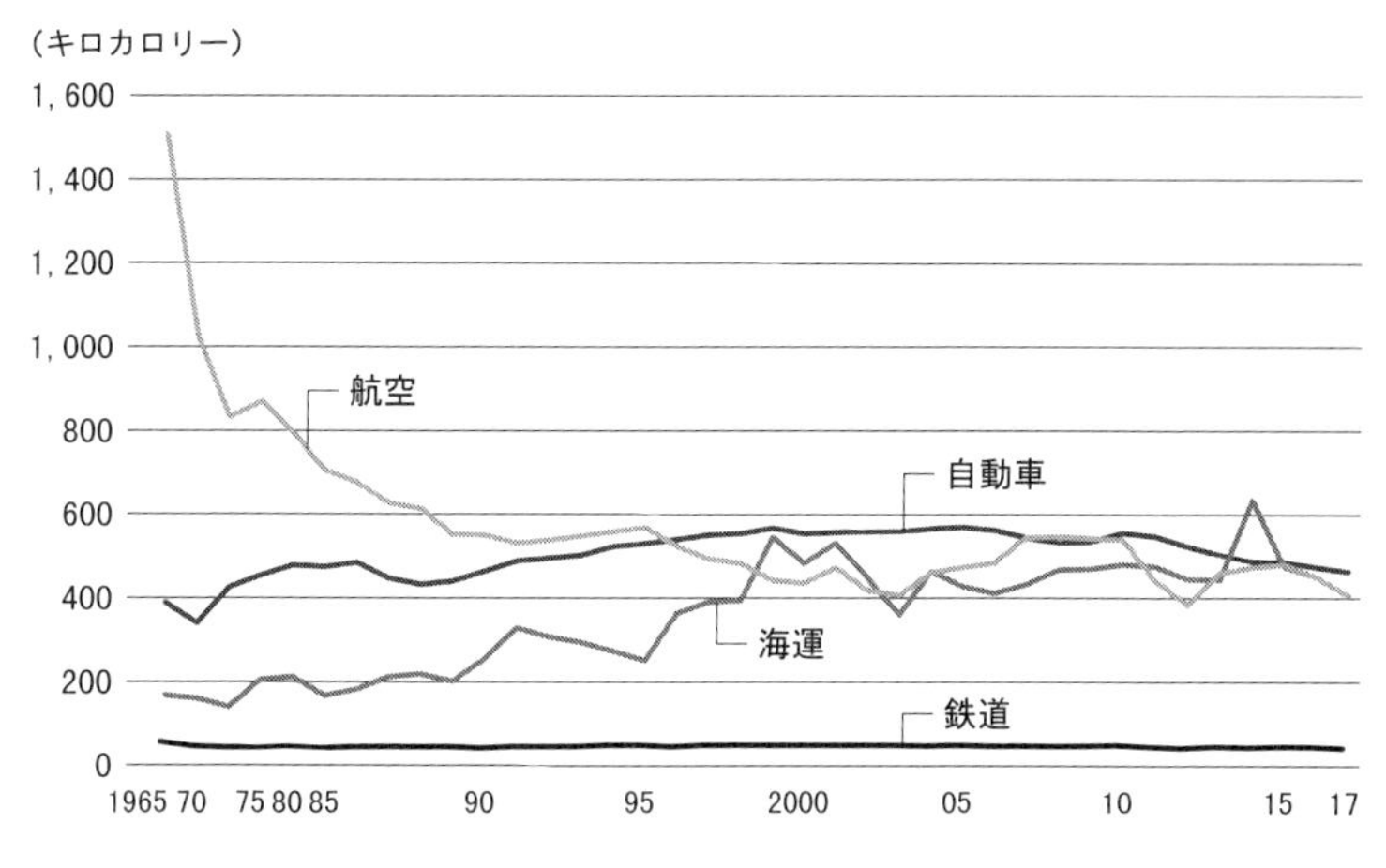

日本の交通機関別１人キロあたりエネルギー原単位（1965〜2017年）

普通乗用車の燃費改善とか、長距離を走ることもなく、スピードも出さないふだんの生活に軽自動車を使う人が増えたことの効果は、ほとんど出ていないように感じる。

１９８０年代末から21世紀初頭までむしろ１人キロ当たりのエネルギー消費量は増えつづけ、その後やっと減少に転じて、直近でようやく80年代初めの水準まで下がった程度なのだ。いったい、世界に冠たる日本車のエネルギー性能の良さはどこに消えてしまったのだろうか。

答えは、大ざっぱに言ってふたつある。ひとつは、人間だれでもつまらないところよりはおもしろいところに行こうとする。だから、大都市圏の文化的吸引力が高まるほど、同じ場所に殺到するクルマによる渋滞が慢性化する。結局は、渋滞でのエンジン空ふかしが燃費の向上を打ち消してしまう。つまり、大都市圏中心部などでひんぱんに起きている渋滞にまつわる非効率の影響まで計算に入れると、クルマ自体の走行性能をかなり高くしても、実際のエネルギー消費効率は良くならないわけだ。

もうひとつは、生活水準が向上するにつれて、一家に2台、3台と複数のクルマを持つ傾向が顕著になる。そして、だれかひとりがみんなを送ったりピックアップしたりするより、ひとりひとりが自分のクルマで出かけるようになる。つまり走行中の自動車1台当たりで乗っている人間の数が減るから、エネルギー効率が悪くなるわけだ。この点は、スペース効率という点でも非常に大きな問題点となっている。

そして、スペース浪費型交通機関でもある

エネルギー以上に大きな問題なのが、クルマ社会は空間という貴重な資源を浪費することだ。とくに経済活動の集積度の高い大都市圏中心部では、人間ひとり分の執務スペースを新しく作り出そうとすると、道路や駐車場用地に最低でも執務スペースの2、3倍、ときには4~5倍にものぼるスペースを追加しなければならなくなる。したがって、クルマ社会化してしまった欧米諸国では国内最大都市の規模が日本よりずっと早く上限に達してしまう。

自動車という交通機関のスペース利用効率の低さは、エネルギー効率でどんなに画期的な改良・改善があったとしても、克服できないだろう。単純な問題として、非効率性のケタが違うからだ。次ページに掲載した表をご覧いただきたい。自家用自動車のエネルギー効率の低さもさる

	消費エネルギー	炭酸ガス排出量	スペース占有量
鉄道	1.0	1.0	1.0
バス	1.8	3.8	25.0
自家用車	5.9	9.0	120.0

乗客１人キロあたり消費エネルギー，炭酸ガス排出量，スペース占有量

ことながら、スペース利用効率の低さはそれどころではない深刻さだ。

自家用車で人間ひとりを１キロ運ぶために占有する面積は、鉄道の１２０倍に上るのだ。これはもちろん、東京圏や大阪圏の朝夕のラッシュ時にぎゅうぎゅう詰めの通勤電車で達成している際の鉄道のスペース効率と、自家用車のスペース効率の比較ではない。深夜で乗客もまばらになってしまってから運行される電車もふくめて鉄道全体と、前後左右に車間距離をとって、４、５人乗れる自家用車にだいたいひとりかふたりしか乗らずに運転している状態とを比較すると、こういう極端な差がつくわけだ。

世界中どこの国でも、オフィスは都市に集中している。クルマ社会化した国だと、１人オフィスワーカーを増やすとすれば、自動車を含めて莫大なスペースが必要になる。たとえばニューヨークのまん中で、オフィス人口を１人増やそうとしたら、年収とも社会的地位とも関係なく確実にその人自身が占有するスペースの２～５倍のスペースは、駐車場および道路表面積で必要とされる。

それだけにスペース需要の限界は、非常に深刻だ。なぜニューヨークがもっと大きな町になれないかというと、いちばん大きな理由はス

ペースの限界にある。だからニューヨークは、たぶん都心部オフィス人口は４００万人ぐらいで、過去30年ぐらいほとんど変わっていない。もちろん、その中で高給取りは、自分の執務スペースとしては平社員の何倍とか、何十倍とかのスペースを取る。だが、自動車に乗って動き回る場合の道路占有スペースや駐車場スペースについては、ふつうの勤労者の何十倍のデスク・スペースを取る偉い人でも平社員でも、あまり変わらない。

これ以上道路を作ろうにも、ものすごく高い金を払って土地を買収しなければならない。だから、非常に大きな建物の3割とか4割ぐらいのスペースを駐車場に割いていても、ニューヨークは慢性的に駐車場難だ。

しかも、ニューヨーク、シカゴ、サンフランシスコ、ボストン以外のアメリカの大都市では、オフィスワーカーのほぼ百パーセントが自動車通勤をしている。ロサンゼルスなどは、人口約３８０万人でアメリカでも第2位の大都市だが、それでもほぼ百パーセントが自動車通勤をしている。

ちょっと古い数字になってしまうが、１９９０年の国勢調査の年の労働力人口を通勤時に使う主要交通機関別に分類した統計がある。

１９９０年のアメリカ合衆国における16歳以上の労働力人口は、合計1億１５００万人だった。そのうち、９９８０万人が自動車・オートバイ・トラックで通勤していた。公共交通機関を使っていたのは、たった600万人だけだった。500万人が徒歩か自転車で通勤し、残る420万人は自宅で仕事をするか、上記以外の交通手段を使っていた。

（トム・ルイス『*Divided Highways*』、292頁より拙訳）

1億1500万人中の600万人というと、わずか5・2パーセントだ。それも、全国均等に約5パーセントというわけではない。ニューヨーク、サンフランシスコ、シカゴ、ボストンといったアメリカ国内では異例と言えるほど公共交通機関が残っている大都市でも、電車・バス通勤はせいぜい2割程度だろう。あとはほとんど全部、自動車通勤だ。日本に住んでいると、想像を絶する世界だ。

大都市の駐車場は、ほとんど高層ビル内に作りこまれている。しかも、そこがまたアメリカらしいところだが、絶対と言っていいくらい、日本でかなり普及している機械式駐車ではなく、自分でぐるぐる回りながら登っていく自走式になっている。やはり、自分の運命は自分で支配したいという、末梢神経までしみこんでしまった個人主義があるので、機械で停めるとたとえ1分でも2分でも待たされるとしゃくにさわるので我慢ができない。自分でぐるぐる回りながら空いているスペースを探すのであれば、延々と渋滞しても、アメリカ人は辛抱強く我慢して待つ。

アメリカでは当たり前だから、映画とかにそういうシーンはあまり映らない。だから、かえって想像を絶するスケールで大都会の超高層ビルの中に作りこまれた数十層に及ぶ自走式立体駐車場や、広い郊外のショッピング・モールの延々とだだっ広い平置きの駐車場が、監視の眼も行き届かない犯罪の温床となっている。ニューヨーク市内の駐車場が建物の延べ床面積に占めるスペースは、おそらく40階建ての高層ビルで言えば、その中で3割くらいになるだろう。

もちろん、高層ビル自体の中に駐車場を組みこんだビルトイン型以外にも、駐車場専業のビルがある。また、ちょっと寂れた地域で、あまりきちっとした商売はできない所では、もともとは店舗が入っていたビルを全館駐車場にしてしまうこともある。そういうような手をつくして何とかやりくりしているが、それでも駐車スペースは慢性的に不足している。

逆に、アメリカ人が東京を見ると「なんでこんなに、駐車スペースがないのか」という以前に、「これで、道という道がクルマで溢れかえらないのか」ということに驚くわけだ。駐車場がないどころではなく、東京のまん中なんかに行ったら、そもそも道が狭くて片側2車線が精一杯、めったに片側3車線以上といった大都市の幹線道路らしい幅員の道路が存在しない。

アメリカ人にすれば、なんでこんなに道路スペースそのものが少なくて、用が足りているのかが、ものすごく不思議だろう。だいたい、大都市の幹線道路は片側4車線くらい普通にあって、その周りに3車線、2車線と、需要が少ないところでも最低限片側2車線ずつあるはずなのだから。

東京の場合には、めったに片側3車線の道路がなく、ほとんど片側2車線か片側1車線しかない。そうした本来クルマでは走行がむずかしいところは、生活道路なのでクルマは飛ばしてはいけませんということになっている。1車線だけなのに両方向通行という、魔法のような運転技術を持っていなければ絶対通れるはずがない道がざらにある。

東京は、それで十分用が足りている。しかも、東京はおそらく世界中の大都市でいちばん交通事故死の少ない大都市だろう。大阪はちょっと多いが、あくまでも東京に比べれば多いというだけの話で、世界標準と比べれば大阪や名古屋でさえ、大都市にしては交通事故、とくに深刻な死傷事故の少ない都市となっている。

また、クルマ社会では、タクシーに乗っても運転が荒っぽい。これもクルマ社会の特徴のひとつだが、都心部に片側3車線ぐらいある整然とした道路で碁盤の目を作っていると、ゆったりした道路なのに、事故が頻発するケースがある。とくに、片側3車線ではなく、全部一方向の6車線というような交通規制をすると事故が増える。大阪も、ところどころ、そういうバカげた交通規制を敷いている。あれがそもそもまちがいのもとで、事故が多くなっている。

どういうことかと言うと、ニューヨークも大阪もそうだが、広い道で一方通行となると、交通信号が赤から青に変わるときにパッと飛びだして先頭に立って走れたりすると、まるで天下を取ったような気分になる。それを信号の点滅でストックカーの初速競走のようなマネをひんぱんにやらせているから、整然と碁盤の目のように整備されてしかも6車線全部一方通行のような道路は案外事故が多い。

また、マンハッタンのまねをした大阪の都心部は、自動車交通に要する時間という意味でも意外に効率が悪い。なぜ効率が悪いかというと、碁盤の目では抜け道とか裏道がほとんど意味をもたない。どこかから別の場所へ行くためには、かならず碁盤を縦横一定のマス目ずつ走らなければいけない。それに比べると、ロンドンとか東京のように、自然にできてしまった道路を骨格にして、その上にところどころ整備された道路も混じっているほうが、抜け道とか裏道とかをよく知っている人には、使いやすい。だから、じつは自然に形成された道路網のほうがずっと効率がいい。

これもまた、表面的には合理的だけれども、実は効率的ではないクルマ文明を象徴する特徴のひとつだ。クルマ社会化が進んでからできた人工都市は、碁盤の目にするか、放射線と環状線の組み合わせにするかはともかく、一見効率のいい道路網を作っている。だが、渋滞の総時間数はたぶん自然に形成されて裏道、抜け道があっちこっちにある道路網に比べて、一見効率のいい道路網のほうがはるかに多いのではないだろうか。

大量の人間を安全確実に、しかも非常に信頼できる時間内で送り届けることができる鉄道網が生き残っている東京圏・大阪圏が享受しているような規模の経済を、欧米諸国では実現することができないのだ。クルマ社会化によって鉄道網が衰退してしまったからだ。なお、ヨーロッパの鉄道はアメリカと違ってまだ生き残っていると主張する人もいる。せいぜい人口200万人程度の中都市なら、路面電車網を使った通勤通学ができる。だが、ロンドンやパリのような大都市になると、きちんと乗り換え、乗り継ぎのできるネットワークが形成されていない。だから、毎日の電車通勤は、勤め先までほぼ一本の鉄道路線で行ける地域に住んでいる人以外には実用的ではない。

クルマ社会では、交通事故の犠牲者は減らない

クルマ社会とは、たんに社会全体でもっとも広く使われている乗りものが自動車になった社会というだけのことではない。自動車を持っている世帯と持っていない世帯では通勤・通学、日常の買いもの、余暇の利用などについてすさまじい利便性格差があることを平然と受け入れる社会のことだ。

そして、国民の大半を占める所得や資産で中層から下層の中あたりまでの、一応クルマを維持できる人々のあいだに「自分が自分の主人公でいられるのは、クルマを運転しているときくらいだ。だから、とくにどこに行くあてがあるわけでもないが、クルマに乗っている時間を長くしたい」という気分が蔓延している社会でもある。

欧米クルマ社会では、自動車の性能を画期的に改善し、高速道路の車線数や1車線当たりの幅員を増やし、インターチェンジの設計を効率化し、全般的に安全な自動車走行のための技術革新が進んだ。しかし、まったくといってよいほど慢性的な道路渋滞は解消していないし、交通事故での死者数もほとんど減っていない。

その最大の理由は、とくに用はなくてもとにかく路上でクルマを運転していたいという人たち

があまりにも多いからだ。だから、遠い将来までの需要を先取りして作ったはずの道路がたちまち満杯になってしまう。

ハイウェイの混雑問題に直面したロバート・モーゼスのような都市計画家は、1950年代から60年代初めまでは新しい道路を作ったり、既存道路の車線を増やしたりすることで対応していた。そして、みんなに「新しい道路が問題を解決する」と請け合った。しかし、新しい道路が開通するやいなや、その道路が磁石のように今までよりもっと多くの乗用車やトラックを惹きつけてしまった。道路計画の立案者たちは、今後10年間の交通需要に応えるために建設したハイウェイが、わずか1年、ときにはたった1カ月のうちに渋滞に悩まされるという事態に遭遇してきた。

（ルイス『*Divided Highways*』、217頁より拙訳）

ちなみに、引用の中にあるロバート・モーゼスとは、長期にわたってニューヨーク市周辺の道路計画、都市計画を掌握しつづけたので、「道路の帝王」とか「ニューヨークの帝王」とか呼ばれた都市計画家だ。なお、この引用には一カ所だけあまり正確ではない表現がある。鉄が磁石に吸い寄せられるように湧き出てきた新しい道路需要の大半は、トラックではなく、とにかく少しでも長くクルマを運転していたいと思っているオーナー・ドライバーの運転する乗用車だった。トラックだとしても、業務用のトラックではなく、アメリカに多いトラックを個人

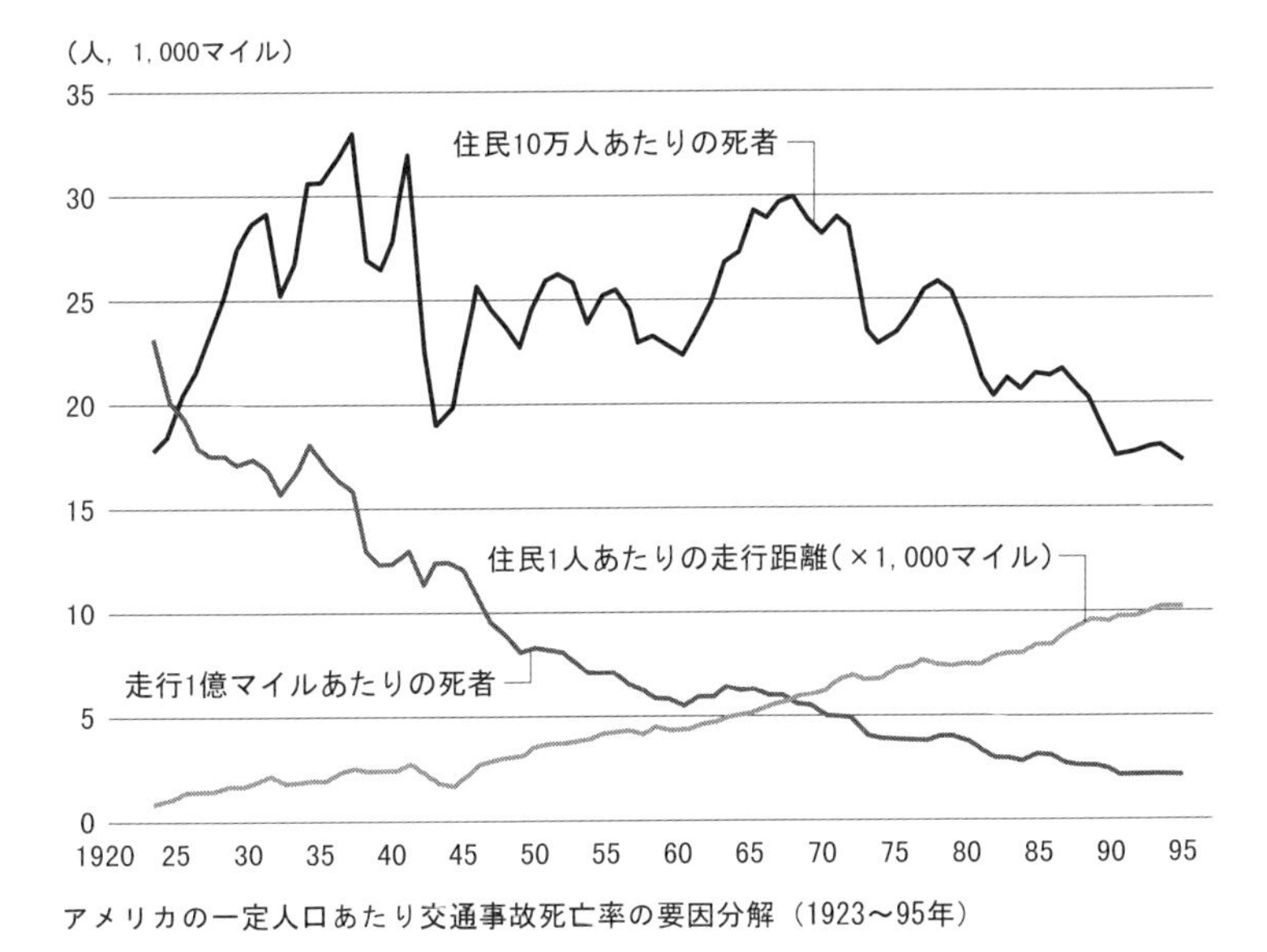

アメリカの一定人口あたり交通事故死亡率の要因分解（1923〜95年）

が自家用として使っているものが大部分だろう。業務用トラックの運転手には「最近新しい道ができたから遠回りになるけど走ってみよう」というような余裕はないからだ。

また、アメリカではとくに、大型車に自家用乗用車としての人気が圧倒的に集中していた理由も、できるかぎり運転している時間を長くしたいという欲求を持ったドライバーが多いからだとわかる。長時間走っていれば、一定の確率で交通事故を起こすことは想定内のできごとだったからだ。

この間の事情は、ジェラルド・J・S・ワイルドが名著『交通事故はなぜなくならないか――リスク行動の心理学』（新曜社、2007年）で、明快に解き明かしたとおりだ。つまり、上のグラフではっきり分かるようにアメリカの人口当たりの交通事故死亡者数が、1920年代初めから90年代の半ばまで、上がりも下がりもせずほぼ一定水準を保っているのは、走行1マイル当たりの死亡者数が確実に低下していることを埋め合わせるかのように、住民1人当たりの走行マイル数が増加してきたからだ。

多くのオーナー・ドライバーが事故覚悟で運転しているからこそ、不細工で場所を取り、燃費もすさまじく悪いビッグ・スリー製の大型車が、とくに労働者階級の人たちには人気があったわけだ。そして、この労働者階級のアメリカ的な大型車への執着の底流には、非常に切実な階級問題が横たわっていたのだが、その話はまた別の章に譲ることにしよう。

クルマ社会化がいちじるしい欧米で、最近は「交通量管理」という発想が主流になってきた。つまり、交通渋滞がひどいからという理由で新しい道路を作っても、作るそばから新規需要が誘発されてしまって、全然渋滞解消につながらない。いくら道路建設予算を増やしてもムダだから、道路の新設ではなく現にある道路交通需要を代替交通機関の導入などでどう管理・抑制するかに政策課題を絞りこもうという発想だ。

この発想の転換も、自家用車の運転が社会全体にかけるスペース利用上の負荷があまりにも大きいから出てきた議論だという要素が大きい。19世紀にジャン・バティスト・セイというフランスの経済学者が「供給は自動的に需要を導き出す」という法則が存在すると主張した。カール・マルクスなどによって「そんな法則が成り立つものなら、この世には不況も景気過熱もなく、桃源郷状態がつづくことになる。そんなバカなことあるはずがない」とさんざん批判された学説だ。

だが、交通経済学の世界では、現実に道路の新設や既存道路の延伸・拡幅は自動的に道路交通需要を誘発してしまうので渋滞はちっとも解消しない。つまり、供給は自動的に需要を生み出すという「セイの法則」の悪夢バージョンとでもいうべきものが厳然と存在しているのだ。

なぜ、こういう経済理論から見るとおかしな現象が持続しているのだろうか。鍵は、クルマ社会では、とくに目的がなくてもなるべく長いあいだクルマを運転していたいと考える、自動車運転そのものが効用あるいは快楽と考える層が広範に存在しているというところにある。だからこそ、道路の新設や延伸・拡幅でちょっとでもクルマを受け入れるスペースが拡大すれば、あっという間にそのスペースを埋める自動車が出現して、先進国の大都市圏では渋滞解消は見果てぬ夢に終わることになる。

天災の多い国だけに、頼もしい若者の安全志向

しかし、今後の世界を展望すると、話は違ってくる。エネルギー資源についてもスペースについても、希少性に対する認識の高まりは自動車を自己表現の媒体と考えたり、手足と同じように自分の体の一部と考えたりして、とくに用がなくても「自動車を運転しているときがいちばん自分らしくしていられるときだから」という理由で自動車に乗る人たちを減少させるはずだ。１９９０年代以降の日本で、とりわけ20代、30代の若い人たちが、あまりクルマに関心を持たないばかりか、クルマに乗っているときにもスピードの出しすぎとか、交通規則の無視とかをしなくな

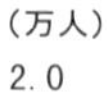

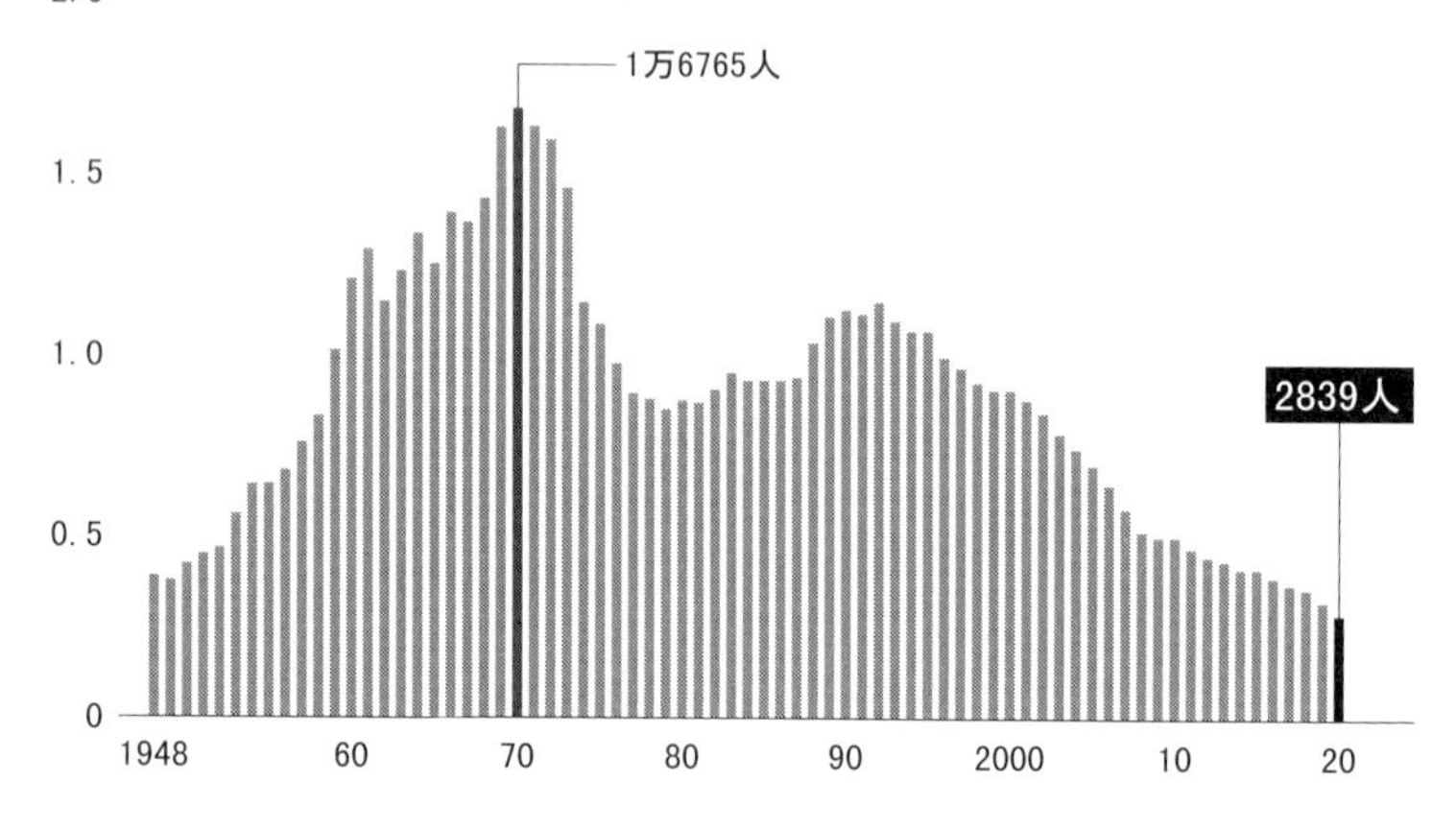

日本の交通事故死者数の推移（1948～2020年）

って交通事故が激減したのは、「クルマ社会」死後の世界を先取りしている。

上のグラフは、戦後やっとふつうの日常生活が戻ってきた１９４８年から、交通事故死者数が史上最高の年間１万６７６５人を記録した１９７０年を経て、直近２０２０年までの交通事故死者数推移を示したものだ。一目瞭然だが、１９７０年以来ほぼ一貫して下がり続けた死者数は、まだバブル経済の余韻が残っていた92年に、１万１４５１人で二度目のピークを打つ。この水準自体が、１９７０年の史上最高の数字に比べるとほぼ3分の2に過ぎない。この間に世帯当たりの自動車普及率は22パーセントから79パーセントに上がっていたのだから、ピーク対ピークで比べても、大激減と言っていいだろう。

それが、１９９０年代不況を通じてさらに下がり、直近の２０２０年には、自家用車を持てる人などほとんどいなかった１９４８年の約４０００人を割り

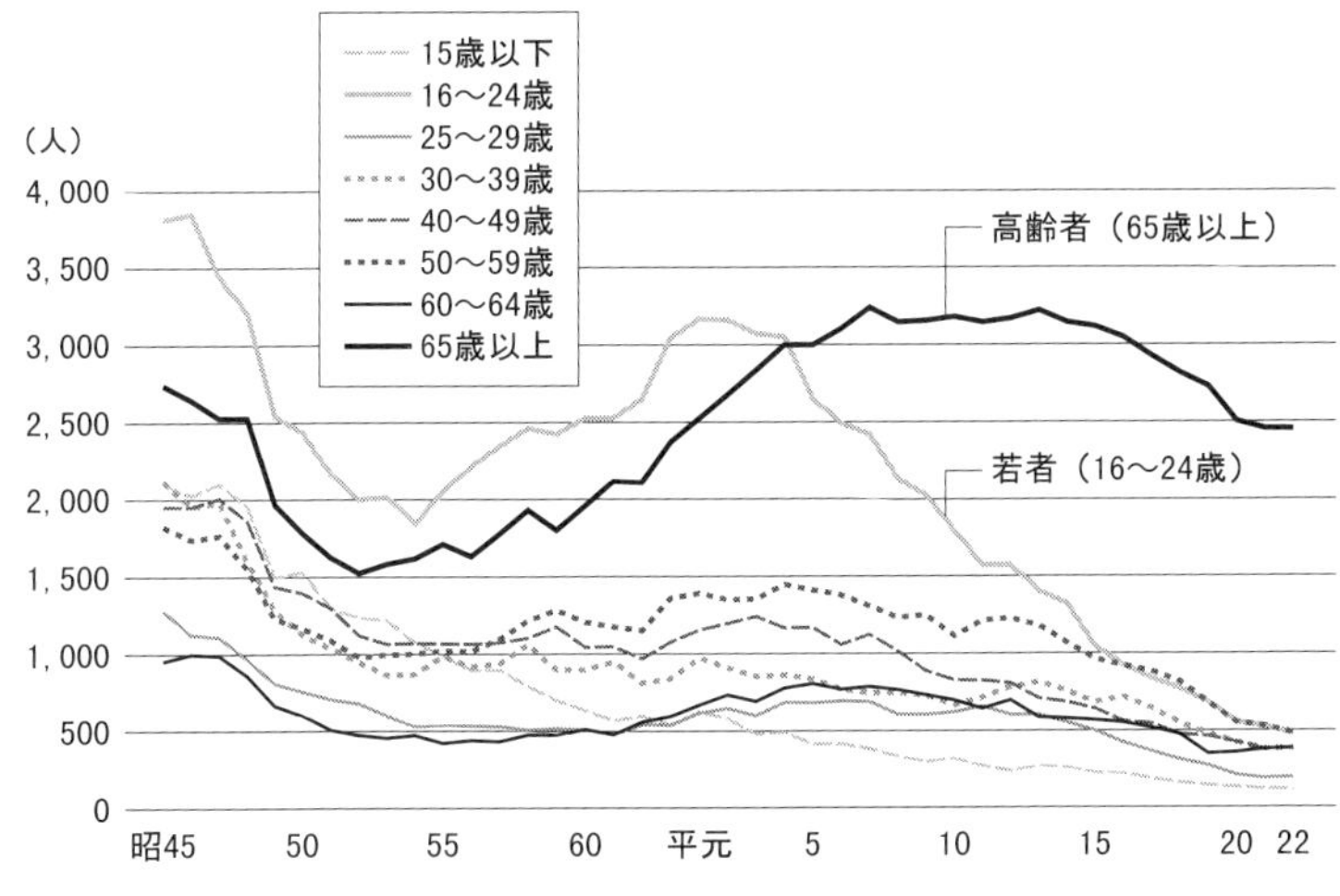

日本の年齢層別交通事故死者数推移（1970～2010年）

こんで、2839人となっている。しかも、この交通事故による死者数の大激減は、主として10代後半から20代前半の若者たちが、飲酒運転、スピードの出しすぎ、交通規則の無視といった危険な運転をしなくなったことに負うところが大きい。そのへんの事情は、上のグラフが明快に示している。

2009年に5000人を割りこんだ時点で、このすばらしい事実を報道した新聞記事に、「生身の人間と触れ合うのをこわがって、ゲームなどの仮想現実の中でスピード衝動を満足させるかわいそうな若者が増えているからだろう」という趣旨の「識者」のコメントが出ていた。どうも日本の知識人の中には、日本と欧米で違うことがあったら、つねに欧米は正常で優れていて、日本は異常で劣っていると言わなければ気が済まない人がいるようだ。「自動車は自分の手足の延長」などと思っている連中がクルマに乗ったまま「生身の人間と触れ合ったら」事故を起こして、相手を殺したり、傷つけたりしてしまうではないか。そんな衝動を仮想現実の中で満足させるとしたら、こんなに有意義な仮想現実の使い方はないだろう。

２０１１年3月11日、東日本大震災が起きた。午後3時前の日中としてはかなり閑散とした時間帯だったが、早仕舞いして家に帰ろうとすると電車は全面運休で、道は明治通りを中心に前も後ろもびっしりクルマで埋まっていた。

結局、恵比寿のオフィスから池袋の自宅まで約2時間半かけて歩いて帰ったのだが、これがいちばんの早道だった。クルマで帰った人たちは、同じような距離でも4〜5時間かかっただろう。幸い私の見聞きしたかぎりでは、混雑渋滞に事故渋滞が重なる最悪の事態は避けられていた。

だが、もしほとんど地震に遭遇したことのない人たちが多い国で、朝夕のラッシュ時に大地震が起きたらどうなるだろうか。動転して危険な場所でクルマを停めようとする人、無理な追い越しで渋滞を抜け出ようとする人が続出して収拾がつかないのではないか。

若い人ほど安全運転志向が高い日本は、ほんとうにいい国だと思う。そして、クルマは日本のように天災の多い国の大都市で日常生活を支える交通手段としては、やはり不向きだと判断せざるを得ない。

業務用車両の多さも、交通事故死者数の少なさに貢献している

ただ、ここで日本の交通事故の激減について、もうひとつ注意していただきたいポイントがある。それは、自家用車と営業（業務）用車両では、道路スペースの供給拡大や安全性向上に対する反応はまったく違うという事実だ。そして、日本の道路を走行している自動車は、欧米に比べて業務用車両の比率が高い。

タクシー会社であれ、バス会社であれ、運送会社であれ、「最近、道路スペースが増えて混雑が緩和されたので、運転しやすくなった。だから運ぶ乗客の人数も荷物の量も、届け先も変わらないけど、ちょっと回り道してもっと長時間運転させよう」という方針で経営したら、そんな会社はたちまち左前になってしまうだろう。運転手が仕事でやったら、クビになる。

道路スペースに関するかぎり供給が必ずそれに見合った需要を喚起するというのは、クルマを運転すること自体を快楽、あるいは自己表現と考えるような自家用車のドライバーたちに限定された話なのだ。そして、クルマ社会のエネルギー効率が、実際には実験室レベルの試算よりさらに低い最大の理由も、趣味・娯楽・快楽としてクルマを運転する層の広範な存在が、大都市道路網を慢性的な渋滞状態に陥れているという側面もあるのだ。

一歩も自分で動くことができないモノを運ぶには、どんな細い道にも入っていってドア・ツー・ドアで送り届けることのできる貨物自動車が世界でもっとも効率の良い輸送手段だ。ところが、楽しみ、暇つぶし、あるいは自己表現のためにクルマに乗る時間を長くしたいという人間の多いクルマ社会では、皮肉なことにこのすばらしく効率の良い輸送手段である業務用の貨物自動車が、スペース制約によって自家用車に道路からはじき出されてしまっている。

だから、広い大陸の隅々まで片側3、4車線の高速道路が整備されたアメリカのような国で、物流効率は意外なほど悪い。逆に、幹線高速道路でさえ片側2車線のところが多いほど高速道路のスペース配分がお粗末な日本が、物流効率では予想以上に健闘しているのだ。

この点に関しても、東京・大阪の二大都市圏で通勤・通学者の鉄道依存度が約50パーセントを確保している日本は、欧米諸国に比べてはるかに有利な立場にある。道路網の限られたスペースを占有している自家用車の総量が少ないので、大都市圏中心部の道路網でも、業務用車両の路面占有率がけっこう高い。

ここで「日本は物流の最先端国」というような主張をすれば、読者の皆さんは一笑に付すかもしれない。だが、実際のところ、日本は大都市圏でも業務用車両がそれほど大きな遅滞なく移動できることによって、物流先進国の座を確保しているのだ。

大ざっぱに言うと、アメリカの路上走行中のクルマのうちたった5パーセントが業務用車両なのに、ヨーロッパは約10パーセント、日本はほぼ30パーセントが業務用車両だとされている。アメリカとヨーロッパとの比較だけでも、道路スペースを業務用に使えているクルマの比率はヨーロッパがアメリカの2倍なのだから、かなり大きな差になる。これが日本とアメリカの比較となると、6倍という大差になるのだ。

順位	国名	総合点	順位	国名	総合点
1	ドイツ	4.20	16	フランス	3.84
2	スウェーデン	4.05	18	オーストラリア	3.75
3	ベルギー	4.04	19	イタリア	3.74
4	オーストリア	4.03	20	カナダ	3.73
5	日本	4.03	25	韓国	3.61
6	オランダ	4.02	26	中国	3.61
7	シンガポール	4.00	33	南アフリカ	3.38
8	デンマーク	3.99	44	インド	3.18
9	イギリス	3.99	56	ブラジル	2.99
10	フィンランド	3.97	75	ロシア	2.76
11	アラブ首長国連邦	3.96	156	シエラレオネ	2.08
12	香港	3.92	157	ニジェール	2.07
13	スイス	3.90	158	ブルンジ	2.06
14	アメリカ	3.89	159	アンゴラ	2.05
15	ニュージーランド	3.88	160	アフガニスタン	1.95

世界ロジスティックス指数トップ15カ国，特徴的な10カ国，ワースト5カ国（2019年版） デフレーターは2000年時点の米国工業製品価格.

さらに、東京都心部とその周辺に張りめぐらされた首都高速となると、じつに交通量の約8割が業務用車両だという欧米諸国では考えられないような数字もある。これで日本の物流が世界的に高い業務効率を上げていなかったら、そっちのほうが不思議だろう。

上の表からも、日本の物流効率の想像をはるかに超えた健闘ぶりを読み取ることができる。

世界160カ国の物流効率を、七つのカテゴリーでそれぞれ5段階評価した点数の平均値を比べたものだ。あまりにも膨大な資料なので、この表では最上位から15カ国とドン尻から5カ国、そしてその中間で特徴的な国を10カ国抜粋して30カ国の比較にしてある。シンガポールや香港のような都市国家とヨーロッパの領土の狭い国が上位の大半を占めていることは、パッと見ただけでわかる。

そのほかでは、ヒトラーの遺産アウトバーンをフルに活かしたドイツ、業務用車両の道路占有率が圧倒的に高い日本の順位が高い。大陸型国家でトップ10に滑りこんだ国はない。ただ、国土面積の広い新興国同士の比較では、中国やインドが案外がんばっているのに比べて、ロシア連邦の非効率ぶりはさんたんたるものだ。だだっぴろい国土に薄く張りめぐらすしかなかった鉄道網に物流もかなり大きく依存していることが、いわゆるBRICs4カ国（ブラジル、ロシア、インド、中国）の中でもロシアがとくに非効率な物流を営んでいる理由だろう。

人口1億人以上を擁する大国でトップ10に入っているのは日本だけだ。日本経済の物流効率は非常に健全だということが、この表にもはっきり表れている。だが、これでびっくりしていてはいけない。OECDは、毎年なかなかおもしろい経済統計集を出版している。

2008年版は『経済政策改革――成長を目指して　2008年』というタイトルだった。その中には、物流コストについての詳細な比較データが掲載されている。さらに、総合、空運、海運と並んで道路輸送に限定した効率性も調査している。

次ページのグラフは、貨物1キログラムを1キロメートル運ぶのにいくらかかるかという単純な比較に絞って、先進4地域の物流効率を算出した結果だ。ご覧のとおり、日本は一貫してヨーロッパ諸国の約3分の1、アメリカ・カナダやオーストラリア・ニュージーランドの約5分の1という水準を守っている。

道路スペースを比較的自由に業務用車両が使える日本と使えない欧米諸国では、これだけ極端

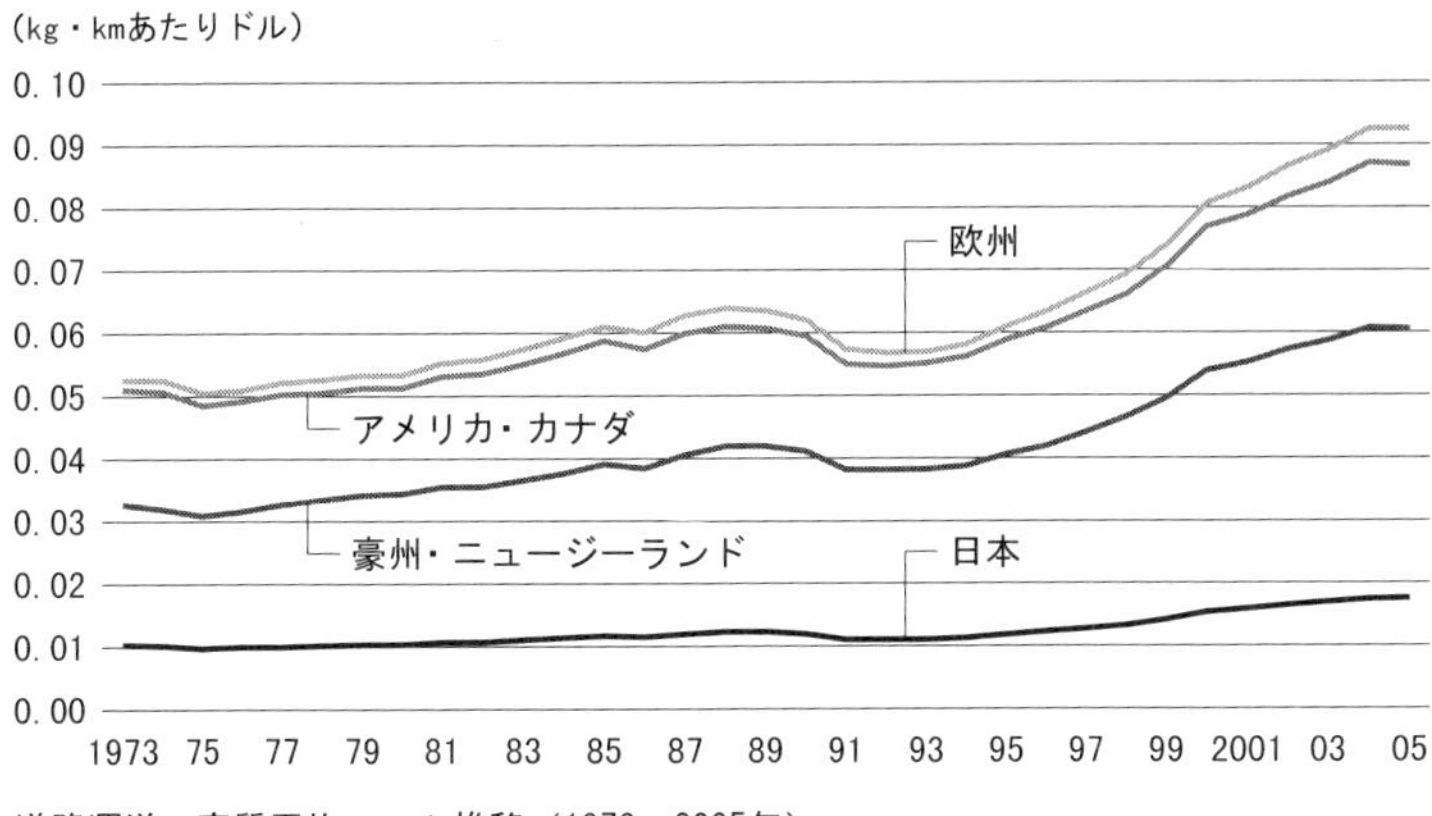

道路運送の実質平均コスト推移（1973〜2005年）

なコストの優劣につながっているのだ。実証データを確かめてみなければ思いもしなかったという人が多いだろう。

そして、業務用車両の高速道路占有率が高いことについては、きちんと説明のつく理由がある。日本の道路行政では、建前としては建設費を償還し終わったら無料開放することになっている。だが、実態は、ほぼ全区間を有料にして高速道路という希少性の高いスペースをほんとうに必要性の高い利用者に優先的に割り振る政策を取っている。

アメリカではいくつかの州を貫いて走るインターステイトと呼ばれる幹線道路はすべて高速規格になっているが、無料だ。ほとんどが片側3車線ずつの6車線以上で、一見どこへでもスイスイ走れそうだ。実際には、大都市周辺部は慢性的な渋滞で時間ロス、エンジン空ぶかしのエネルギーロスがすさまじい。タダなので、通勤、通学、それにドライブ自体を楽しむ人たちの運転するクルマであふれているからだ。

私は、日本の道路輸送効率の高さについて、業務用の自動車がドライブを楽しむ人の運転するクルマにあまり妨害されずに行き来できるからだとしか考えていなかった。だが、チェスター・リーブス著『世界が賞賛した日本の町の秘密』(洋泉社新書、2011年)を読んで、まさに眼からウロコの思いがした。日本でごくふつうに家庭用自転車として乗りまわされている、いわゆる「ママチャリ」は、近距離・少量・高頻度の物流に最適の、日本が世界に誇るべき独創的な乗りものだというのだ。

たしかに、欧米では日本のママチャリのように、乗り降りしやすく、乗っているとき上半身を前傾ではなくほぼ垂直に保てて視界が広く、後輪を宙に浮かせて荷台を水平に保って停めることができるキックアップ・スタンドを備えた自転車は見たことがなかった。ただ、一言補足させていただきたい。キックアップ・スタンドは、家庭の主婦が買いものや子どもの送り迎えをしやすいようにというより、小売店や飲食店が近隣のお客さんに商品の配達や料理の出前をしやすいようにという業務上の要請から、日本型自転車の標準装備になったのではないだろうか。

このグラフでもうひとつ印象的なのが、欧米諸国は1973年と79年の二度にわたる「オイルショック」の襲来でかなり顕著に道路輸送コストのベースが上がってしまったが、日本はほとんど影響を受けていないという事実だ。2007年から始まった原油価格の三度目の急騰も、欧米ではかなり深刻な物流コスト上昇につながっていたはずだが、日本ではあまり大きな影響は出なかっただろう。

「日本の道路輸送コストはこんなに低いのに、なぜ日本の物流企業はこれだけ大きなコスト優位を企業収益の向上に活かしていないのだろう」という疑問が、当然出てくるだろう。だが、じつはそこが日本経済の最良の特徴なのだ。

GDPでは測れない日本経済の豊かさ

貨物輸送を例に取れば、積み荷はドライブを楽しむわけではないから、少しでも安く、速く、安全確実に届け先まで送れるほうが、高く、遅く、危険で不確実な輸送に頼るより、国民全体を豊かにしている。人間の移動の大部分も、通勤通学や買いものなどが目的の場合、交通費はなるべく安く、所要時間は短いほうがいい。ただ、輸送費、交通費が安く済むこと自体はGDPの成長には貢献しない。そこで浮いた費用を他の消費や生産活動に回したとき、初めてGDP成長に貢献することになる。

1990年代以降の日本では、消費行動が非常に慎重になっている。だから、日本の交通網が金銭面だけではなく、時間やエネルギーでもロスの少ない生活に寄与していることが、なかなか消費の拡大を通じてGDP成長に寄与していない。そして、日本の実質GDP成長率は世界平均を下回りつづけている。逆に、交通費、輸送費が高くつく国々では、その高い交通費や輸送費が誰かの収入、どこかの企業の収益に貢献してGDP成長に貢献している。

この章冒頭で日本経済のエネルギー効率の良さをご紹介した文章も、初版は2003年の数値を使って「世界のGDP合計額の10パーセント近くを占めているのにエネルギー消費量は5～6

パーセントで済んでいる」となっていた。それが、14年後の2017年の数値では、3パーセントのエネルギー消費量で世界GDP合計額の6パーセントを生み出すだけに下がっている。

GDPの規模が即、国民の豊かさを表すという発想をすれば、この14年間に日本は世界との比較で約4割貧しくなってしまったことになる。だが、日本よりずっと輸送費も交通費も高くて、その結果としてGDPの規模も大きい国に住んでいる人たちは、日本国民より豊かな暮らしをしているのだろうか。むしろ日本型大衆消費社会の恩恵に浴することなく、日本国民より実質的には貧しい生活をしているのではないだろうか。

話がちょっと抽象的になってしまったので、具体的な事例を使って説明しよう。1970年代の日本と現代日本を比べてみていただきたい。ふつうの庶民の日常生活の利便性向上にもっとも大きな貢献をした変化を三つ挙げろと言われたら、どんな答えが出るだろうか。

標準的な答えとして考えられるのは、携帯電話とコンビニと宅配便の普及ではないだろうか。携帯電話は世界的な現象だが、コンビニと宅配便の普及は日本独自の発展だったことを、読者の皆さんはご存じだろうか。どちらも、小ロットで高頻度の道路物流抜きには想像することもできない業態だ。そして、どちらも非常に大きな利便性の向上が、ほとんど価格上昇というマイナス面をともなわずに進行した。

まあ、コンビニに置いてある商品はスーパーにおいてある商品よりメーカー希望価格で売っているケースが多い程度の消費者側コストはあった。だが、それでも大都市圏から近郊中小都市に至るまで、どこに行っても自宅のすぐそばに日常生活で必要なものはだいたい手に入る利便性に比べれば、消費者にとってそれほど大きなコストではないだろう。

宅配便の場合は、それどころではない。郵便局という国家が公認した独占事業に安住していた小包の料金と比べて格段に低い価格で、指定した時間で指定した宛先に確実に届くという点ではるかに優れたサービスを提供している。宅配便によって、日本国民全体が荷物を持たずに手ぶらで国中を行き来することが可能になった。さらに、ゴルフクラブやスキー板の宅配、冷凍食品の宅配と配達可能な品物の範囲もどんどん拡大していった。

アメリカの人気経済ブログのひとつに「Jesse's Café Américain」というものがある。このブログの2009年9月30日のエントリーは、「日本生活1989〜2009年、草の根の視点から」というタイトルで、当時としての過去20年間の日本経済が、昇給はないが安定した給与を稼いでいる人間にとっていかに優しいものだったかを克明に描いている。その中で書き手がとくに強調したのが、日本独自の発達を遂げた宅配便のすばらしさだ。関係箇所をちょっと訳出してみよう。

日本ではクルマが要らないもうひとつの理由が、宅配システムのすばらしさだ。箱だろうがスーツケースだろうが、日本中どこからでもどこへでも20ドル（約2200円）以内で送ることができる。荷物は家まで取りに来てもくれるし、だいたいどこのコンビニでも送れる。そして、何日の何時ごろという配達日時の指定までできる。

バルク販売のディスカウントスーパー、コストコは日本進出当初クルマを持っていない客への配送問題でつまずいていたが、今はもうこの問題を完璧に解決した。宅配業者と提携して、60ポンド（約27キロ）以下の箱なら日本中どこへでも6ドル（約660円）で配送することにしたのだ。6ドルというのはミスプリントではない。北海道のコストコから九州長崎の宛先まで、約1000マイル（1600キロ）の距離を送っても、本当に6ドルぽっきりなのだ。

私は最近、自分のためだけでなく、友人たちのためにもコストコで買いものをしているが、何人分だろうと店で60ポンド以下に分けて箱に入れれば、それでどこのだれにでも送れる。

初版執筆当時、この日本独自の物流革命のパイオニア、「クロネコヤマトの宅急便」に関する新聞記事を読んでいたら、こんなことが書いてあった。「最近では消費者がどんどんぜいたくになって、たとえば自分が注文した通販の商品を家のものには知られずに自分で受け取りたいというような需要が大きい。だから宅急便から個（個人の個だ）急便への体制整備を急いでいる」

欧米の大都市圏中心部だけで、対個人客のメッセンジャーサービスを日本の宅配便価格の数十倍で運営している会社が聞いたら卒倒しそうな話だ。欧米では個人宛のメッセンジャーサービスと言っても、配達の日時も相手の確認もまったくずさんで、すべて一応の目安に過ぎない。それでいて、こういう個人向けサービスの価格は目の玉が飛び出るほど高い。

まったく、日本の宅配便各社の熾烈な競争の爪の垢でも煎じて呑めと言いたくなる。だが、大都市限定のメッセンジャーサービスの場合、地域ごとにかなり厳密な縄張りがあって、それぞれの縄張りの中で大きな地域独占利潤を稼いでいる。

ここがまた、日本経済の競争のきびしさの利点なのだ。もとはと言えば、二番手グループに属するヤマト運輸（今はヤマト・ホールディングスと社名を変えている）のような運送会社が監督官庁である当時の運輸省に徹底的にいじめられながら苦心惨憺して独自に開発した宅急便のような分野に、成功を確認してから同業者がどっと参入するということは欧米ではほとんどない。

「このアイデアは開発した企業のものだから、その企業がたっぷり独占利潤を取ればいい。だが、我々がいいアイデアを思いついたときには、我々にも独占利潤を取らせてくれよ」といった経営者同士の暗黙の紳士協定が存在する。この態度は、一見フェアプレー精神があって立派なことのように見えるが、結局のところは社会全体がいかに企業の首脳陣がボロ儲けをすることを尊重するかという点で「立派」な態度なのだ。日本では、まずそういうかたちで独占利潤が形成されるのを同業他社が指をくわえて見ているということはない。

別にビジネスモデル特許が申請できるような画期的なアイデアがあったわけではない。「小型トラックの高頻度運行と、コールセンターと、メールや携帯のフル利用システムさえ作れれば、だれでもまねることができる。それならまねなきゃ損だ」ということで、運送業の大手から中堅あたりまでが一斉に参入した。遅れて参入した業者の大半は結局利益を得られずに撤退したが、中にはヤマトのライバルに成長する企業も出てきたので、ヤマトがこのサービスで独占利潤を得ることはできなかった。

ちょっとでも有望な分野には業界全体が一斉に群がる日本企業のメンタリティは、あまりかっこうのいいものではない。だが、技術革新やビジネスモデル革新の成果を企業がほとんど回収してしまうのではなく大部分を消費者に還元するという点では、自由競争にもとづく市場経済のお手本になっている。そして、道路輸送コストがこれだけ欧米諸国より低いにもかかわらず、運送会社の利益率がとくに高いわけでもないのもまた、「過当競争」の多い日本の各産業では、本当の意味で消費者主権が守られている証拠でもある。

だが、消費者側も漫然と寡占企業同士の競争激化を待っているだけで、棚からボタもちのように消費者主権を守ってもらったわけではない。コンビニにしても、普及初期にはセブン‐イレブンがガリバー型寡占になっていても不思議ではないほど先行していた。欧米なら当然そうなっていただろう。だが、日本の大衆はそれを許さず、コンビニ定番商品ならセブン‐イレブン、弁当や軽食などのすぐ食べるものならファミマ、コンビニにしては安いという価格選好ならローソンといったぐあいに、自分たちの需要をうまく振り分けて、ガリバー型寡占が育たないようにした。

宅配便でも、どっと参入した企業群の中で、ほかに独占、準独占の収益源があるのでどうしても片手間的な参入になってしまった日本郵政や日通は、いとも簡単にはねつけた。郵便局で小包を出したり受け取ったりするのも、昔よりはだいぶ楽になった。だが、それでも宅配便の利便性には及ばない。日通は個人向け小荷物運送自体から撤退してしまった。その一方で、日本全国を震撼させた巨額贈収賄事件の張本人としてこのままでは会社が潰れるという危機感を持って宅配便事業の成長に社運を賭けた佐川急便は受け入れて、クロネコヤマトとほぼ互角の勝負をするところまで育て上げた。

こうして見てくると、日本の大衆は産業政策を持っていたのではないかと思えてくる。しかも、「寡占市場の大手企業の数を減らして一企業ごとの規模を拡大しなければ、国際競争に脱落する」という、旧通産省、今では経産省となっているお役所風の愚鈍な産業政策ではない。独占、準独占、ガリバー型寡占が育って市場に価格支配力をふるうことを防ぐという、市場経済の本質を理解したすばらしい産業政策だ。煎じ詰めれば、この日本大衆の産業政策があったからこそ、日本の自動車メーカーがアメリカのビッグ・スリーを追い落とすというような奇跡的な大番狂(ジャイアント・キリング)わせも可能となったのだろうが、それはまた章を改めてゆっくりと論じたい。

結局、クルマ社会化してしまった欧米では高速はタダか、取るに足らない額でも道路輸送のコストが高く、大都市圏で鉄道社会を守りぬいた日本では、あれほど高い高速料金を払わされても道路輸送コストが低いという皮肉な現実が定着している。もう少し一般化して言えば、クルマ社会は地域社会全体のエネルギーとスペースを浪費し、物流システムの効率を下げる。これがクルマ社会七つの大罪のうちで、第一番目の罪だ。

大罪その二　行きずり共同体の崩壊

そして、ポピュラー・カルチャーがアンポピュラー化する

クルマ社会の数ある罪状の中でも非常に罪が重いのは、社会を構成する人々の品性（倫理観・道徳観）を堕落させることだろう。そして、「行きずり」共同体が崩壊してしまうことだ。

クルマ社会は行きずり共同体を崩壊させる

行きずり共同体とは何か。「しがらみ共同体」ほど強い拘束で人間を縛りつけない共同体のことだ。いちばん良い例は、一両の電車に乗り合わせた人々、あるいは一台のバスに乗り合わせた人々だろう。ふらっと入った居酒屋で呑み食いする客の集団ということもある。この観点から、アメリカの都市づくりのあり方を批判し、だんだん行きずり共同体を形成する場がなくなっていくことへの危機感を喚起したのが、レイ・オルデンバーグ著『サードプレイス――コミュニティの核になる「とびきり居心地よい場所」』（みすず書房、2013年――原書刊行は1989年）だった。

それぞれが、どこかの駅（あるいは停留所）から乗って、どこかの駅で降りるまで同じ空間を共有する。降りてしまえば、二度と出会わない人も多い。通勤や通学に同じ路線の電車やバスを使っていれば、何度も同じ乗りものに乗り合わせるので顔に見覚えのある人もいるかもしれない。乗り換え駅でちょっと一杯と立ち寄る居酒屋で、たびたび同じ顔を見かけることもあるだろう。

だが、顔に見覚えはあっても、どこでどんな仕事をしている人かというような知識が積み重なっていくことはめったにない。形成されては崩壊し、崩壊してはまた形成される、非常にあと腐れのない「ドライ」な共同体だ。

それでは、しがらみ共同体とは、どんな共同体か。人間は自分が生まれ育った環境の中で、地縁・血縁の濃密な共同体を形成する。もちろん、家族はこの共同体の最小単位と言っていいだろう。その上に、ごく近い場所に住んでいる人たちの織りなす隣近所、町とか村とかの地方自治体の行政単位といったものが乗っかっている。こういう共同体のことは、しがらみ共同体と呼べるだろう。

人間が社会を形成する動物であるかぎり、世捨て人になる覚悟でもなければ、どのしがらみ共同体にも属さないという選択は非現実的だ。生きているかぎり、ある程度は付きまとわれることを受け入れざるをえない「ウェット」な共同体だ。

もちろん、人間が形成する集団は共同体ばかりではない。たとえば、収益を確保することによってひとりひとりの構成員の食い扶持を確保することを目指す企業とか、一定の教育を施すことを目指す学校とか、社会を一定の方向に持っていこうとする政党もある。これらの組織の特徴として、人間が自由意志で特定の目的を達成するために参加する機能主義的な集団だということが挙げられる。

当然、社会や経済のためにどう役立っているかという「合目的性」がつねに問われる。そして、だれかが特定の機能集団に参加しているのは、ふつうその集団が目的にかなった行動を取っているあいだだけで、目的に反する行動を取るようになったら構成員は離脱するという建前になっている。

日本在住歴が長く、戦後日本の文化史やジャズ評論、居酒屋文化に関する考察などの分野で活躍する早稲田大学教授、マイク・モラスキーは『サードプレイス』では解説を務めていた。そして自著『日本の居酒屋文化　赤提灯の魅力を探る』(光文社新書、2014年)の中で「オルデンバーグは、アメリカで家庭でも勤め先でもない第三の場所を見つけることがどんなにむずかしくなったかについて、悲観的すぎるのではないか」と書いている。

だが、失礼ながら、日本に住んでいた期間が長くなりすぎて、クルマで家と勤め先のあいだを往復する人間にとって、家庭のように濃密なしがらみ共同体でもなく、職場のように機能的に組織された集団でもない、第三の場所を探すのがいかにむずかしいかを忘れてしまったのではないだろうか。実際、クルマで通勤する人間にとって「今夜はどこかで一杯やってから帰ろう」ということになると、呑んでから家に帰りつくまでどうするのかが大問題になる。たとえ、安全に一晩置いておける駐車場があったとしても、翌日の出勤のための足の確保が難関だ。もちろん、クルマを運転して帰れば、事故を起こしたり、飲酒運転でつかまったりする危険がある。

おもしろいのは、機能集団は悪事を犯す能力を持っているが、共同体には悪事を犯す能力がないという観念が一般化していることだ。人が罪を犯したとき、「社会が悪い」と言われることが多い。この場合の社会とは、雇用者のクビを切って失業者、そして犯罪者にしてしまった企業だったり、本来の使命を忘れて自分たちが権力とかカネとかをむさぼることに没頭している政党だったり、ワイロを取ったり帳簿をちょろまかしたりする村役場、町役場の役人たちだったりする。ようするに、機能集団だ。

だが、共同体そのものは、悪事の被害者だったり、個人を悪事の被害から守る緩衝地帯だったりするとは考えられても、悪事を働く主体と考えられることはめったにない。

ジグムント・バウマン著『コミュニティ――安全と自由の戦場』（筑摩書房、2008年）の論点は、「コミュニティということばの持つ本来的な輝きが、なぜ、いつごろ、そしていかにして現代アメリカから失われてしまったのか」、また、「この輝かしいことばをしっかりした内実とともに再興することはできるのか」ということに集約されている。冒頭に近いところでの人間が取り結ぶさまざまな社会関係を表すことば談義には、なかなか深い意味がこめられている。

ひとはふつう、「誰かが悪い仲間companyに入ってしまった」と言うが「悪い共同体communityに入ってしまった」とは言わない。ちなみに、会社ということばもまた、英語では悪い仲間というときとまったく同じcompanyという単語を使う。あるいは、何か犯罪に手を染めた人間について「社会societyが悪い」とは言うが、けっして「共同体communityが悪い」とは言わない。communityということばには、それ自体として安定性や相互信頼といったプラスの意味が付与されていたのだ。

これほどすばらしい意味を与えられつづけてきたコミュニティが、現代アメリカでは出入りが完全に監視された富裕層のゲイテッド・シティ（＝コミュニティ）と貧困層のゲットーに分断され、その中間を占めるべき層が日増しに薄くなっている。ジグムント・バウマンは「昔であれば生活を維持できなくなった貧困層がコミュニティから逃げ出していたものが、近年様変わりした」と書いている。最近の風潮として、「政治的・経済的・文化的・教育的に豊かなエリート層がコミュニティから逃避する傾向が顕著で、この現象こそコミュニティ崩壊の元凶だ」と指摘している。

近代西欧において称揚され続けてきた「個の自立」とか「近代的自我の確立」とかの概念自体が、サステナブルな社会と相容れないのではないかという重要な問いかけを発しているわけだ。

コミュニティということばの持つプラス価値を示す極端な例を出してみよう。第二次世界大戦直前のドイツでは、小さな地方自治体から国政に至るまで、選挙のたびにナチス党が圧倒的な得票を獲得していた。だが、戦後の戦争責任論争では、ドイツ人たちは一貫して「悪かったのはナチスという一定の政治綱領に沿って社会を変革しようとしていた政党であって、小さな地方自治体から最後には第三帝国に変わってしまったワイマール共和国にいたるドイツ人たちのコミュニティではなかった」と言い張っている。一方、日本では「一億総ざんげ」というスローガンが唱えられたが、ようするにだれが悪かったのかの追及をあいまいにしたまま、責任だけはみんなで取りましょうという議論だった。

これだけ「神聖化」されている共同体が、生まれたときから属していて、死ぬまで脱退することのできないしがらみ共同体ばかりというのも、なかなかに息苦しいものがある。できることなら、簡単に形成されて、形成されるそばから崩壊していく行きずり共同体に属すというオプションも存在する社会であって欲しいと思うのは、へそ曲がりな人間だけだろうか。

ところが、クルマ社会化が完成の域に達してしまった欧米先進国では、この行きずり共同体を形成する契機がほとんどない。とくにアメリカでは、ものの見ごとになくなっている。むしろ、しがらみ共同体であるはずの伝統的な地域共同体さえもが、金持ち集団が貧乏人による略奪や殺傷事件から身を守るためにゲイテッド・シティとか、ゲイテッド・コミュニティを形成するというかたちで機能集団化を進めている。初めから階級や所得水準でえり分けられて、安全性とか見た目の豪華さとかの目的を追求する、「共同体」とは名ばかりの機能集団になっているのだ。

人間を集中させる交通機関である鉄道が大都市中心部の荒廃や犯罪発生率の上昇を非常に安上がりで効率的に防いでいるのに対し、人を分散させる交通機関である自動車は、大都市中心部の荒廃と犯罪発生率の上昇を促進する。

大都市中心部に毎日膨大な乗客が乗り降りする駅がある電車社会の日本では、大都市圏での人口当たり犯罪発生件数が欧米の大都市より一桁か二桁少ない。目撃者の多いところでは、犯罪が起こりにくいからだ。そして、行きずり共同体による緩やかな監視が犯罪の発生率を非常に低い水準にとどめているのだ。日本では、犯罪、とくに猟奇的な凶悪犯罪は圧倒的にクルマ社会化した郊外の新興住宅地や地方都市で起きている。

クルマ社会化がアメリカ人の品性を劣化させた

アメリカは、ヨーロッパ列強が新世界で築いた植民地の中では比較的早く独立した国だ。そこでは、たとえば奴隷制が、とくに南部の綿花プランテーションではかなり遅くまで行われていた。だが、基本的にはヨーロッパに比べれば純朴であまり偽善的ではない、素直で倫理的にも正しいことをする国民が多い国だった。この純朴な気風が崩れはじめる最初のきっかけが、自動車をめぐる詐欺や悪質な商慣習だった。

緩やかな連邦制度を標榜し、それだからこそアメリカ合「州」国と名乗ったアメリカで、各州が独立国から独立国の中の一行政単位に転落したきっかけを作ったのは、州の境界を越えて刑事訴追をできるFBIという警察機構が設立され、その権限が肥大化したことだった。そして、FBIが今のように強大な組織になったきっかけは、自動車部品産業や修理工場が州境を越えたネットワークで、あまりにも悪辣な過剰修理・過剰な部品交換で消費者から金を巻き上げていたことだった。

FBIはなぜ、あそこまで大きな権力を持つようになったのか。そして、史上最長の在任記録を持つFBI長官だったエドガー・フーバーは、なぜ世界中でたったひとり、大統領でもフーバーに言われたことは嫌と言えないというくらいに絶大な権勢を誇ったのだろうか。もちろん、長いあいだFBI長官をしていて、しかも情報活動が天職と言われるくらいの調査魔だったので、アメリカの権力者の秘密を全部握ってしまったことも大きかった。

だが、ＦＢＩがふるった大きな権力の源は、もともとアメリカという国では連邦政府の機関が非常に弱体だったことから始まっている。各州が基本的には独立国として、自分たちで法律も決め、その通りに税金を徴収して、ほぼ独立してやってきた。それらの州の連合体として建国されたのが、アメリカ合衆国、本来の訳語とすれば合州国だった。合衆の衆は、スティツ（States）のほうだから、州の字を当てたほうがはるかに自然だ。

その合衆国でなぜ、あそこまで連邦機関が強くなったかというと、最初の一歩はＦＢＩが強化されたことだった。しかも、なぜＦＢＩが強化されたかというと、クルマが普及してから、クルマが故障して修理を頼んだときに、とんでもない暴利をむさぼる修理業者が続出したことがひとつ。もうひとつは、クルマを使うことによって、州の境を越えて、どこかで詐欺をやったり強盗をしたりした人間が、簡単に別の州に逃げこんでしまうので従来の州単位の警察組織では対応できない犯罪が増えたことだった。

おそらく自動車は、ほとんどの人にとって家に次いで二番目に大きな出費をする消費項目だろう。だが、家と自動車には大きな違いがある。どこがいちばん大きく違うかというと、だいたいふつうの人間は自分が住んでいる家の付属品が、それぞれどういう機能を果たすものかを知っている。どういうふうになっていたら正常に機能している状態で、どういうふうになったら故障かということは、だれが見てもわかる。

たとえば水道の蛇口を閉めても水が漏れつづけるとか、スイッチを入れても電球が点かないとか、故障は何がおかしいのかすぐわかるし、おかしいところだけを直してもらうという判断が自分でできる。器用な人なら自分で直すのもやりやすい、わかりやすい商品だ。

ところが、自動車という工業製品は、メカニズムにはしろうとの最終消費者にとって、どの部品がどういう状態にあれば正常な機能を果たしていて、どういう状態にあるときには故障しているのかということを見分けるのがむずかしい耐久消費財だ。ものすごく複雑な部品がいろいろ、ごちゃごちゃ詰まっている。

そして、自由な競争に基づく市場経済を国是としているアメリカでは、消費者の無知に付けこんだ過剰修理・過剰部品交換が満面開花してしまった。おまけに、自動車製造業各社、中古車ディーラー各社までもが、直接過剰な修理や過剰な部品交換をやってしまった修理工場を抑制せずに便乗したほうが得だという近視眼的な経営をしてきた。

長い道のりをクルマで走っていたときに、突然ストップしてしまったとする。修理工場に持って行ったら、「ここと、ここと、ここが悪くて、全部でいくらかかります」と言われても、ほとんどの人は黙って額面通りに受け入れるしかない。たまたま機械のことがわかる人が見れば、とんでもない暴利をむさぼっていたり、全然直す必要のないところまで新しい部品に換えたりしていたというようなことが頻発する。

過剰な部品交換で、修理工場の売上は上がる。消費者は必要最低限より「良い」修理でマイカーの性能を上げてもらえる。損保各社はその分プレミアムを上げることで市場規模を拡大できる。社会全体にとって必要以上の部品が生産され、始末の厄介なゴミが増える以外にはだれひとり「損はしていない」という状況があるので、こうした犯罪と悪徳商法の境界線上の事例が頻発しつづける。本当は、自動車保険料が上がるというかたちで、ちゃんと消費者にツケは回っているのだが。

クルマの普及とともに、そういう不正修理や過剰修理があまりにも多く起きた。そのために、当初はいくつかの州にまたがった犯罪、しかも国家機密を漏洩（ろうえい）したというような重大犯罪しか扱わないはずだったＦＢＩが、非常に広くアメリカ国民の生活のありとあらゆる場面に首を突っこむようになったわけだ。

そして、自動車修理店が詐欺まがいの悪質な過剰修理をやっていたのは、決して自動車産業も勃興期で、アメリカ財界全体が泥棒貴族（ロッバー・バロン）と呼ばれていた19世紀末から20世紀初めに限られた現象ではなかった。『「うそつき病」がはびこるアメリカ』を書いたデービッド・カラハンは、自動車修理がらみの詐欺による損害額が４００億ドル（約4兆2000億円）に達するという推計もあることを紹介した上で、１９９０年代にシアーズ・ローバック（現シアーズ）が行った組織的な過剰修理についてこう書いている。

シアーズの自動車修理チェーンは当時全米最大で、扱っていた車は年間二千万台にのぼる。

新方針が実施されてから一年もしないうちに、客からのクレームが消費者団体や州の監視機関に転がり込んでくるようになった。望んでもいない、あるいは必要のない修理の請求書を突きつけられた、シアーズの修理センターは不正直な連中ばかりだ、という。シアーズは四十四の州で当局の捜査対象となり、十八件の集団訴訟の被告となった。……

シアーズは、一世紀にわたって、アメリカの消費者と相思相愛の関係を育んできた。その信頼を裏切ったり、重大なスキャンダルを経験することなく、小規模な景気低迷を何度となく乗り越えてきた。その後、十五年足らずで、シアーズは一般市民の信頼をムダにし、数多くの犯罪容疑と訴訟を招き、支払った罰金や和解金の総額は最終的に二〇億ドルを超えた。

(同書、49〜51頁)

20億ドルと言えば、約2200億円だ。かつて、世界最大のデパートチェーン兼通信販売業者であることを誇っていたシアーズが、なぜこんなにあっけなく、急坂を転げ落ちるように落ちぶれていったのかがよくわかる。

アメリカ国民のあいだでは、自動車産業が衰退に転ずるはるか以前から自動車産業についてはペテン師まがいの悪徳産業という評価が定着していた。だからこそ、今日のアメリカ自動車業界の没落を招いたわけだ。そして、自動車関連産業の中でうさんくさそうな眼で見られることが多いのは、修理産業にかぎった話ではない。中古の場合はとくにひどいが、新車のセールスも、アメリカでは非常に無責任な口からでまかせのうまいことを言って、客に売りつけてしまえばあとは知らんぷりという悪徳商法がまかり通る業界と見られている。

ハーレーダビッドソン社の日本における販売総代理店を率いて、驚異的な長期間にわたって売上増と高い顧客満足度を達成してきた奥井俊史という人がいる。彼の著書『アメリカ車はなぜ日本で売れないのか――「TEACH」型文化と「LEARN」型文化の違い』には、なぜアメリカでは一時、e‐コマースで車が売れたのかについてこう書いてある。

e‐コマースが強調しているのは、セールスマンに関しての悪評 bad reputation である。ユーザーは、みんなセールスマンとの交渉にウンザリしており、信用もしていない、というのがアメリカである。……少なくとも日本のセールスマンは〝騙し〟deception のテクニックによって武装された悪辣な集団ではなかった。

（同書、169～170頁）

つまり、アメリカのセールスマンは騙しのテクニックで武装した悪辣な集団なのだ。古風な表現だが、アメリカでは「絶対に娘を嫁にやりたくない職業」のトップに中古車のセールスマンが、そしていつもトップからそれほど離れていない位置に新車のセールスマンがつけている。客に「家族とまではいかないが、遠くの親戚よりよっぽど頼りになる」と言われてリピート・オーダーを取れるようにならなければ、一人前とは言われない日本の自動車販売会社のセールスマンとはすさまじい倫理水準の違いがあるわけだ。

偶発事故が刑事犯罪になってしまう怖さ

もうひとつ、自動車がいかに人心を荒廃させるかという点では、詐欺スレスレの過剰修理や舌先三寸の無責任営業と同等か、ひょっとしたらそれ以上に深刻な問題がある。自動車事故は、往々にして事故ではなく犯罪になる。そして、自動車事故関連犯罪のふつうの犯罪とのいちばん大きな差は、自動車事故犯罪の場合、「犯意は事故が起きた後に発生する」という特徴がある。これは林洋さんという、日本の自動車事故鑑定人の中でも草分けであり、いまもこの業界のトップとして現役でバリバリやっている人の名言だ。

どういうことか。たとえば自分が運転したクルマで、しかも明らかに自分のかなり深刻な過失があって、事故ってしまったとする。自分は生き延びたけれども、助手席に座っていた、たとえば自分の奥さんなり恋人なりが死んでしまった。しかも、自分は自動車免許がなければ、非常に困るような生活をしている。

そういうときに、まさについ魔が差して、自分が運転していたのに死んでしまった同乗者が運転していたことにして、自分は助手席に乗っていて助かったっていうことにしちゃおうとする誘惑が、ものすごく強いわけだ。これはほんとうに深刻な話だ。そのためにそれまでずっと仲良く付き合っていた夫婦や恋人同士の家族が、罪を押しつけられて死んでしまった人の側と、その罪を押しつけた側の間で深刻ないがみ合いになることがひんぱんにあるらしい。

これもまた、自動車という道具がものすごく大きなエネルギーを使って、事故が起きれば人が死んだり、器物を損壊したり、かなり深刻な被害を出すものであるのに対して、ふつうの人間はそういう事故に対応できるほどの、技術的な知識も、法律的な知識も、倫理観も備えていないということが根底にある。自動車鑑定人として腕利きの人から見ると、そういうような後から起きた犯意によってうまく辻褄を合わせようとしても、まず不可能に近いのだそうだ。結局は、ふつうの事故ですんでいたはずの事故を、深刻な自動車犯罪にしてしまう。それは、決して本人にとって得になることではないが、あまりにも誘惑が大きすぎるのでついやってしまう。

事故さえなければ絶対に刑事事件を起こすような人ではなかったはずの人が、刑事事件の被告として実刑判決を受けたりする。そういう機械だということにおいて、やはり自動車は人心を荒廃させる。その意味でも、自動車文明の社会は、個人と共同体とのそれまで比較的安定していたバランスを、突然個人のほうに大きく傾斜させてしまうという、深刻な問題がある。

やはり自動車が人間の品性を堕落させる要因の多い機械だということを示す話が、もうひとつある。事故現場の偽装をめぐる刑事事件での原告側、被告側の鑑定人同士の丁々発止の論争とはならないが、発生件数では深刻な偽装事故よりずっと多い。それは、時折むち打ち症が蔓延するという事実だ。

これも林洋氏の受け売りだが、むち打ち症は被害を受けた当人の自覚症状以外なんの兆候もなく、さまざまな検査をしても発症しているか、いないかがわからない症状だという。そして、何か特定の事件でむち打ち症が派手に新聞雑誌で報道されると、全国各地でむち打ち症の患者が激増する。報道が下火になると症例も減る。むち打ち症についてのニュースを新聞で読んだり、テレビで見たりしたために、ほんとうに症状が出たという人も皆無というわけではないだろう。だが、明らかに、突然激増するむち打ち症患者の圧倒的多数は、じつは痛くもないのにニュースに便乗して慰謝料でもせびってやろうという人間だろう。

とにかく、クルマ社会化はアメリカ国民全体に「取引は、相手をだまして儲けたほうが勝ち」というあさましい価値観を定着させてしまった。林洋の『続　交通事故鑑定の嘘と真』（技術書院、2004年）を始めとする一連の著作は、クルマ社会が人間の品性を劣化させる作用は決してアメリカだけの現象ではないことを示唆している。

集団主義的な英雄像の最後の姿、ビッグバンド・ジャズの衰退

行きずり共同体が社会から消えてなくなると、その社会にどんな変化が起きるのだろうか。ちょっと発想が飛躍しすぎだと思う人もいるかもしれないが、ポピュラー・カルチャー（大衆文化）がアンポピュラー・カルチャー（不人気文化）になり果てるという大きな変化が出てくる。つまり、国民の大半が統合というほどファシズム的でもなく、連帯というほど左翼的でもない共感の輪を形成する、老若男女みんなに人気のある文化・芸術表現がやせ細ってしまうのだ。

音楽がいちばんわかりやすい例だが、そのほかの演劇なども含めて、ほとんどの生の体(パフォーミング)で表現する芸術(アーツ)は、家族みんな、あるいは地域共同体の構成員の大部分が楽しめる大衆娯楽から、党派性を競い合う芸術に変質する。まだほかの人たちには良さがわかっていないものを自分だけが先に知っているというような見せびらかし消費(コンスピキュアス・コンサンプション)の対象に変わってしまうわけだ。自分のプレステージの箔付けのために見るとか聴くという不純な動機がどんどん高まっていったのは、まちがいなくクルマ社会化によって共同体がぶち壊されてしまったからだろう。

1930年代までのアメリカは、ビッグバンドのスイング・ジャズ全盛時代だった。舞台でも、ストレートプレイと呼ばれるいわゆるふつうの演劇からミュージカルまで、年に2～3作ぐらいずつ、名作と言われてその後何度もくり返し上演されるような、いい作品が初演されていた。映画と言えば、もう圧倒的にハリウッドが強かった。その文化的な圧力の高さがどんどん低下していった最初のきっかけが、鉄道社会がクルマ社会になり、乗り合わせた一両の電車や駅前の雑踏の中に形成される行きずり共同体が、共同体として機能しなくなったことだった。

演奏者だけでも17～18人、バンド付き歌手やバンドボーイ、マネージャーまでふくめれば総勢20～30人になるビッグバンドが、アメリカ中で我が世の春を謳歌していた。当時のビッグバンドは、正真正銘の総合的なエンターテインメントだった。非常にバラエティに富んでいて、誰もが楽しめるようなライブ・パフォーマンスが、全国津々浦々の主要駅の駅前広場を中心にあっちこっちで演じられていた。

一座の中から、5〜6人デキるメンバーをピックアップしたコンボなら、おとなのジャズファンの鑑賞に十分たえる芸術的に高尚なものも聴ける。バンド好きの若い女の子とか、若いお兄ちゃんとか向けには、美男美女のバンド付きの歌手もいる。ミーハーは、彼らを眺めて喜んでいることもできる。

ルディー・バレーに始まってフランク・シナトラにいたる1920〜50年代のアメリカの人気男性歌手で、ビッグバンドのバンド付き歌手だった経験のない人を探すのはむずかしいだろう。人気女性歌手のほうも、エラ・フィッツジェラルド、サラ・ヴォーン、ローズマリー・クルーニー、クリス・コナーと多士済々だ。1960年代にロック・ハドソンとの名コンビでロマンティック・コメディのヒット作を連発し、アメリカ中でいちばん安定した興行収入を稼ぐと言われた女優のドリス・デイも、もとはレス・ブラウン楽団のバンド付き歌手だった。

だが、ビッグバンドの人気は第二次世界大戦の直後あたりから急激に衰退する。このビッグバンド・ジャズの凋落は「映画も無声(サイレント)だったものがトーキーとして音を出すようになったし、レコードやラジオで安上がりな再生芸術として大衆音楽が楽しめるようになったのが原因だ」というのが、通説になっている。

通説は、一見非常に説得力がある。だれでもラジオさえ持てばただで音楽が聴けるようになった。だから、わざわざ入場料を払ってライブを聴きに行くのが面倒くさくなった。あるいは、蓄音機とレコードさえ持てば、いつでも自分が聴きたいときに自宅でレコードをかければ必ずまったく同じ音楽が聴けるようになった。だから、さっぱりライブに行かなくなってしまった。

ところが、ジーン・リースというなかなか読ませる文章を書くジャズ評論家が、主著『歌い手たちと、彼らの十八番（*Singers and the Song*）』（Oxford University Press、1987年）と題した本で、それまで常識として言われていたこととまったく違う説を唱えている。なぜ、アメリカの芸能文化の世界で、みんなライブを聴かずにラジオやレコードで済ませるようになったのかというと、駅を中心に不特定多数の人間がともに同じ音楽を楽しめる機会が鉄道の衰退によって奪われてしまったからだというのだ。

ジーン・リースは、もちろんアメリカ人だし、とりたてて日本びいきというわけでもないから刺身と干物という比喩は使っていない。だが、ジーン・リースは「アメリカ人が突然ライブを聴かなくなった理由として、再生芸術としてトーキーやラジオやレコードが普及したからだというのは、生ものと缶詰というまったく違うものに対する需要を混同した議論だ」と主張する。

非常にバラエティに富んでいて、だれもが楽しめるライブ・ミュージック、ライブ・パフォーマンスが駅前広場を中心に、アメリカ中でくり広げられていた。そういう時代には、ラジオもレコードもなかなか普及しなかった。当たり前のことで、非常に音質も悪いし、時々雑音で聞こえなくなってしまうし、レコードならたまに雑音抜きでじっくり聴ける機会があったところで、何度くり返し聴いてもまったく同じ音が決まって出てくるだけだ。

ライブでは、観客が一生懸命聴いて熱気があれば、演奏するほうも張り切ってやるという、観客とアーティストとの相互作用がある。しかし、ラジオやレコードから流れてくる音楽にはそれがまったくない。同じ人間が同じ曲を演奏しても当人たちのコンディションと環境と聴き手の態度次第でまったく違う曲のように聞こえる環境に育った人が、突然「生モノはもういい、安くなったから缶詰だけでけっこうだ」と割り切れるわけがない。

ラジオやレコードは、缶詰に過ぎない。生まれたときからずっと、ラジオとかレコードとかが技術として普及していて、みんながそれに慣らされていたところで、突然安く供給されるようになったのでどっと出回ったというのなら、まだ話は分かる。

だが、アメリカ人がライブを聴かなくなった時期には、ラジオもレコードも、まだまだ本当に発展途上の未熟な技術だった。レコードは音を再生する能力がすごく弱く、雑音がいっぱい入っていた。ラジオにいたっては、時々ほかの局が混信したりして、非常に質の低い再生芸術でしかなかった。にもかかわらず、あるとき突然人がライブに行かなくなってしまった。

ジーン・リースは、べつにライブ・ミュージックはラジオに負けたわけでも、レコードに負けたわけでもないと言う。ちょうどそのころ、鉄道がクルマに負け始めたから、ライブもラジオやレコードに負けたのだろうと力説しているのだ。鉄道華やかなりしころには、ちょっと大きな駅前には必ず広場があった。そして、駅前でみんなが一緒に楽しめるような催しがひんぱんに開催されていた。アメリカのことだから、もちろん軍楽隊がいて、マーチをやったりしていた。

しかし、自動車の普及と鉄道会社自体の不況や戦争を口実にした極端な過少投資のおかげで、鉄道の乗客が激減して駅前広場がすたれてしまう。だから、駅前でひんぱんに軍楽隊のマーチだとか、ビッグバンドのジャズとかが聴けなくなってしまった。人間は、親しむ機会がなくなると、たとえばライブ・ミュージックは缶詰であるラジオとかレコードで聴くのに比べて、ずっとおもしろいものだということも忘れてしまう。おもしろさが分らなくなったから、聴かなくなってしまった。

鉄道が健在だったころに駅前広場でみんなが楽しんでいたライブ・ミュージックが、活動の拠点を失うことによってめったに聴かれなくなり、非常に貧しい代用品でしかなかったラジオやレコードで再生した芸術を聴くようになったというわけだ。みんながそちらに傾斜するとそれなりにカネが入って、徐々に技術も進歩してくる。だんだん、再生の精度も上がってきた。聴くに堪えないほどの混信や雑音に悩まされることもなくなり、毎回まったく同じ音が同じ順番でくり返される異常さになれてしまえば、それなりに鑑賞に堪える芸術と評価できるようになってきた。だから、ジーン・リースはビッグバンドの衰退とラジオやレコードの普及は、話の順序が正反対だと主張する。当人の表現を紹介すれば、こういうことだ。

そもそも、大不況時代には出生率が下がったから、第二次大戦の最中にはティーンエイジャーの人数が少なかった。そこにもってきて、郊外や地方にある遊園地や野外ダンス広場にはとても大切だった公共交通機関が落ち目になっていた……いや、意図的に自動車メーカーや、タイヤメーカーや、石油会社や、マスコミの連中によって計画的にぶち壊されていったから、ライブのジャズバンドは出番がなくなってしまったのだ。

（リース『*Singers and the Song*』、95〜96頁より拙訳）

この本が絶対正しいなと直観できるのは、やはり、鉄道文化があった頃のコミュニティに属する人たちみんなで楽しめる音楽からは、圧倒的に大きなヒットがコンスタントに出ていたという事実があるからだ。たとえば、サッチモという あだ名で親しまれた、ルイ・アームストロングの何曲かの伝説的なヒットは、おとなも子どもも、白人も黒人もみんなが楽しめるものばかりだった。ビッグバンドのころの、みんなが楽しむ巨大なヒット曲はだいたい1930年代末くらいまでがピークで、その後急速に衰退していった。

ジャズも、ビッグバンドのスイング・ジャズの全盛期には、おとなから子どもまで、白人から黒人までみんなが楽しめるものだったのが、次第にモダンとかクールとか、そういうやたらむずかしげなことを言う人たちと、古典的なディキシーランドとの派閥争いみたいになっていった。とにかく、クルマが鉄道に勝ったころから、アメリカのポピュラー・ミュージックが党派的になっていく。だれもが、ほんの少しでも他人より難解であったり、奇抜であったり、単に無作法であったり、法律や良識に抵触することを「個性」として自慢し、ほめたたえるために音楽を聴く時代になる。

第二次大戦中を通じてビッグバンドが前線部隊の慰問に行っていたころまでは、みんなが楽しむポピュラー・ミュージックは何とかかろうじて生き長らえていた。当時は、出征した兵士との別れを嘆き、平和がもどってからの再会を夢見る名曲が少なめに見ても20〜30曲はヒットしていた。だが、戦後のクルマ社会化が完成したころになると、国民の大多数がみんなで楽しめる軽音楽はなくなってしまう。大衆音楽であるはずのポピュラー・ミュージック（人気音楽）がアンポピュラー・ミュージック（不人気音楽）に変わる。

一方に黒人系のポピュラー・ミュージック、当時はドゥーワップ・ミュージックとか言われて、その後モータウン・サウンドになる潮流があった。もう一方では、最初は白人による黒人音楽のマネとして始まったヒルビリーとかロックンロール。エルヴィス・プレスリーは、白人による黒人音楽のカバー・バージョンの中では、黒人音楽の系譜を比較的正確になぞるプア・ホワイトだった。

そして、純然たる白人系のあいだでは、最初はブルーグラスとかカントリー・ミュージック、フォークソング、それから黒人音楽の影響を受けたロックというかたちで分岐していった。とにかく、国民みんなが共通して楽しめる音楽から、それぞれに自分たちの身内であることを確認し合うような音楽に変わっていった。

「俺はロックしか聴かない」とか、「俺はブルーグラスしか聴かない」とか、どんどんそれぞれの狭い党派の中に立てこもるようなかたちになっていった。行きずり共同体が崩壊し、家族の

「孤」族化が進むと、人間の趣味や嗜好もタコツボ化する。ロックの中にも、プログレッシブあり、ヘビーメタルあり、いろいろ分化していった。

黒人音楽も、今や日本で言えば正調演歌のように時代錯誤になりつつあるモータウン・サウンドから、ラップのように露骨に犯罪とのつながりを強調する歌詞のものまで、あらゆる趣味・嗜好に対応できるラインナップが出来上がっている。とにかく商売になりさえすれば、どんどん広まるという格好になっていった。

ヘビーメタル、グラムロック、パンク、ラップと1970年代以降にアメリカで起きたポピュラー・ミュージックの変遷は、ふつうの人間の神経を逆なでするような音や詞にどこまで耐えられるかの我慢比べを見ているようなところもある。耐えられなくなって逃げ出す人間は甘ったれのセンチメンタリストで、麻薬や暴力犯罪を礼賛するような歌詞でも平然と聴いていられるのが、きびしい人生の現実を直視する立派な人間ということらしい。

だから、見かけだけなら、選択肢は数え切れないほどある。今、ポピュラー・ミュージックを聴きたい人には、本当にクラシックを多少低俗にしただけみたいなものから、ラップまで、ありとあらゆるものがある。それぞれそのジャンルの中で、アメリカン・ドリームを体現したようにものすごく貧しい生活からのし上がって、大スターになって個人崇拝の対象にもなり、ガバガバ稼いでいる人がいる。「どれでもご自由にお選びください」というわけだ。

この、あまりにも豊富な「選択の自由」が末期症状化したのが、たとえば黒人のラップ・ミュージックかもしれない。この音楽ジャンル全体が、黒人の中にあったアメリカン・ドリームを実現するために、衝動や向こう見ずさや社会への反抗の表現としてではなく、黒人でも成功できるキャリアとして冷静で合理的な価値判断の結果、職業的な犯罪者になるという生き方と密接に関連しているわけだ。ラップ・ミュージックの大物の中にも、実は正真正銘のギャングスターだったが、ギャング同士の抗争で殺されたという人たちが実際に存在していた。

たとえば、一時、ビットコイン長者になったと騒がれたラッパー、50セントはなんと9回も銃撃されている。そのうち、何回が自分を狙った事件なのか、何回が誤射や流れ弾なのかは、自分にも警察にも分からないらしい。あるいは、アイスTという名前のラッパーは、そのものズバリ『警官殺し（コップ・キラー）』という歌を歌って、あちこちで物議をかもし、何局かの放送局で放送禁止になった。ただ次の引用をお読みいただければ、たんなる「お騒がせ屋」ではなく、かなりしっかりした信念があって現代アメリカ社会を批判しているということが、お分かりいただけるだろう。

連中の予定は、現状維持だ。オレは、現状を変えて、下層の人間が一番上になるのも可能にすることだ。当然、てっぺんにいる連中はそのままでいたがるが、だれもがてっぺんに行けるのがオレの目標だ。

資本主義の体制とは相いれない。この体制では、上流、中流、下層、が必要だ。だがこんな体制なんかかまやしねえ。オレは変えたいんだ。だから、オレが口にすることは、理想、姿勢、何でも、連中の信じるものとは相いれないんだ。

……

一九九一年に、カリフォルニア全体で三人。これがオマワリの死亡件数だ。同じ年にオマワリに殺されたキッズの数はロスだけで八一人。これも、この数は、全部警察による違法行為と証明されているケースだけだ。


（アイスT＝ハイディ・シーグマンド『オレの色は死だ』、218〜227頁）


だが、このアイスTは同時に、ローライダー文化を継承するすばらしいカー・コレクションの持ち主でもある。ローライダーとは、元々は南カリフォルニア周辺に住むチケーノと呼ばれたメキシコ系の人たちが、一般車の車体の重心を低く改造して、実際より大きく、そしてスポーツカーのような高性能車に見せたいという貧しさからやり出した工夫だったらしい。ところが、カリフォルニアの金持ち連中がそのマネをして、油圧装置を入れて、その時の気分次第で車高を自由に調節したり、右は高く左は低くして曲乗りができるようにしたりして、とんでもなくカネのかかる改造車道楽に変えてしまった。

ラップで成功したアイスTのローライダー志向は、もちろん金持ちバージョンだ。非常に状態のいい1964年式のシボレー・インパラをローライダー風に改造したり、そのほかにもいろいろ高額のクルマを集めたりしている。ヨーロッパ系スポーツカーのディーラー店も持っているそうだ。

こうなると、過激な反体制ラッパーでさえ、成功すればおそろしくカネのかかるクルマ道楽に取りこんでしまうアメリカの巧妙な社会統制の仕組みに舌を巻くべきなのだろうか。そこまでカネを稼げるようになっても、まだ黒人対警官で圧倒的に黒人不利なワンサイドゲームになっている「殺しのスコア」に新鮮な怒りを持ちつづけることができるアイスTの憤怒の持続力をほめるべきなのだろうか。よくわからなくなってくる。

こうして、昔は行きずり共同体として駅前に集まる人たちがみんなで楽しめる、本当にポピュラーなミュージックだったものが、どんどん党派的・階級的・人種的に分裂していった。インターステイト・ハイウェイ（州間高速道路）沿いに広大な空間の郊外化が進み、暮らしている土地は重複しているが、住んでいる世界は所得階層ごとにまったく違うというアメリカ独特の非常に狭い社会と、党派的・階級的・人種的に分断された大衆芸術がぴったり息の合った呼応関係にあるわけだ。

その狭い社会の中では、犯罪の匂いさえ人工的にシャットアウトしたゲイテッド・コミュニティから、明らかに犯罪と日常生活が密接に関連した大都市中心部のスラムまで、堂々と「公民権」を主張している。どうしてこうなってしまったのだろうか。

大衆音楽が大衆音楽ではなく分衆音楽になる過程も、やはり根底には鉄道社会では維持されていた行きずり共同体がクルマ社会になると維持できなくなったことが伏流している。鉄道社会からクルマ社会に変わったときに、さまざまな階級・階層の人たちがみんなで集まる場がなくなってしまった。そのことによって、大衆芸術・大衆文化がどんどん階級・階層や人種に沿って分化していった。ポピュラー・ミュージックという本来多数派志向の音楽でさえ、国民の大部分に人気があるアーティストなり、楽曲なりというあり方が、だんだん消えていった。

読者の中には「それがどうした？　いったいどんな実害があるというのだ？　ノスタルジーにひたりたい向きには、初めから懐メロばかり演奏していたローレンス・ウェルク楽団もあれば、いまだに第二次大戦時代のレパートリーをまったく変えていないグレン・ミラー楽団もある。その一方で、パンクもグラムロックもラップも聴ける選択肢の豊富さはすばらしいじゃないか」とおっしゃる方もあるかもしれない。

だが、明らかに実害が出ているのだ。しかも、戦争に動員された兵士たちをいかに平時の社会に再包摂するかという非常に深刻なところで。

兵士を平和な社会に再包摂することが、できなくなってしまった

アメリカという世界最大の軍事大国が最初に敗戦を認めたのは、ベトナム戦争だろう。しかし、その前の朝鮮戦争でも、最初に侵略を仕掛けてきた敵国を降伏させることはできず、元の国境まで押し戻したところで停戦に持ちこんだだけという意味では、負けに近い引き分けだった。なぜ、アメリカ人の意識の中では朝鮮戦争は引き分けで、ベトナム戦争は惨敗だったのかというと、復

員兵の中で精神障害、情緒障害を起こして社会復帰が困難になった人たちの比率が、朝鮮戦争では第二次大戦と比べて若干増えた程度だったのに、ベトナム戦争では激増したからだ。

第二次大戦に出征した兵士は、どうやって国に帰ったか。だいたい船で太平洋なり大西洋なりを渡り、アメリカ本土に降り立ってからもかなり長い時間をかけて、鉄道で帰って行った。朝鮮戦争の頃になると、海を渡るのは相変わらず船が多かったけれども、本土に上陸してからはクルマで帰る兵士も少しずつ出てきた。クルマといっても、グレイハウンド・バスが多かったはずだが。

だが、基本的には、朝鮮戦争当時までは復員兵は船や列車に乗り合わせた集団として故郷に戻っていった。港や駅には彼らに共感を示す行きずり共同体が自然発生的に形成された。そして、朝鮮戦争のころ、ショートボブにした真っ赤な赤毛がキュートなティリーザ・ブリューワーが歌った『想い出のワルツ』のような、アメリカが戦時体制に入った時期に特有のセンチメンタルなヒット曲が、彼らをやさしく包みこんだ。この曲は出征した兵士との再会を願うヒット曲としては、アメリカ最後の名曲だった。

ベトナム戦争の復員兵は、航空機とクルマでばらばらの個人としていきなり戦場から平和なアメリカ社会に投げこまれた。そして、ベトナム戦争の頃には航空便の大衆化も進み、太平洋はだいたい飛行機で渡って、本土に帰ってからも飛行機を乗り継いで自分の故郷に近い空港に行き、そこからまたクルマで帰るというケースが多くなる。何がいちばん違うかというと、長い時間をかけて共同体的な雰囲気の中で本土に帰るための、言わば慣らし運転をする期間が、どんどん短くなっていったのだ。

それがいかに深刻なことかというと、平和な社会に再適応することができない復員兵士が激増したという歴然たる事実がある。もちろん、第二次大戦のほうが「枢軸国はみんな、ファシストやナチや天皇制ファシズムの信奉者で、そういう悪いやつらをとっちめるんだから、正義の戦争だ」というイデオロギーは信じやすかった。反面、イデオロギー的な面でも、朝鮮戦争になるといくらか疑問が出てきたし、ベトナム戦争の頃は大いに疑問があったのは事実だ。

それもある。だが、非常に大きいのは、出征した兵士がアメリカ人同士の共同体の中にもう一度帰っていくまでの、時間的余裕がどんどん短くなっていったことだろう。ここにも、鉄道文化とクルマ文化の非常に大きく違うところが出ている。結局、ベトナム戦争の帰還兵は、簡単に言うと戦場から突然アメリカの本土のふつうに平和な暮らしにおっぽり出されたわけだ。

しかも、自分は金持ちのお坊ちゃまお嬢ちゃまで、平和な大学生活をエンジョイしていて、命に危険があるなんて状態にいたこともないような連中から「お前のやっていたことは、民族解放闘争を抑圧する、とんでもない悪事だ」とか、糾弾されたりする。ひどい場合には、面と向かって戦場で受けた一生治ることのない障害を「いい気味だ」とか「当然の報いだ」とか言われることさえあった。

第二次大戦から帰ってきたアメリカの出征兵士たちの中で、精神に異常をきたす人は少なかった。それが、朝鮮戦争のときにはかなり増え、ベトナム戦争ではもう、大激増してしまった。戦場心理学の名著、デーヴ・グロスマン『戦争における「人殺し」の心理学』(ちくま学芸文庫、2004年)には、こんな記述がある。

第二次大戦の際には、帰国する兵士は仲間といっしょに何日も兵員輸送船で過ごすことが多かった。戦士たちは仲間どうしで感情を追体験し、失った仲間を悼み、自分の恐怖について話し合い、なによりもまず、仲間の兵士から支えを得ることができた。……共同体では尊敬され、両親や妻は胸を張って彼の体験を子供たちや親類縁者に語って聞かせる。こういうことが、昔の儀式と同様の浄めの役割を果たしていた。

……おまえのしたことは正しいと安心させてもらえないと、感情の内向が起きる。ベトナム戦争から戻った兵士たちは、この種の怠慢の犠牲者だった。輸送船での長旅のあいだに仲間どうしで語り合うこともできなかった。勤務期間を終えた兵士たちは、飛行機でたちまち「世間に復帰」させられた。敵と最後に戦ってからわずか数日、ときにはたった数時間後である。迎えに来てくれる仲間の兵士はおらず、自分の体験を語りあえる同情的な共鳴板はどこにもなかった。……

パレードや記念行事どころか、ベトナム帰還兵は周囲の冷やかな目に迎えられる破目になった。社会に訓練され、命じられたとおりに実行しただけなのに、すでにアイデンティティの重要な一部になっていた制服や勲章を着けることさえ恥じねばならなかった。

（同書、420〜424頁）

共同体がどうやって、異常でしかも心理的ストレスの多い体験をした人たちを、もう一度自分たちの中に迎え入れるかという機能が、クルマ社会になってからは著しく不全に陥っていた。そういう意味でも、アメリカのポピュラー・カルチャーは、やはり鉄道社会だったころに比べて、クルマ社会になってからかなり深刻に劣化している。そして、イラク戦争（第二次湾岸戦争）に出征し、精神に障害を負って復員した兵士の自殺を描いたノンフィクションであるデイヴィッド・フィンケル著『帰還兵はなぜ自殺するのか』（亜紀書房、2015年）を読むと、状況はベトナム戦争のころよりさらに悪くなっている。

ベトナム戦争時には、戦争に引き裂かれた庶民が再会を渇仰する、甘くやるせないメロディラインと歌詞を特徴とするヒット曲はついに一曲も生まれなかった。歌は何曲も作られたのだろうし、ベトナム戦争に全面的に入れこんでいたボブ・ホープなどの保守的な芸能人たちは、プレイボーイ誌のプレイメイトのようなグラマラスな女の子たちを慰問に連れて行って、一生懸命そういう曲を歌わせていた。

だが、まったくヒットしなかった。アメリカの大衆自身が「そんな甘っちょろいことを言っていられない」という心境だったのも事実だろう。だが、クルマ社会の成立によって国民的愛唱歌が生まれるようなコミュニティの基盤を掘り崩してしまったという要因も見逃すことはできない。

アメリカでベトナム戦争後、ジャンルを横断して国民の大多数にある時代に特有の雰囲気を想起させるような大ヒット曲があったかというと、ドーンが歌った『幸せの黄色いリボン』くらいしか思い出せない。長い別離と再会を歌ったという点では、戦時中の出征兵士との再会を願うポピュラーソングと共通点がある。だが、別離の原因は、アメリカの犯罪社会化を反映して、戦争への動員ではなく刑務所での服役だった。

その後は、刑務所での服役による別離と再会でさえ、国民的愛唱歌のテーマにはなっていない。いや、国民的愛唱歌自体が、もうかれこれ40年くらい生まれていない。時代精神を象徴するような、みんながそれぞれ聴いたときに、そのとき自分は何をしていて、どんなことを考えていたかを瞬時に思い出すようなヒット曲は、アメリカではもうかなり長いこと出ていない。きっとこれからも出てこないだろう。国民的なヒット曲を生み出す基盤としての大都市圏における行きずり共同体が崩壊してしまったからだ。

最近では国民的愛唱歌ばかりではなく、ある時代に生まれ合わせたアメリカ人たちが、当人が歌ったヒット曲ばかりか、趣味や思想傾向や私生活にまで関心を抱くようなポピュラー・シンガーさえ現れなくなってしまった。

グループで言えば、ビーチボーイズがアメリカ国民全体の雰囲気を象徴する最後のグループだったかもしれない。大ヒットした『サーフィン・USA』は、哲学者の風貌でダックウォーク

（アヒル歩き）をしながら自分のギター伴奏で歌うチャック・ベリーという黒人シンガー・ソングライターのカバーだった。だが、それなりにチャック・ベリーとはまったく違う、ビート世代以降のウエストコースト（西海岸）の雰囲気をアメリカ中に発信していた。その後になると、『ホテル・カリフォルニア』を歌ったイーグルスあたりまでは、かろうじて全社会的な現象になっていたかもしれない。

ソロ歌手となると、男性歌手で言えば、ビリー・ジョエル、ブルース・スプリングスティーン、マイケル・ジャクソンあたりが最後だったような気がする。そして、女性歌手で言えば、シンディ・ローパーとマドンナあたりが最後だろう。

最近のアメリカの若い男性歌手では、エミネムというデトロイト生まれの白人ラッパーについては、すでに序章で彼の書いた歌詞をご紹介した。「黒人文化を身近に感じているがゆえの近親憎悪のようなものをよく表現しているな」とは思う。でも、どう考えても国民的関心を集めるというタイプではなさそうだ。

女性歌手では、私生活が毎度お騒がせである以外は、まったく日本のアイドル歌手のセンを狙っているとしか思えないブリトニー・スピアーズから、クリスティーナ・アギレラやレディ・ガガ、テイラー・スウィフトまで全部ひっくるめても、マドンナひとりが呼び起こしてきた関心には到底かなわないのではないか。

ビッグバンドの凋落期から個人の神格化も進んだ

ビッグバンドが凋落した後は、個人の神格化もどんどん異常になっていく。いまだに、ふつうのアメリカ人と話をしていると、ジャズの世界ではもうルイ・アームストロングだけが神様で、ほかはゴミみたいなもんだというような反応が多い。ファッツ・ワラーも、デューク・エリントンも、カウント・ベイシーもまったく評価せずに、あるいは知らずに、ただただサッチモだけをひたすら崇拝する。

そして、野球のような集団球技でさえベーブ・ルースだけが、異常に神格化される時代になり、その他大勢はけっして国民の大半が共感を抱く対象ではなく、狭いニッチの中だけの英雄に格下げされる。極端にたったひとりの特定の個人だけを崇拝して、それ以外の人たちは全然評価しないという風潮が蔓延する。そういう風潮も、やはりみんなが一緒に楽しむものから、それぞれの芸術なり、スポーツなりの中で階級があって、その階級の頂点に立つ人間だけが偉いという発想に世の中全体がなってきた影響ではないだろうか。

クルマ社会になってからのアメリカ人は、たったひとりの個人を異常に誉めそやすことが多くなった。ちょっと古い話になるが、一時エンロンというエネルギー供給の会社が、本来すごく地味であまり大儲けはできないはずの分野で、表面的にはものすごいボロ儲けをしたということになっていた時期があった。

地域の電力供給から、ありとあらゆるエネルギーの商社のような業態に「発展」して、表面的にはめざましい利益成長をしていた。結局、中身は粉飾決算だったことがバレたのだが、経営者のケネス・レイは、ほんの一時だけだが地味な業態の会社を派手にボロ儲けできる企業に変身させたトップとして、神様みたいにもてはやされていた。

もう少しアメリカ社会の根幹にかかわるところでは、民主党と共和党とで4年に一度大統領選挙をやる。その大統領の選挙で、どういう争点で闘われるべきかという議題（アジェンダ）は、全国で三つか四つぐらいの有力な広告代理店がブレーンストーミングをやって決めてしまっていた。それが、トランプという異色の大統領候補が大方の予想に反して2016年の大統領選に勝つまでのアメリカ政治の実態だった。

民主党と共和党とが、それぞれその争点について対照的な候補を出すので、見ている第三者は、何かしら政治的な選択の余地は与えられているという幻想を持ってしまう。だが、実はアジェンダが決まったときに、もうすでに、どういう枠の中で考えなさいということは決められているので、本質的な選択の自由はないという社会が延々と続いていたのだ。

たとえば、2008年の大統領選では、アジェンダは「アメリカ国民は、黒人とか女性といった今までの大統領とは違った属性を持った候補を大統領として受け入れるかどうか」だった。だから、民主党側では黒人バラク・オバマと女性ヒラリー・クリントン以外の候補はお約束のように予備選で脱落して行ったし、共和党は典型的な中高齢白人男性を候補に選んだ。たしかに、国民は「どちらを選ぶのもあなたの自由ですよ」と言われたが、1930年代以降最大の経済危機のまっただ中だったというのに、これほど経済論戦が低調な大統領選も珍しいというくらいに、最終的に民主党公認候補になったオバマの大統領としての適性以外の論点はかすんでしまった大統領選だった。

オバマという、はっきり言ってそのとき、そのとき、場当たり的にいかにももっともらしいことを言うだけで、本当にどういう政策を持っているのか、わけのわからない人間が、異常な人気を集めたわけだ。オバマもまた、大衆が自分にとって関心のある分野について、たったひとりの偉大な英雄が出てきて、その偉大な英雄がすべてを解決してくれることを願う、エリート主義的な英雄待望論の流れの中で出てきた人間の典型だろう。

もてはやされている時期はいいが、エンロンの経営者にしても、結局はもともと、そんなにボロ儲けができるような業態じゃないところで無理やりボロ儲けをし続けている体裁を整えるために粉飾決算をして自滅したわけだ。オバマが二の舞とならずに無事2期8年の任期をまっとうしたのは、ある意味で奇跡的だった。

「みんなで楽しむし、みんながそれぞれに個性を持ってやっていることだからこそいいんだ」という発想から、ありとあらゆる分野について、その分野の第一人者だけを異様にもてはやして、それ以外の人間は存在しないかのような異常な個人崇拝の文化にしてしまったのも、鉄道社会からクルマ社会に変わったことが一因なのだ。これは、アメリカ国民全体にとっての社会的な損失だろう。

もうひとつ、さまざまな芸術とか、文化とか、スポーツとかが、それぞれにどんどん、細かいカテゴリーに分けられていくことの悲劇もある。初めは世の中全体に対する批判として、それなりに意味のある運動だったはずのものが、何となくそれはそれでひとつの社会運動のカテゴリーとして定着してしまう。

たとえば、ビート族という、初めのうちは威勢もよく、アメリカ社会のいろいろな現象について鋭い批判をしていたグループがいた。当時アメリカを震撼させたソ連の人工衛星、スプートニクに引っかけて、「ビートニク」というラベルを貼られた上で風俗として取りこまれてしまい、結局は自分たちが批判していた社会現象のひとつにすぎなくなってしまった。

ビート詩人のひとりアレン・ギンズバーグが、ビートニクの英雄として取り上げられたり、もうひとり、詩ではなく散文で『路上』を書いたジャック・ケルアックがいたりした。だが、ビートニク全体がこのふたりに象徴されるカテゴリーの中に閉じこめられた中で、特定の個人だけが英雄としてスポットライトを浴びるという構造になっていた。

アメリカの社会全体をどんどん細かく分節化していって、その分節化したそれぞれの中に階級があって、いちばん偉い人がいて、お付きのものがいて、下々のものまでというような、非常に堅苦しいおよそビートニクにはふさわしくない枠組みの中に取りこまれてしまう。

黒豹党（ブラック・パンサー）でさえ、そういう傾向があった。１９６０年代末ぐらいに、日本でもフランスでも、学生運動がものすごく盛んだった時期に、アメリカは学生運動と並行して非常に過激な黒人運動もかなり活発化した。ちょうどそのころ、まだカシアス・クレイという本名をリングネームにも使っていたクレバーなヘビー級のボクサーが、イスラム教に改宗してモハメド・アリと名乗るようになった。そのきっかけになったのは、マルコムXという黒人のイスラム教の指導者だった。その影響もあって、黒人たちに武装決起を呼びかけた過激派の政治運動団体が、ブラックパンサーだった。

あっちこっちで武力闘争を結構やっていたはずだ。銀行襲撃もやったと思うし、警官隊との銃撃戦で亡くなったという人もたぶんいただろう。それもまた、風俗というかファッションになってしまい、ブラックパンサーでいちばん偉い人として祭り上げられたのは、ボビー・シールだった。

あるいは、当時のＳＤＳ（Students for Democratic Society＝民主的社会を求める学生たち）という学生運動の組織からも、いろんな人間が出た。だが、この組織でも一時ジェーン・フォンダと結婚していたトム・ヘイドンひとりが英雄に祭り上げられて、その英雄に象徴されるひとつの社会的なカテゴリーとして枠の中にはめられて、それでおしまいとなってしまった。

結局は、ＳＤＳ運動も、ブラックパンサー運動も、アメリカ的な「個人崇拝＝たったひとりの英雄の神格化」に取りこまれてしまったわけだ。アメリカという社会は、本当にいろんなことを言う人たちがいろんなことをやっては、結局、誰かひとりその運動の中での英雄を祭り上げて、その他大勢は社会の中でこういうカテゴリーの中で、あなたは生きて行きなさいみたいなふうにまとめられてしまう。

ありとあらゆる分野に主役がいて、脇役がいて、チョイ役もいて、セリフのない通行人役のエキストラもいる。階級的にかっちりと固定された役割をみんなが振られている世界だ。

一方、日本では、個人格闘技である相撲で不世出の大横綱となった大鵬でさえ、ただひとり崇拝の対象になるのではなく、柏戸とふたりで柏鵬時代を築いたすばらしい力士として評価される。そして、柏鵬時代はたしかにすごかったけど、相撲は柏鵬時代ばかりじゃなくて、栃若時代も、輪湖時代も、若貴時代もあったという相対的な見方をする。日本のほうが、人間の能力に絶対的なランクをつけない、オープンでいろいろな人間の可能性を信じる社会なのではないだろうか。

連帯と言うと左翼的に過ぎ、統合と言うとファシズムまがいに聞こえるあいまを縫って、緩やかな共感がやさしく人々を包みこむ空間は、行きずり共同体が崩壊した社会ではもう永遠に取り戻すことができないのではないだろうか？

そしてコミュニティとそれを支える人間の品性の堕落は、街の消失も意味する。

大罪その三　家族の孤族化

そして、街が消え、結社の自由が爛熟する

クルマ社会の罪状の中で生活感覚という点ではもっとも深刻な影響を及ぼしているのが、家族の枠の中に閉じこもって、隣近所とのやり取りがほとんどなくなってしまった「個」族が発生することだ。そしてやがて、個族は職場や学校や閉鎖的なクラブ以外ではあらゆる「団体生活」を避けようとする「孤」族になってしまう。そうすると、逆に家族の中だけでは満たされない社会生活に対する需要を満たそうとして、結社に参加する個人が増える。

アメリカ人は偶然の出会いや交じり合いがニガ手

かんたんに言うと、アメリカ人は不特定多数の人間が目的もなく、あるいは個人、個人でまったく違う目的や意図を持ってなんとなく寄り集まっているという情況に身を置くのがニガ手なのだ。だから、ありとあらゆる人間集団を、個人が自分の意志で選んだ結果としての集団に仕立て直そうとする。その典型的な例が、アメリカでは移民第一世代を除くと、大家族とか複合家族とも呼ばれる三世代が同居する家族が極端に少なく、自由意志で結婚した夫と妻と、その子どもたちだけからなる核家族が圧倒的に多いという事実だろう。

大家族では自由意志ではどうにもならない血縁の「縛り」が大きいのに対して、夫と妻を核と

する家族は、自由意志で結びついた人間集団だ。そこに生まれた子どもたちは、もちろん自由意志でこの家族に参加したわけではない。だが、アメリカでは子どもは、まだ社会人として一人前と認められる前の「不完全」な付属品と考えられていて、ほぼ完全に夫婦に隷属した存在として育てられる。

アメリカでは、あまりにも個人が自分のやりたいようにするために、そして行きたいところに行くために、エネルギーを使うことに文明全体が傾斜しすぎた。その結果、個人と共同体とのあいだのバランスが崩れるという現象が出てきた。その個人と共同体とのバランスのゆらぎは、あらゆるところで見て取れる。

たとえば、それまではどんどん成長していた大都市が、徐々に衰退していく。あるいは、それまではとくに、たとえばヨーロッパ諸国に比べて、突出して多いわけでもなかった秘密結社に入る人の人数が激増するというような不思議なかたちでも表れてくる。

もし、ジャパニーズ・ドリームと呼べるライフスタイルがあるとすれば、どちらかと言うと便利でさまざまな行動についての選択肢も多い都会のまん中で暮らしたいという傾向が顕著だろう。日本では、田舎に引っこんで静かにだれにも邪魔されない暮らしがしたいというのは、ちょっと変わった少数派趣味という感じがする。おそらく多数派、とくに女性たちは、田舎での静かな暮らしはまっ平ごめんだというのが本音だろう。自分の子どもが通っていた学校のPTAを通じてとか、あるいは隣近所でよく話をする奥さん連といったかたちで、強固な社会的ネットワークを作っているからだ。

だから、夫は田舎に引っこみたいと言っても、妻が絶対それは嫌だと言う。自分が今まで作ってきた社会的ネットワークを全部そこに連れて行ってくれると言うのなら、行かないでもないだろうが、そのネットワークを残して、亭主と自分だけが田舎に引っこむなどというのは、まったく問題外だという人が多いはずだ。

やはり、日本の奥さんたちの作っている社会的なネットワークは、カップル主体の欧米社会がすごく素晴らしいものだと言いふらされてきたために日本人が気づいていない日本社会の良さのひとつだろう。日本の奥さん連は、自分たちの作った社会的な関係を大事にしている。そして、日本の場合とくに男性と女性の平均寿命にかなり大きな差があるので、旦那が亡くなってから、何年か奥さんがそのままひとりないしは子どもたちと生きていくことになるときに、この社会的ネットワークが大きな支えになる。

典型的なカップル社会である欧米では、およそ社会的行事はすべて、夫婦がカップルになって行くことになっている。独身者にとっては、社会的行事に招かれるたびにそれらしい同伴者を探して連れて行かなければならない、意外に不便なところなのだ。

そして、アメリカ人が理想とする暮らし方は、郊外に広い庭のある家を持って、本当にお隣さん同士でも自動車で行き来したほうがはるかに便利というような、ポツン、ポツンと戸建の家が広がっている閑散とした住宅地だ。アメリカン・ドリームの行き着く先は「田舎で牧場でも持って」というようなことが言われる。あるいは、地域分け(ゾーニング)や建築規制の問題で、絶対に建物が新築される危険のない空き地が散在しているところに住みたいといった願望が語られる。

索漠たる郊外に閉じこもるのが、成功したアメリカ家庭の理想

アメリカの知識人で、仕事は金融業界でバリバリやっている人が「ついに理想の土地を見つけた」というので、どんな土地か聞いてみたことがある。彼は、「片側はあまり交通量が多くないけどちゃんとした幹線道路に出やすい道路で、反対側は沼沢地で最近環境保全地区に指定されたので、もう絶対これから先の開発はない。だから、今後は一生隣人の顔色をうかがう生活をしなくてすむ」と喜んでいた。

都会で働いている人でさえ「もう絶対隣に家は建てられないからこそ、ここを買ったんだ」と言うほど、人里離れたところに住みながら、しかも現代文明の利器は全部ひと揃い持っていて、全然他人と接触しないで快適な暮らしができることが理想だと言う人が多い。他人との付き合いを絶ちたいという願望が非常に強いのだ。その孤立願望の強さは、ちょっと日本人には理解しがたいところがある。

インターステイトハイウェイはプライバシーを可能にする。それだけではなく、アメリカ人が求めてやまないあるものを、積極的に助長する。それは孤立だ。……最近カリフォルニアか

らラスベガスに移住してきたコンサルタントは、自分の地所を囲む高い塀を誇らしげに眺めながら、こう言った。「もうだれも私がだれで、どんなことをしているか知らない。それがいいんだ。私も隣の人間がだれでどんなことをしているかなんて、知りたくない。自分がやりたいことができるように、放っておいてもらいたいだけさ」。ある種の人びとにとっては、コミュニティで共有する体験というのは、プラスではなくマイナスの価値を持つものらしい。

（ルイス『*Divided Highways*』、２６６頁より拙訳）

アメリカで、とくに知的エリートが必死になって他人を出し抜いて、蹴落として出世して、ものすごい報酬を得てといった競争ばかり見ていると、人との付き合いを絶ちたい気持ちもわからないでもない。他人が信用できなくなるというよりも、簡単に言えば、自分がこれだけあくせく人を蹴落とすために努力しているからには、他人もみんな自分と同じようにやっているだろう。そうすると、職場はそれでしかたないとして、家までそういう連中と顔を突き合わせるのは、もう勘弁してくれというような心境なのだろう。

隠居生活というよりは、働いているうちからクルマで通える距離でさえあれば、仕事はオフィスでの生存競争がむき出しであっても、家に帰れば家族以外の人間の顔を見ないですむという暮らしが理想と考えているようだ。しかし、その家族は、町にもあまり出ていけない生活になるかもしれない。

ただ、今のアメリカで中流以上のレベルの暮らしをしている人は、夫婦共働きが大部分なので、家族の中で少なくとも奥さんは出て行く。そして、子どもは、だいたい早いうちから寄宿制の私立学校に入れてしまう。それにしても、子どもはやはりかわいそうな気がする。寄宿制の学校へ入れっぱなしか、朝晩送り迎えをするか。子どもにあまり金をかけたくなかったら、スクールバスに乗せて、スクールバスで帰らせて、あとは家にこもりっきりになるのではないだろうか。

ここにも、クルマ社会化が惹き起こした異常な日常風景が浮かび上がってくる。現代アメリカ社会では、小中学生は、保護者がスクールバスの停留所まで見送って、乗りこんだことを確認するか、保護者ないしその委託を受けた成人の運転するクルマで学校に送り届けなければいけないことになっている。また、小中学生のうちは、たとえ家のすぐ前の公道でも、成人の監督なしで子どもたちだけで遊んでいると、保護者が監督責任を放棄したとして、罪に問われる。おとなの監視なしに子どもたちだけで電車を乗り継いで行きたいところに出かけるなどという「大冒険」は絶対にできない仕組みになっているのだ。

これから先は、カップル主導型社会はますます維持するのがむずかしくなっていくだろう。まず、一生結婚しない人がどんどん増える。結婚しても、夫と妻とはまったく違う社会関係を形成するのがむしろふつうだ。その中で、いつまでもカップルにこだわっている社会は、それこそ自閉症的にカップルだけで鼻をつき合わせていて、家族以外の人間の顔を見ないところに引っこむことを理想とするようになってしまうかもしれない。そして、カップル間の密着度が高すぎることによって、適度な距離を置いてのつき合いなら目立たないアラも耐えられないほど気になって、離婚率もますます高くなっていくだろう。

バラ色だったはずの未来学の描く未来は、あんがい暗かった

１９６０年代から70年代にかけて、未来学というお気楽でバラ色の未来予測をすることを主な役割とする学問領域が一世を風靡した。その未来学の中にちょっと毛色の変わった分野があって、「テクノロジー・アセスメント」と呼ばれていた。未来学一般と違うところは、科学技術の進歩がもたらす予想外のネガティブな結果も重視する、未来学本流からすれば鬼っ子のような分野だったことだ。

当時、その名も『未来主義者（フューチャリスト）』と呼ばれたアメリカ未来学に関する雑誌が刊行されていた。本格的な学術誌ではなかったが、一般大衆に未来学の先端でどんな研究が行われているのかをやさしく解説する啓蒙誌で、今も人気のある雑誌で言えば『サイエンティフィック・アメリカン』とか、『ナショナル・ジオグラフィック』のような雑誌だった。『未来主義者』の１９７１年12月号に、アメリカ科学財団の要職にあったジョゼフ・コーツという人が書いた、その名も「テクノロジー・アセスメント」という論文が掲載されている。

この論文には、アメリカ的な家族が孤立し、地域共同体が崩壊する過程の模式図が、まことに分かりやすくズバッと書いてある。要旨は技術体系が変わったことによって、その変化にさらさ

れるまではまったく予想していなかった副次的な変化が起きる。しかも、その副次的な変化は、二次的な影響、三次的な影響が累積していって、非常に大きな力で社会全体を変えてしまうということだ。

たとえば自動車ができれば、個人がどこにでも行きやすくなるといった、第一次（ファースト・ラウンド）の効果はだれにでも分かる。だが、第二次、第三次と、直接的な効果や影響から隔たっていくに従って、その技術を導入した当初の意図とはまったくかけ離れた、しかも往々にして社会全体にとってネガティブな結果が出てくることになる。

テクノロジー・アセスメントの中でこうした科学技術の進歩や普及が及ぼす予想外の社会的な結果を例示するために使っていたのが、自動車、冷蔵庫の改良・普及と、テレビの発明だった。アメリカでは１９１０〜40年代に起きた変化だったが、それはそのまま、日本の高度成長期の三種の神器だったと言ってもいいだろう。この三種の神器がアメリカ社会にもたらした影響がたった一枚の表に過不足なくまとめてあるので、この表の拙訳を次ページに掲載しておいた。

第一次の影響は「すばらしい」の一語に尽きる。人間が自分の意思で、どこにでも安くドア・ツー・ドアで移動できるようになった。生鮮食品も、今までに比べて長いこと鮮度を保てるようになった。なお、ここでわざわざ冷蔵庫の改良と書いてあるのは、氷を入れておく密封した箱から、電力で冷やしたり凍らせたりできる電機器具に変わったことを意味している。また、テレビ

	自動車	冷蔵庫の改良	テレビ
第一次の影響	早く，簡単に，安く，個人的に，しかもドアツードアで移動する手段を獲得した	食料を以前より長期にわたって自宅に貯蔵できるようになった	娯楽と啓蒙が自宅でできる新しい道具が登場した
第二次の影響	以前より遠くにある店でひんぱんに買いものをするようになった．それは，通常来客数の多い大店舗だった	店に何回も行く必要がなくなったので家にいる時間が長くなった	仲間に会える地元のクラブやバーに行くより，家にいる時間が増えた
第三次の影響	同じコミュニティの住民同士でもあまり会うことがなくなり，相手のことをほとんど知らないようになった	同左．そして，主婦の自由時間が増えた	同左．そして，娯楽のために他人に頼ることが少なくなった
第四次の影響	他人同士なので，コミュニティに共通の問題についても協力して対処することがむずかしくなった．だれもが，自分は隣人から孤立し，疎外されていると感じるようになった	同左．そして，自由に使える時間が増えた分だけ，リクリエーションや娯楽に対する需要が増えた	同左
第五次の影響	隣人から孤立しているので，ほとんどの心理的な必要を家族によって満たすようになった	同左	同左
第六次の影響	夫婦のあいだで非常に大きな心理的要求を満たせないときには欲求不満に陥り，離婚するケースが増えた	同左	同左

テクノロジーの及ぼすさまざまな影響

はわざわざ劇場とか映画館とかに行かなくても、家にいれば娯楽のほうから自分の家にやってきてくれる魔法の箱だった。三種の神器導入は万々歳の結果で終わるはずだった。

第二次になると、たとえば、気軽にクルマで出かけられるようになったことで、隣近所の小さな店を避けて遠くても品揃えの豊富な店に行くようになる。冷蔵庫が改良されたことも、人がだんだん足繁く近所の小さな店に通わずに、1～2週間分の買いだめをしておいて、家の中にこもるようになることに貢献する。あるいは娯楽でも、劇場とかお祭りとかに行くかわりに、家でずっとテレビを観ていればいいというふうになってしまう。だんだん人が引きこもるようになるという悪影響が、もうこの段階で出てくる。

第三次の影響になると、人があまり隣近所の人に会わないので、隣近所に住んでいる人のこともあまりよく知らない社会になってしまう。これは、冷蔵庫の普及も、テレビの普及もまるでクルマ社会化と一致協力でもしているように、同じように家族の孤立化に拍車をかける。

第四次の影響となると、だんだん共同体が自分たちの力で、自分たちの問題を解決しようとしなくなる。コミュニティに問題が出てきたら、どこに住んでいようと自動車で職場には通えるのだから、そういう問題のない新しい土地で地域共同体などというややこしいものがまだ形成されていないところとか、あるいは金持ちばっかりのコミュニティなので、同じ地域に住んでいる貧乏人をどうするかといった問題が起きないところとかに逃げて行こうということになる。

第五次の影響として、これは自動車も冷蔵庫もテレビも同じことだが、家族が孤立して、家族から個人の個の字を使った「個」族になる。そして、第五次で個族になったものが、第六次のオーダーで、今度は孤独の「孤」族になってしまう。最終的には、その「濃密で高い心理的要求に応えきれない家族のあいだで離婚率が高まる」という悲劇に終わる。

こうして家族の孤立化が進むと、家族関係はあまりにも濃密になり、その濃密さに耐えられないと離婚や家族崩壊が起きやすくなるという結論が導き出される。自動車も、冷蔵庫の改良も、テレビもまったく同じ家族の孤立化という点で相乗効果を発揮するかたちになる。新しい技術を体現した商品が導入されるからには、それなりにいいところがあって導入されるわけだ。だが、めぐりめぐった影響を考えていくと、それほどいいことなのだろうかという深刻な疑問が出てくる。

しかも、アメリカでとくに急速に普及した科学技術のほとんどが、個人が他人に頼らなくても、自分ひとりでやっていけるようにするための改良だという特徴を持っている。それがどんどん人を孤立させ、自分の家族以外は顔も見ないですむような環境で、外に出るときは自動車に乗って行って、買い物は1～2週間分買いだめをして大型冷蔵庫にぶちこんでおき、娯楽はほとんどテレビに頼るということになる。

大衆には性的自由が建前だけだった欧米、実態的に保証されていた戦前日本

また、孤立した核家族内の濃密すぎる関係が危機や、危機とまではいかなくても不和を招きや

すいのは、夫婦間の関係だけではない。親子間でも、まったく同じ問題が出てくる。1929年にロバートとヘレンのリンド夫妻が『ミドルタウン』という本を出版した。ミドルタウンという仮名で呼んでいる、ある典型的なアメリカ中西部の小都市の家族関係が自動車の普及によってどう変わったかを描いた名著だ。その本にこういうくだりがある。

若者の「デート」もドライブ、ダンス、映画などが中心となって、家で過ごすのは「退屈」として避けられるようになる。このような状況に親の心配と子供の「自由」がしばしば衝突する。ミドルタウンのある女子高生は、ハイカラな自動車を表に駐車して待っている青年と夕方のドライブに出かけようとした時に父親にやめるように言われ、「私にどうしろというの。一晩中家のなかに座っていろとでも言うの」と激しく言い返している。これは衝突のひとつの例で、自動車による若者の行動変化は親子関係や家族の絆に確かに悪影響を与えたのである。

（英米文化学会編、君塚淳一監修『アメリカ1920年代』、241頁）

もちろん、ここで醜いカマ首をもたげていたのは、セックスだった。日本では若者のクルマ所有願望について、「カッコいいクルマに乗っていればモテる」とか「クルマを持っていなければモテない」とか、ほんわかとした情緒で理解しがちだ。だが、まだ清教徒的（ピューリタン）倫理観が巾を利かせていた1920～60年代のアメリカでは、若者たちが親のクルマを借りて外に行きたがり、一刻も早く自分のクルマをもちたがったのは、モテるとかモテないとかのあやふやな理由からではなかった。

ふたりだけになったときに何をするかはおたがいに了解ずみの相手がいたとしても、クルマを持っていなければ実際にそのことを行う場所がなかったのだ。これはもう、絶望的になかった。ホテルなどでも、結婚したカップルであることを示す写真入りの身分証明書でもなければ、若い男女は絶対に泊めてもらえなかった。

それがまた、アメリカでは伝統的に大型車の需要が根強い理由でもある。まだ、肥満が国民病となっていなかった1960年代までのアメリカで、わざわざ小回りの利かない大型車を選ぶ理由は、ふたつぐらいに絞りこまれていた。ひとつは、事故でぶつかったときに、大きければ大きいほど乗っている人間の被害が小さくてすむ。もうひとつは、クルマの中でエッチをするときに動きやすい。それぐらいしか、大型車にこだわる理由はなかった。肥満が国民病化した現代アメリカでは、大型車やトラックの、幅も広く丈の高いドアでなければクルマの中に体をねじ込むことがむずかしくなったという切実な理由も出てきた。

驚くべきことに、我々日本人が、あけっぴろげで淫蕩でさばけた国民性と思いこんでいるイタリアでも、若い人たちのあいだでクルマ所有熱が高まった理由はアメリカとまったく同じで、クルマの中くらいしか結婚していない男女がエッチをできる場所がなかったからだそうだ。しかも、その状態は今でも続いているという。

イタリア車にまつわるありとあらゆることの権威である清水草一が、かのパンツェッタ・ジローラモさんから直接聞いたことを書いているのだから、まちがいなくこれが真相だろう。

イタリアにはラブホはおろか、カトリック国のため、通常のホテル、モーテル等も結婚していないと男女同部屋はまったくだめ。怪しい若いカップルなど門前払いとなるとのこと。その結果若いセックスは基本的に車内にて行われているそうであります。

「クルマの中に、いつでも必ず新聞紙とスカッチテープ（セロテープのこと）を置いておくんですよ。それで、できそうになったら素早く窓に貼るんです（笑）」

なんという涙ぐましい努力……。しかも治安の悪いイタリアのこと、最中に強盗に襲われる可能性大のため、場所にも非常に気を使うそうだ。車種も、若いイタリア人は貧乏につき、フィアットパンダやウーノがスタンダード。相当狭苦しい中での営みとなります。

（清水草一『フェラーリがローンで買えるのは、世界で唯一日本だけ』、60頁）

ついでに補足しておけば、アメリカでドライブイン・シアターというかたちの映画館がはやった最大の理由も、強盗やのぞき屋に対する安全性を確保しながら車内エッチをするのに最高の環境だったというところにある。男の子のほうの家に連れて行っても、女の子のほうに男の子が行っても、さすがに親と一緒に住んでいる家の中ではやりにくい。

でも、一緒に映画を観に行くという口実で出かけて、クルマの中にいればほぼプライベートな空間だ。そして、映画を上映するためにあたりをまっ暗にしてしまえば、中で何をやっていてもわからない。それだけのことだ。それにしても、一時はものすごい勢いで、アメリカ中にドライブイン・シアターがバンバンできていたわけだから、そういう需要がいかに大きかったかが分かる。

そして、ドライブイン・シアターで上映する映画も、映画に見とれて大事なことをする時間がなくなってしまったらアホらしいので、とうてい見るに堪えないようなB級、C級、D級映画のほうがむしろ歓迎された。ドライブイン・シアター用映画専門の映画評論家、ジョー・ボブ・ブリッグスによれば、このジャンルで大切なのは、「Blood、Breast、Beast の3B」なのだそうだ（ドン&スーザン・サンダーズ『*The American Drive-In Movie Theatre*』、150頁より）。

せっかくレトリックを駆使して頭韻でまとめてくれたので、和訳も頭韻を踏んで「血、乳、珍獣の3チ」としておこうか。何？　Beast は、けだものとか野獣と訳すことはあっても、珍獣とは訳さないって？　どうせ低予算のC級、D級映画では、ちゃちな張りぼてか、不細工な着ぐるみか、全然特殊じゃない特殊メイクでお茶を濁すので、意図としてはけだものか野獣に見せたくても、結果は珍獣にしかならないのだからご勘弁いただきたい。

ただ、この結婚前の若い男女がエッチをする場所に非常に困っていたという事情についても、欧米社会の階級性を反映していた。困っていたのは貧乏人のせがれ、娘として生まれた若者たち

©Bettman/CORBIS/amanaimages

だけで、貴族や大富豪の家に生まれれば、お屋敷の中に親の目を気にせずになんでも好きなことができる部屋くらい、必ずあるからだ。

先ほどのドライブイン・シアター用映画の評論家のコメントも出ていた写真集の中に、とても印象的な一枚の写真がある。ドライブイン・シアターに完全に幌をたたんだオープンカーで来て、肩を寄せ合って映画を見ているカップルを後ろから撮った写真だ。

階級意識が希薄な日本人なら「ドライブイン・シアターに行っているのに丸見えのオープンカーで肩を寄せ合っているだけだなんて、ずいぶん分お行儀のいいカップルだ」程度の感想を持つだけかもしれない。だが、わざわざ幌を全部たたんだオープンカーでドライブイン・シアターに行った当人たちには、絶対に階級的なメッセージがあったはずだ。

ようするに「お前ら貧乏人はそんな狭い薄暗がりでゴソゴソやっているけど、俺たちは家でいくらでも好きなことができるから、ここに丸見えのオープンカーで来るもんね」と言っているようなものなのだ。ということは、このふたりはふだんからオープンカーを乗り回せるご身分のいいとこの令嬢とお坊ちゃんではないのだろう。ほんものの金持ちは、ムダに貧乏人を挑発したりしない。

さて、1960年代までのアメリカでも、現代に至るまでのイタリアでも、貧乏な若者たちの婚前セックスはそんなに不自由だったとすれば、戦前の日本なんてもっと窮屈だったに違いないと思う人も多いだろう。だが、まったく反対に、戦前の日本はおそらくラブホテルの普及した戦後の日本以上に結婚していない若い男女、しかも貧乏人でさえセックスの場所に困らない社会だった。

井上章一は『愛の空間』(角川選書、1999年)で、戦前から終戦直後くらいまでの日本の若い(そしてあまり若くない)男女の婚外交渉事情について、すばらしい考察をくり広げている。まず驚くのは、日本のソバ屋が果たしていたなんとも粋な機能がさまざまな文献を通じてくっきりと浮かび上がってくる。結論だけを引用すれば、こういうことだ。

「本当の蕎麦屋」と聞けば、たいていの現代人は、つぎのように思うだろう。そこへいけば、ソバをたべるだけ。二階を性愛用にレンタルするなんて、とんでもない、と。

だが、「本当の蕎麦屋」は、二人に二階をかしてくれた。そう、「本当の蕎麦屋」が、そういうことをしたのである。そして、「本当」でない、大半のソバ屋は商売女に、場所をかしていた。しろうとの女は、とても近づけないようなところだったのである。(同書、164頁)

どうしても日本がそんなにさばけた国であったはずがないと思いたい人は、それでも粘ってこんな反論をするかもしれない。「いや、それは曲がりなりにもソバ屋くらいはある町の話で、田舎の若い男女の性は抑圧されていたに違いない」と。これがまた、正反対で、戦前の日本の田舎は都会以上に性的に自由な環境だった。ふたたび、『愛の空間』からの引用だ。

じっさい、屋外での性交は、対米戦争以前から、ごくふつうにおこなわれていた。日本の、とくに農山村漁村では、あたりまえの慣行だったのである。すくなくとも、今日のようにやや変態的なイメージでながめられることは、なかったろう。

（同書、28頁）

よく戦前の日本の田舎では若い男女がふたりだけ連れ立って歩いているだけで、冷やかされたり、はやし立てられたりした。それをもって、日本ではいかに男女交際が抑圧されていたかの証拠だと主張する文化人・知識人が多い。なんのことはない。多くの場合、ふたりは山の中、林の中、さびしい海辺の人けのないところに行く途中か、行ってきた帰りだから、冷やかされ、はやし立てられても当然だっただけのことなのだ。

一方、欧米、とくに1970年代以降の「性の解放」前のアメリカでは、クルマをその中でしか若い男女が婚前交渉をすることもできないほどのプライベート空間と考える生活感覚が日常化していった。そこでは逆に、一台のクルマに赤の他人が乗り合わせることに異常な嫌悪を感じるようになる。

当時のアメリカに、バックミンスター・フラーというちょっと本職はなんだったのか説明しにくい人がいた。「宇宙船地球号」という表現を広めた環境主義者の元祖として、今でもカルト宗教的に崇拝するファンの多い人物だ。そのバックミンスター・フラーが、未来の理想交通機関を描いた絵が残っている。それを次ページのイラストに沿ってご説明しよう。

なんと、バスに乗るにも、電車に乗るにも、それどころか飛行機に乗るにも、核家族が乗った自動車カートリッジから降りることなく、乗ったまま連結したり、コンテナのように積んでもらったりすれば、他の核家族の乗客と同じ空間に乗り合わせることがなくてすむ、というのが最大の売りなのだ。

フラー自身は、それが最大のセールスポイントだとは認識していなかった形跡がある。違う交通機関に乗り換えるたびに降りたり、乗ったりの手間が省けるとか、降りたあとの自分のクルマを駐車しておくスペースがいらないとか、それなりにもっともらしい理屈をつけて売りこんでいたようだ。

だが、核家族向けの最小ユニットが少なくとも軽自動車程度の走行性能を確保できるクルマだとすれば、それなりの広さも重さも必要だろう。それを丸ごと鉄道で運ぶだけでも大変なエネル

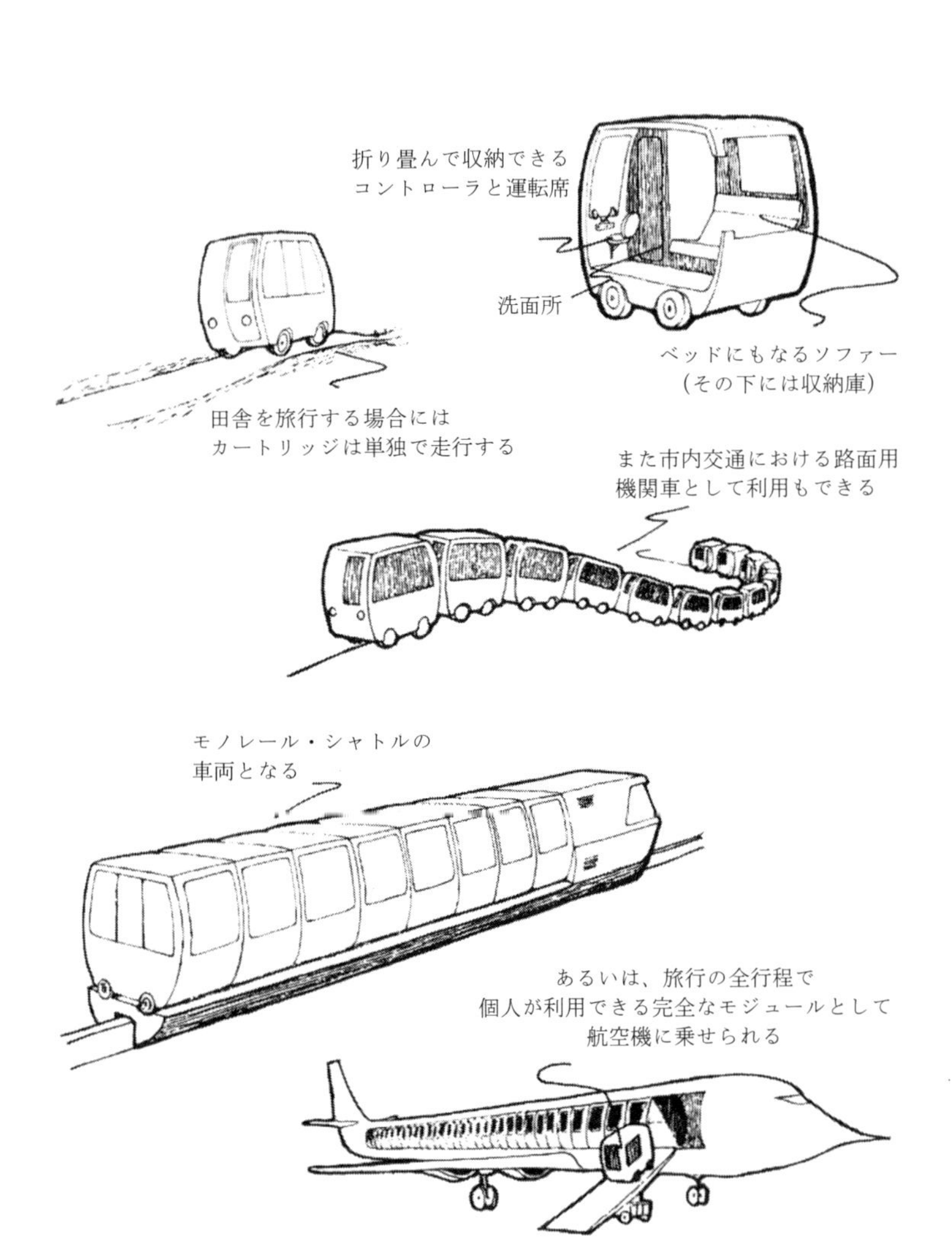

旅行用カートリッジ ©IBM Corporation
ジェイ・ボールドウィン『バックミンスター・フラーの世界』162頁を参考に作成

ギーの浪費になる。ましてや航空機にそのまま積みこむということになれば、エネルギーのムダはとんでもない量になる。「有限な資源をどう使い延ばして人類文明の永続を図るか」を真剣に考えていたはずの思想家が、こんな交通システムをまじめに提唱していたのだ。社会全体に浸透した固定観念は怖い。

街殺しと居住地差別の激化は、同じメダルの裏表

クルマが街殺しの道具になってしまったという事実は、かなり歴然としている。ここで「街殺し」という表現を使うのは、けっしてささいな問題なのに、センセーショナリズムをあおりたてようというような意図で大げさに表現しているわけではない。アメリカの街は、クルマ社会化が本格化した１９２０年代以降、本当に組織的に殺されていったのだ。

１９２０～29年の10年間は、80年代まででいちばん多くの戸建て住宅が建設された時期だった。その20年代に、ＣＩＤ（Common Interest Development）と呼ばれる住宅地開発のやり方が急激に普及した。『プライベートピア』のふたりの訳者、竹井隆人と梶浦恒男は「日本の住宅地開発もアメリカのように整然と統一された景観の立派なものにできるように、アメリカの事例をよくお勉強しましょう」という立場でこの本を訳している。だから、ＣＩＤにも「コモン（共有地）を有する住宅地」という訳語を当てている。

だが、これはそうとう濃厚な意図のこもった誤訳だ。『プライベートピア』を読めば、著者は

一貫してCIDを「利害を共有する開発」という意味で使っていることは明白だからだ。それではいったい、どんな利害を共有しているのか。所得、社会階層、人種、宗教、果ては趣味や嗜好にいたるまで、「異質な」要素が紛れこむのを防ぐことによって不動産価値を維持し、できれば上昇させたいという共通の利害だ。

その実態は、以下に引用するとおりだ。

最近では、CIDの設計者は、独特なライフスタイルを強制するための精緻な証書規制の手法を使って、分離化・分割統治化・同質化へ向かう傾向をますます強めることとなった。リチャード・ルーは、高齢者、独身者、ゴルファー、ボート愛好家、その他の特定居住者層のみに合うように設計された、注文生産によるCIDを、「単一趣味の近隣住区」と呼んでいる。コミュニティ設計者であるウェイン・ウィリアムズは、この単一趣味によるアプローチを「前向きのゲットーイズム（強制収容所主義）」と名づけている。（同書、96頁）

もちろん、こうして用意周到に異質な要素を排除した「コミュニティ」に入居した人たちの中には、「ここまで規則・規約でがんじがらめに縛られるとは思わなかった。こんな生活は息苦しくてやりきれない」といった不平不満も出ている。だが、わびしいことにそういう批判的な意見を持つ人たちは今のところ少数派にとどまり、多数派はこうしたプロジェクトが不動産価値を高める効果を肯定的に見ているようだ。

現代アメリカ人を住宅面から定義するとすれば、たかが不動産価値のために自分から進んで強制収容所に入る人たちということになるだろう。こうして、異質な要素を排除して建設された大規模住宅地開発の典型の写真が、『国土と都市の造形』に、１３６～37ページのとおり見開き2ページで掲載されている。

クリストファー・ターナードとボリス・プシュカレフというふたりの著者によれば、どうせ画一的な区画割りにするのなら、右の味も素っ気もない長方形をべたべた並べただけのほうが、左の円弧を多用したしゃれたデザインより実用的だという。住民や（めったにないだろうが）通過交通の自動車の騒音や排気ガスによる環境劣化とプライバシーの侵害は、直線だけの区画割のほうが小さくてすむからだそうだ。

街が殺されると何が困るのか。いろいろな階層、階級の人が集まる機会がまったくなくなってしまうのだ。そして、すさまじい居住地差別が横行する。アメリカでは、住んでいるところのジップコード（日本で言えば郵便番号に当たる）さえわかれば、その人の社会的地位、収入、生活水準、教育程度もだいたい見当がつくと言われている。

あくまでも個人的な感想で根拠があるわけではないが、留学でも仕事でもアメリカに3年以上住んだことのある日本人は、アメリカ礼賛型か、アメリカ批判型にはっきり分かれてしまい、中立派はほとんどいなくなるような気がする。そして、この両極端でいちばん意見が分かれるのが、

ターナード，プシュカレフ『国土と都市の造形』100頁より転載

住宅地差別をどう見るかだ。

たとえば、『アメリカ人は、なぜ明るいか？』という本を出した原隆之は住宅地差別になんの疑問も感じなかったようで、あっけらかんとこう書いている。

> 僕の住むチノヒルズは、アメリカの一般的な中産階級の住む、南カリフォルニアではごく普通の町だ……。（同書、１２９頁）

当然、原はアメリカ礼賛派で、アメリカは自由で競争条件が平等で、だれでも能力さえあれば一代で大金持ちになれるすばらしい国ということになる。たぶん、どこに行っても同じような社会的地位と同じような所得水準の人ばかりが集まって住んでいる住宅地ばかりなのも、生活水準や趣味が似通っているので話が通じやすくていいと感じ

同『国土と都市の造形』101頁より転載

ているのかもしれない。だが、所得によって住む街が違うということの深刻な意味が、全然わかっていないのではないだろうか。

貧乏人の子どもに生まれた人間が、自分の力でより良い生活をするためにまず必要なものと言えば、良い教育だろう。しかし、居住地差別が徹底している国では、教育の機会平等などという理念は完全に空念仏になってしまう。貧乏人ばかり住む地域では、当然日本で言えば住民税などに当たる地方税の税収が極端に少ない。だから、公共教育機関も建物から教材から先生の資質にいたるまですべてが貧乏くさくなる。

労働者階級の下という人たちが住んでいる地域で生まれ育ったら、小中学校で「いい教育」が受けられるところを探すのは不可能に近い。せいぜい、犯罪や薬物中毒に巻きこまれる確率が比較的低いところを探すことくらいしかできない。労働者階級の中程度の居住地域になると、たまには「いい教育」を受けられる公立の小中学校もあるが、数は非常に少ない。逆に、大金持ちばかりが住んでいる地域だと、ほとんどの子どもは私立学校に行くが、公立の小中学校でも、建物も教材も先生も貧困地区とは比べものにならないほど立派になる。

世界中どこでも、貧乏というのはカネのかかることだ。だが、アメリカのように居住地差別が徹底している国では、貧乏になればなるほど自分の子どもたちに貧乏から抜け出すための教育を授けるにも大金が必要になる。こんな国で、競争の条件は平等だと言う人の気が知れない。

デトロイトを殺したのは、自動車産業の衰退ではなく、隆盛だった

さて、「自由意志にもとづかない人間集団を排除したい」という衝動の犠牲にされてしまったさまざまな人間集団の中でも、いちばん重要な集団のあり方が街だろう。そして、アメリカではなぜあんなにあっさり通勤電車がクルマによって駆逐されてしまったのかという点でも、この自由意志によらない偶然の集団に属することに対する異常な恐怖心の影響が大きい。

孤立化の進むアメリカの核家族は、ダウンタウンはごみごみしていて下層階級の危ない連中が多いから、そこは素通りして、別の郊外のオフィスに行くというような、ものすごくスペース需要の大きな生き方を理想の人生としてしまった。しかも、今のアメリカでは、たとえば都心のダウンタウンで、人を一人雇うためのスペースを作ろうとすると、その人が働くスペースの3倍か

4倍ぐらいの道路と駐車場を作らなければならないので、大都市はもう成長できない。

大都市が成長できないとどうなるか。鉄道とかバスのような公共交通機関が、営業利益を稼げるような頻度の高い運行ができるだけの大勢の客を集められない。だから、いつまでもエネルギー効率の低い自家用車で、しかも4人から5人乗れる自動車にたったひとりが乗って、家からオフィスまで毎日通勤するという、壮大なエネルギーの無駄、スペースの無駄をやり続けている。

その壮大なエネルギーの無駄、スペースの無駄は、アメリカ国内で原油需要を満たせているころには、少なくとも国民経済の輸出、輸入の貿易バランスという意味では、なんとかもっていた。だが、だんだん国内では必要とするガソリンの量を満たせなくなって、海外から買わなければいけなくなってきた。しかも、その海外の購入先が、OPEC（石油輸出国機構）諸国で、いわゆるオイルショック以降、じわじわ値段も高くなってきたことによって、今、アメリカ文明全体がゆるやかに没落しつつあるわけだ。

クルマ社会では、大体において家族は一台のクルマに乗って移動する。そして、そのクルマのハンドルを握るのはほとんど例外なく一家の家長である夫＝父親であり、どこで何をするかの決定権は圧倒的に家長が握っている。したがって、クルマ社会が確立されてからのアメリカは、日本よりはるかに露骨な男尊女卑社会になっている。アメリカの主婦はどこで何をするかの決定権だけでなく、一家の予算権も握っていない場合が多い。

先進諸国で女性の給与水準が男性の給与水準の何割になっているかを見ると、ヨーロッパ諸国が軒並み9割前後なのに比べて、アメリカと日本だけが6割台というお粗末な水準にとどまっていた。日本も他国を笑えたものではない。ただ、日本ではとくに若い女性は、お茶を汲み、コピーを取り、周囲の雰囲気を和らげるといった「職場の花」的な機能に徹する気になれば、こんなに楽でその割にいい給料をもらえる職場は他の国にはないという皮肉な見方もできる。

ところが、アメリカの企業社会は「女性なら仕事らしい仕事ができなくてもいい」などという甘っちょろい考え方は許されない。仕事をする以上、男性とまったく同じ責任が課されて、それでいて平均給与水準は男性の6割強、日本とたいして変わらない低水準だったのだ。さすがに1980年代以降は、徐々に男女間の賃金格差が縮まってはいるが。

ミシガン州最大の都市、デトロイトを衰退させたのは自動車産業の没落ではなく、自動車産業の興隆だった。デトロイトはアメリカ的な大都市中心部の荒廃と言えばすぐ引き合いに出されるすさんだ大都会だ。だが、アメリカ人もふくめてほとんどの人が、デトロイトが荒廃したのはアメリカの自動車産業、いわゆるビッグ・スリーが斜陽化してからのことだと思いこんでいる。まったくの事実誤認だ。デトロイトは、自動車産業の隆盛のまっただ中で衰退し始めたのだ。

デトロイト最大かつ最高級のデパート、ハドソンズのデトロイト都心店が売上最高額を記録したのは、1953年で、そのときの売上高は1億5300万ドルだった。まだ第二次世界大戦の英雄ドワイト・アイゼンハワーが大統領だったころの話で、アメリカの自動車産業が全盛時代を迎える前のことだった。当時は、自動車産業の経営陣でさえ、東海岸や西海岸への長距離出張には列車で出かけていた。

１９５３年、アイゼンハワー政権の初期、自動車産業の最盛期に、ハドソンの売上げは１億５３００万ドルにのぼった。ところが１９８１年、ダウンタウンのハドソンの売上げはわずか４４００万ドルであった。インフレによる物価上昇分を引くと、この数字は１９５３年の売上げの約６パーセントでしかなかった。（デイビッド・ハルバースタム『覇者の驕り』、上巻、77頁）

アメリカは長くインフレ率の高い時代が続いたので、１９８０年代末のドルは50年代初めに比べて10分の１くらいの価値しかなかった。80年代末から２０１０年代末まででドルの価値はさらに半減程度に目減りしている。だから、１９５３年の１億５３００万ドルという売上は現在のドルで表せば軽く30億ドル程度にはなっているだろう。最近40～50年間の小売業の常識として、個店ベースで１０００億円以上（米ドルに直せば約9・1億ドル以上）の売上を出すデパートは日本以外には存在しないとされている。だが、まだクルマ文明が爛熟する前のデトロイトのデパートは、一店舗で現在の日本円に換算すれば十分１０００億円以上の売上を達成していたのだ。

ちょっと50年代から時計の針を進めて、１９６５年に眼を転じてみよう。アメリカの自動車業界にとっては黄金時代で、ビッグ・スリーが仲良く大増収・大増益を続けていた。外国からの輸入車と言えばフォルクスワーゲンにほんのちょっとシェアを食われ始めたばかりのころで、やがて日本車がアメリカ国内の市場を席巻することになるだろうなどとは、夢にも思えなかった。だが、すでにこの時代にデトロイトは、アメリカ中で凶悪犯罪の発生率がいちばん高い大都市になってしまっていた。

次ページに引用した表をご覧いただきたい。1965年にアメリカを代表する大都市で起きた殺人、強姦、強盗、暴行などの凶悪犯罪の発生率を、人口10万人当たりで示したものだ。

表の中でコメ印がついているのは、人口100万人以上の都市、それ以外は人口100万人未満の都市だ。人口100万人以上の五大都市だけで比べると、デトロイトは殺人で1位、強姦、強盗でそれぞれ2位とオールラウンドな強さを示している。つまり、アメリカ自動車産業の最盛期に、デトロイトはもうアメリカ中でも1、2を争うすさんだ大都会に成り果てていたのだ。

この表を引用した『都市政策』という本には1960〜75年を通じたアメリカの大都市の人口変化率のグラフも掲載されている。この間のデトロイトの人口減少率は20パーセントで、全米主要都市ではセントルイス、ピッツバーグ、バッファロー、クリーブランドに次ぐ5位だった。だが、人口100万人以上の都市だけで比べると、人口減少率でも堂々の首位だ。なお、この間に人口が増えた大都市というと、航空産業、石油精製業や石油化学工業のような当時の新興産業で伸びていたヒューストン、ダラス、サンアントニオなどの、いわゆるサンベルトに属する都市だけだった。

デトロイトでも、1920年代から30年代までは、自動車会社の重役でさえ、ニューヨークの

市	殺人	強姦	強盗	暴行	夜盗	窃盗(50ドル以上のもの)	自転車窃盗
セントルイス	19.7	46.1	327.0	321.7	1,805.4	361.2	790.8
ワシントン	18.4	17.4	358.8	328.1	1,231.1	517.2	699.8
ニューアーク	17.3	40.6	379.8	449.1	1,986.4	889.4	1,127.5
※デトロイト	11.5	39.5	335.2	227.3	1,125.6	452.2	772.0
※シカゴ	11.2	34.6	420.8	293.4	848.5	491.1	821.2
※フィラデルフィア	9.9	25.8	139.7	212.8	594.8	229.6	386.2
※ロスアンゼルス	9.1	46.4	293.4	337.2	1,858.6	1,087.5	810.3
ボストン	8.6	11.7	168.0	140.9	709.3	420.5	1,956.7
※ニューヨーク	8.0	14.7	113.6	208.2	651.4	956.6	442.9
サンフランシスコ	7.6	11.3	278.1	243.8	1,537.0	529.6	984.4

アメリカ大都市における犯罪（人口10万人に対する比，1965年）
※印の都市は，1965年に100万人以上の大都市，その他は，25万人以上の都市．

支店に出張するときには、鉄道を使ってデトロイトからニューヨークまで行っていた。当時は鉄道駅もすごく繁盛していて、駅前のデパートは今の日本の東京や大阪の駅前の大型店と同じぐらいの売上を出していたわけだ。自動車会社の重役が鉄道を使わずに、自分の会社が作った自動車でどこへでも行くようになり、さらに60年代以降はだいたいアメリカの国内の地方都市を回るときには飛行機を使うようになり、デパートが衰退したわけだ。

つまり、アメリカにおけるデパートの衰退、そして大都市の衰退は、1970年代以降のオイルショックや日本車のマーケット・シェア拡大の時代に始まったことではなかった。はるか以前の1950年代に始まっていたのだ。1950～60年代というと、アメリカのビッグ・スリーは、我が世の春でとてつもなく儲けていた時期だ。1960年に約630万台だったアメリカ国内の乗用車生産台数は、5年後の65年には約933万台に達する。5年間の成長率でいうと、じつに39パーセント、年率換算では約6・8パーセントの伸びだ。

その時期にもう、デトロイトのデパートは衰退に転じていた。日本車が本格的に押し寄せてきたのは1980年代半ばぐらいで、実験的にチョロチョロ入り始めたのが70年代の初めだった。そのころは、スタートしてもエンジンの馬力が弱いからなかなか動かないとか、坂道では登っているつもりでもズルズルすべり落ちていくとか、散々バカにされていた。

つまり、アメリカ社会衰退の最初の兆候として取り上げられることが多い大都市の荒廃は、日本車の輸入が増えたためにアメリカ車のメーカーが今までどおりの生産規模を確保できなくなったから起きたのではない。明らかに、自動車が街殺しの道具になっていたのだ。街が殺されると、いろいろな階層、階級の人が自然に集まる機会がほぼ完全になくなってしまう。これは非常に大きな問題だ。

街殺しには、史上最大の公共事業もかかわっていた

さまざまな所得階層ごとに街の断片は声高に自己主張をしているが、さまざまな所得階層の人間たちの偶然的な出会いの場としての街はもう残っていない。この街殺しとも呼べる現象がいつ始まったかは、かなりはっきりと歴史的なデータで裏付けることができる。次ページのグラフにはっきり出ているように、第二次世界大戦直後の1940年代半ばに、鉄道乗客数がピークを打って、そこから急坂を転げ落ちるような減少に転ずる。

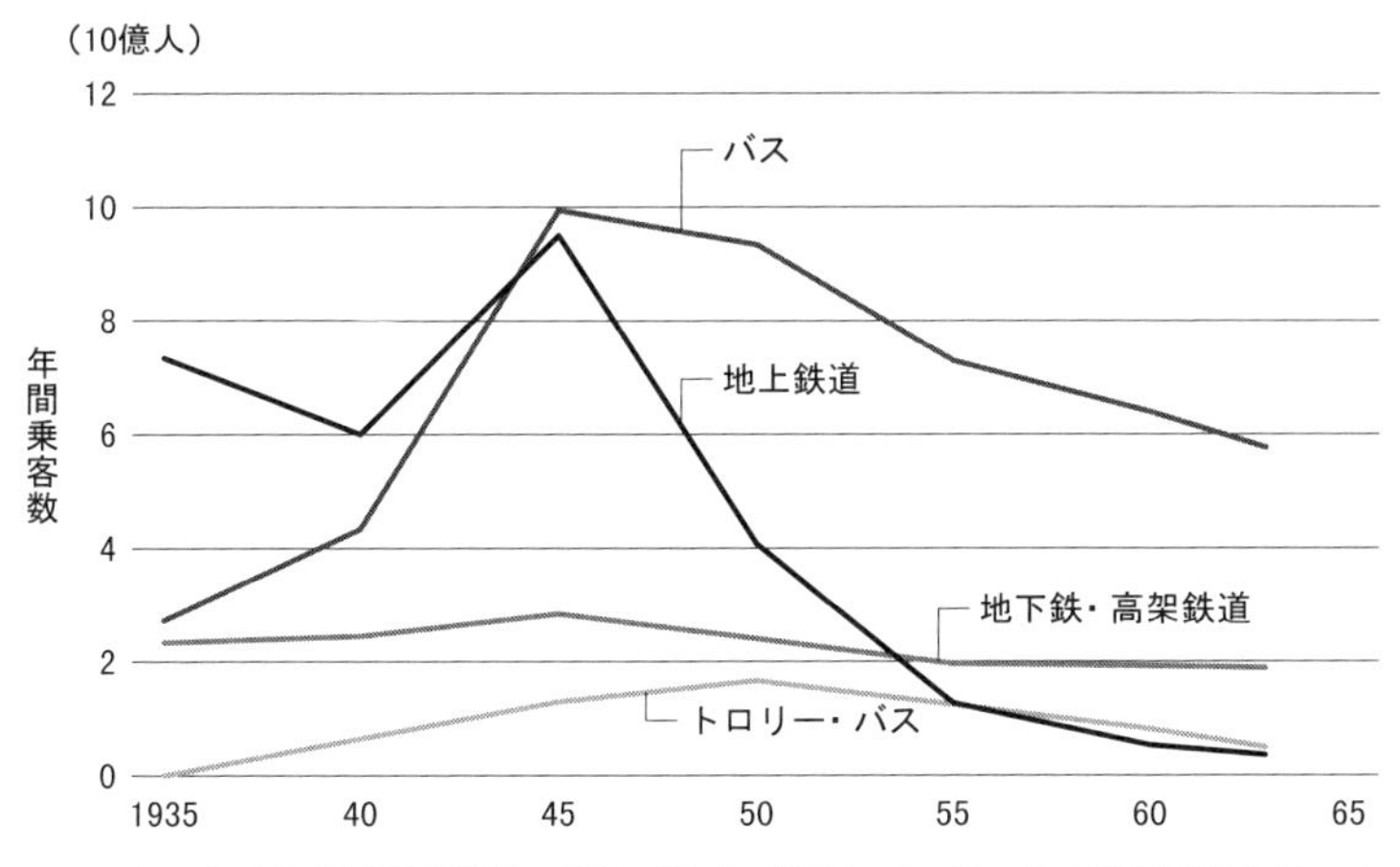

アメリカにおける大量輸送機関の利用（1935～63年）が，第二次大戦終了以来減っている姿が，このグラフに示されている．戦争中は，ガソリンやタイヤの割当制が雇用ブームとともに，公共輸送機関の利用を最高にしたが，1945年以来，全輸送機関の利用は64%近く減った．同期間に，輸送機関の全路線距離は5%伸びた．このように，輸送機関の乗客数が減った大きな原因は通勤に自家用車を使うものが，非常にふえたためである．

唐突な質問だが、読者の皆さんは今まで世界中で行われた公共事業で、最大のものは何だかご存じだろうか？　エジプトのピラミッド群も公共工事だったし、中国の万里の長城も公共事業だったと数えてもいい。それらを全部ひっくるめても、史上最大の公共事業を行ったのは、古代専制国家でもなく、ソ連とか中国とかの社会主義国家でもなく、自由競争市場経済の資本主義国家アメリカで、その公共事業とはインターステイト・ハイウェイ（州間高速道路）だった。

インターステイト・ハイウェイは、アイゼンハワー大統領（米国第34代大統領）のときにガソリン1ガロン当たり2セントの税金を徴収して、その税金を州と州とを貫いて結ぶハイウェイの建設に投じるプロジェクトだった。原則として無料で使える高速道路を、アメリカ全土に縦横無尽に張り巡らすという壮大な計画だ。

ものすごいトータル・マイレージのハイウェイ網になったわけだ。総延長の長さと事業規模を考えると、ピラミッドや万里の長城でさえも、はるかに及ばない大事業だった。ちなみに、今でも人工衛星から見て目視確認できる地球上の人工建造物は、万里の長城とインターステイト・ハイウェイだけだという。

しかも、どこへ行っても基本的にひと続きで、同じ交通標識、同じ速度制限、同じ仕様でアメリカ本土をおおっている。こういうものを作れば、たしかにクルマの普及にはさらに弾みがついたはずだ。その結果何が起きたかっていうと、まずハイウェイがまん中を突き抜けた街が死滅してしまった。さらに、ハイウェイとの接続が悪くなった街も、即死ではないが、徐々に衰退していった。

ハイウェイに対してアクセスはいいが、ハイウェイにまん中を貫かれなかったという幸運な都市だけが生き延びることになった。ただ、ここでもたんに運がいいか悪いかだけのことではなかった。当初の計画ではほとんどアメリカ中の大都市の中心部をインターステイトが貫通することになっていたが、さすがにニューヨークの市民はジェイン・ジェイコブズなどが先頭に立って猛烈な反対運動を展開した。インターステイト・ハイウェイ計画の当事者たちは、FDRドライブというマンハッタンの周囲を通る高速道路だけ作って、まん中は通さないという妥協で手を打った。「こんなに道路交通の不便な街にしてしまったら、ニューヨークはペンペン草も生えない街になる」とか捨てゼリフを言いながら。

だから、マンハッタンのまん中にインターステイトができて、イーストビレッジとウエストビレッジが分断されるというような悲劇はまぬかれ、ニューヨークは今も繁栄している。他の都市でも、歩行者が自由に歩きまわれる文化を残したいと思う人たちの勢力が強い街では、1970年代ころから反撃が始まった。サンフランシスコでは、インターステイトになるはずだった土地を、エンバーカデロ再開発という低中層のオフィス・商業施設・住居の複合開発に転用した。ボストンでは、街におおいかぶさっていたインターステイトを取り壊して地下に埋設するために巨額の費用を投じた。

このへんの事情は、東海道新幹線が開通したとき、当初は新幹線の全駅が在来鉄道の拠点駅とは別の場所に作られるはずだったという話とそっくりだ。東京、名古屋、京都の財界人は猛反対運動をくり広げて、それぞれ在来線の東京駅、名古屋駅、京都駅への新幹線乗り入れを実現して、その後の都市経済も順調に発展した。おめおめと「新」横浜駅、「新」大阪駅、「新」神戸駅を受け入れた横浜、大阪、神戸は、その後都市としての発展で歴然と差をつけられてしまった。

話をもどすと、1956年に州間高速道路（インターステイト・ハイウェイ）網建設のための予算措置法が議会を通過する。アメリカ中で街殺しが頻発した。伝統的な都市集積のどまん中にインターステイトを通して、街を分断してしまうというような無神経な道路建設計画が大手を振ってまかり通ったのだ。

アメリカ連邦交通省道路局編『アメリカ道路史』には、まだ本格的な予算措置がつかないうちに細々と始まったころの、インターステイト・ハイウェイ建設のための測量調査風景を写した次ページのような写真が掲載されている。

なかなか風格のある教会のような建物が写っている。だが、もし計画どおりインターステイトが通ってしまったとしたら、インターステイトの反対側の住民はこの建物に行くのがすごく不便になっただろう。そして、この街自体もさびれていったことだろう。

今ではアメリカの新興都市の中に、人間がとくに目的もなくなんとなくブラブラ歩き回れる街はほとんどない。そういうそぞろ歩きができる街が細々と残っているのは、ニューヨーク、シカゴ、ボストン、サンフランシスコといったクルマ社会化の前から大都会だった都市の都心部くらいのものだ。あとはショッピング・モールやディズニーランドのようなレジャー施設やラスベガスやアトランチック・シティのカジノといった特定の目的を持って集まる場所にも、人間が自分の足で歩ける通りがあることはある。だが、なぜ歩き回らせたいのかという意図が見え透いているだけに、味気ない歩き方しかできない。

アメリカには歩行者同士がすれ違う街がほとんどない。あるのは、高速道路や幹線道路沿いに商業施設が入念に設計した人工的な「街」であるショッピング・モールぐらいだ。

日本の関東近県で三大ロードサイド・ショップ銀座と言えば、さしずめ16号線沿いの入間川・鶴ヶ島地区、２４６沿いの海老名地区、旧東海道沿いの富士市周辺あたりだろう。だが、東京や

アメリカ連邦交通省道路局編『アメリカ道路史』221頁より転載

大阪のような大都市中心部に自然に形成された商業施設がしっかり残っている日本では、地元民（ジモティ）以外はだれもロードサイド・ショップ銀座なんか知らないし、興味もない。

ところが、クルマ文明に制圧されたアメリカでは、1950年代以降新しい都市は全然育っておらず、エッジ・シティという「丸い卵も切りようで四角」的な屁理屈で強引に街でもない道路沿いの商業集積・オフィス集積を街と言いくるめようとしている。だから、日本ならせいぜいロードサイド・ショップ銀座に毛が生えた程度のショッピング・モールが、とんでもない集客力を持っていて、近郷近在はおろか全米に名前が鳴り響いていたりする。

しかし、もともとなま身の人間の生活の場ではなく、商品やサービスを売りつけるために存在する空間だ。その隆盛はつかの間で衰退に変わった。

インターネットを使ったカタログ販売「e-コマース」が普及して、いちばん深刻な打撃を受けたのが、エッジ・シティのショッピング・モールだった。

ロサンゼルスが象徴する現代アメリカ大都市の住みにくさ

典型的なクルマによる街殺しの例を見てみよう。ロサンゼルスはアメリカのクルマ社会化が始まる前は、全米でも1、2を争う市街電車ネットワークが発達していて、中層・下層の勤労者にも住みやすい町だった。今そのロサンゼルスに行ってみると、すさまじく雰囲気が悪くなっている。何がいちばん雰囲気を悪くしているかというと、とても立派なオフィスビルとか、大豪邸とかと、とんでもない貧困が「これは、いくらなんでもあんまりじゃないの」という対比を見せつけるように混在していることだ。

どう考えてもあれは道だろうというところに掘っ立て小屋が建っていて、そこに頑張って住み着いている人が、なんとも豪華なオフィスビルのすぐそばにいたりする。そしてもちろん、交通手段はほんとうにクルマ以外何もない。しかも、クルマだけとは言っても細々とバスは運行しているが、バスの停留所はだいたい片側3車線とか、片側4車線という、ものすごくだだっ広い道路の両端にある。

その吹きさらしの中でバスを待つということは、高速並みのスピードでビュンビュン飛ばしていくクルマの排気ガスを、全身に浴びながら待つということだ。とにかく、片側3車線、4車線っていうような広い道路の両端にバスの停留所があるのだから、バスの停留所でさえ、徒歩以外の移動手段を持たない人にとっては、とてつもなく行き着きにくい場所なのだ。

あそこまでひどい停留所の多いバス路線しかない大都市は、アメリカ中探してもやはり、ロサンゼルスぐらいだろう。あれでは人心もすさんで、だんだん文化的な活動が活発ではなくなっていくのも当たり前だろうという気がする。

文学にしても、ポピュラー文学というか、ようするにペーパーバック小説に関しても、たとえばニューヨークあたりで考えると、ちょっと高尚で、グレート・ギャツビーみたいなものを連想する。ウエストコーストのポピュラー文学というと、結局レイモンド・チャンドラーだとか、ダシール・ハメットだとかのハードボイルドがどっと出てきたわけだ。だが、その後、つまり第二次世界大戦後のウエストコーストのポピュラー文学あるいは大衆小説ということになると、同じフォーミュラを際限なくくり返すだけでひどく劣化している。

近郊の街並もそうだ。ビバリーヒルズは、ロサンゼルスのダウンタウンからクルマで15分か20分ぐらいの、ロス近郊の町だ。これがまた、アメリカを象徴するような町で、ビバリーヒルズそのものはもちろん豪邸ばかりで、あの大都市のすぐ近くでありながら、隣の家に行くのにクルマで5分かかるというようなところだ。

ところが、そのビバリーヒルズの隣に、いま、おそらく世界中でいちばんロシア系とか、東ヨーロッパ系の移民が住み着いている、相当すさんだ町がある。住居表示では、おそらくイーストロサンゼルスという名前の町で、昔ワッツ暴動が起きたところとも近い。ワッツ暴動はロサンゼルスのすぐ南隣の町で起きた。2013年に「黒人の命も大切だ（ブラック・ライヴズ・マター）」運動が盛り上がりはじめるまで、黒人パワーにやや陰りが見えた時期があった。そのピンチヒッターとでも言うようにロシア系、東ヨーロッパ系のかなり貧乏な暮らしをしている人たちが、ビバリーヒルズのすぐ隣町にいっぱい住んでいる。

だから、ロサンゼルスからビバリーヒルズに行く道にも、途中でけっこうロシア文字とか、これは明らかに東欧系のスペリングだなという看板に出くわすことが多い。じつに不思議だが、だいたい世界中どこでも、豪邸街とスラム街は隣合せというケースが多い。だが、ここまで所得水準の違う街が、おたがいにこれ見よがしに自己主張し合っている風景はめったに見かけない。

ロサンゼルスだけが特別なのだという意見もあるだろう。だが、徒歩文化がかろうじて生きているニューヨーク、ボストン、シカゴ、サンフランシスコといったごく少数の大都市を除けば、アメリカの都市はどこにいっても住みにくい。その証拠が、イギリスに本拠を置く『モノクル』というビジネス誌が過去十数年やっている「世界で住みやすい都市」というランキングだ。

次ページに2007年から18年までに上位20都市に入った都市の累計順位点と2019年単年の順位を紹介するが、一目瞭然でアメリカとイギリスの成績がまったくふるわない。

アメリカの都市では、本土の都市とはだいぶ雰囲気が違うハワイのホノルルは当初ベストテン

順位	2007〜18年			2019年
	都市	累計順位点	人口	都市
1位	コペンハーゲン	213.5	58万人	チューリヒ
2位	**東京**	**211.0**	**927万人**	東京
3位	ミュンヘン	200.5	141万人	ミュンヘン
4位	ウィーン	193.0	188万人	コペンハーゲン
5位	チューリヒ	187.5	39万人	ウィーン
6位	メルボルン	174.0	371万人	ヘルシンキ
7位	ヘルシンキ	165.0	62万人	ハンブルク
8位	ストックホルム	155.0	95万人	マドリッド
9位	シドニー	139.0	421万人	ベルリン
10位	ベルリン	121.5	347万人	リスボン
11位	マドリッド	95.0	317万人	メルボルン
12位	福岡	80.0	154万人	ストックホルム
13位	バンクーバー	75.0	65万人	シドニー
14位	パリ	73.0	224万人	京都
15位	京都	70.0	254万人	バンクーバー
16位	オークランド	51.0	157万人	シンガポール
17位	ホノルル	49.0	35万人	アムステルダム
18位	**香港**	**48.0**	**730万人**	バルセロナ
19位	ハンブルク	45.0	176万人	パリ
20位	バルセロナ	31.0	161万人	デュッセルドルフ
21位	**シンガポール**	**31.0**	**561万人**	オークランド
22位	リスボン	22.0	51万人	福岡
23位	モントリオール	18.0	174万人	ブリスベーン
24位	アムステルダム	12.0	83万人	オスロ
25位	デュッセルドルフ	9.0	60万人	香港
26位	ジュネーブ	7.0	19万人	
27位	オスロ	7.0	63万人	
28位	ポートランド	3.0	64万人	
29位	ミネアポリス	2.0	41万人	

『モノクル』誌，世界住みやすい都市トップ20の累計順位点（2007〜18年版の順位点合計と19年版のトップ25）　都市名のすぐ右側に付記した順位は2019年の順位．なお，オークランドは米カリフォルニア州ではなく，ニュージーランドのオークランド市．東京の人口は23区内居住者の人数．算出法：『モノクル』誌による「世界住みやすい都市トップ25」の2007〜18年版で，少なくとも一度は20位以内に入選した都市の順位点を，1位20点，2位19点，……以下20位1点まで割り振って，全期間の合計点を集計．なお，この期間に二度同点同順位のケースがあったため，15年にチューリヒとコペンハーゲンが同点10位で10.5点ずつ，17年にミュンヘンとベルリンが同点3位で17.5点ずつと，4都市に小数点以下の順位点がついている．

の常連だったが、徐々にあらゆるものが観光地値段になっていることでランクを下げていった。あとはオレゴン州ポートランドとか、ミネソタ州ミネアポリスがギリギリ入選するかしないかという程度だ。ニューヨーク、ロサンゼルス、シカゴといっただれでも知っているような大都市は、まったく出てこない。アメリカの都市としては住みやすかったポートランドもミネアポリスも、左右両派の対立による暴力事件の頻発する町になってしまった。

だが、それでもイギリスに比べればマシなのだ。アメリカ大都市の殺伐とした感じと、小売やサービスの営業時間が短いというヨーロッパ大陸諸都市の不便さを兼ね備えたイギリスからは入選する都市が一度も出てこないという惨状を呈している。二代にわたるアングロサクソン系世界覇権国家が、依然として世界有数の経済圏を維持しながら、ここまで都市環境の評価が低いのは、やはりアングロ・アメリカ文明が都市を守ることに失敗したことを如実に示している。

満たされない共同体願望が、結社の異常繁殖を招く

こうして家族ごとに自宅に引きこもってしまったアメリカ人たちは、家族では満たされない「共同体」的なあり方への需要をどうやって満たすのだろうか。それぞれが自分の信ずる政治的な信条や、宗教や、社会観を代弁してくれるような結社に入ることで満たしているようだ。ここでも、行き当たりばったりで氏も素性もわからない人間と、偶然同じ地域に住むとか、偶然同じバスや電車に乗り合わせるといった事態を慎重に回避して、自由意志で選んだ団体に加入するこ

とが重視される。

結社と言っても、内容は千差万別だ。フリー・メーソンとか、クー・クラックス・クランのように、現在ただ今も社会的・政治的な理由から組織の具体的な構成は部外者には教えず、秘密結社として活動しているものもある。そうかと思えば、ロータリー・クラブ、ライオンズ・クラブ、キワニス・クラブのようにごく穏健な地方名士の社交的な集まりのようなものまで、すさまじい数の団体が存在している。

あらゆる形態と社会階層にわたって存在する結社に共通した唯一の特徴を挙げるとすれば、個人が自由意志で参加する組織であって、決してそこで生まれ育ったからとか、その地域の近隣共同体に属しているからとかの理由で選択の余地なく属している団体ではないということだろう。

「諸国民の所属団体数平均」というおもしろいデータがある。157ページで紹介するグラフのとおりなのだが、アメリカは国民ひとり当たりが所属している団体数では、このデータが収集された当時のOECD加盟29カ国のうちで最高となっていた。

アメリカ人がいかに結社好きかは、アレクシス・ド・トクヴィルの名著『アメリカの民主政治』にも書かれているので、必ずしもクルマ社会以後の現象というわけではない。トクヴィルは、大のおとながたとえば「酒は体に悪い」と思ったとしても、自分が食事のときにワインを飲まずに水を飲むことだけでは満足せず、少しでも多くの人たちに飲酒の害を教え、禁酒運動に巻きこもうと組織だった運動を展開することにあきれ返っている。

幾らかの市民たちは、政府の方針に反対を宣言する唯一の目的で集会を催している。他の市民たちは、当局者が祖国の父たちであることを宣言するために集合している。また他の市民たちは、酒酔を国家の害悪の主たる源とみなして禁酒の実例を示すためにおごそかに誓約しようとして集まる協会をつくっている。

（トクヴィル『アメリカの民主政治』、中巻、154頁）

というわけで、アメリカ人の結社好きは、遅くとも1830年代には観察力の鋭い外国人の目を惹く程度には顕在化していた傾向なのだろう。

だが、貧富、男性・女性、宗教、職業といったさまざまな区別にかかわらず、自動車さえ運転できればだれでも自由に好きな結社に入れるようになったのは、アメリカがクルマ社会になってからのことだ。なぜかと言うと、自動車の普及以前には、結社に入って活動することは金持ち、暇人、学生、アウトサイダー、頑健で寝不足なんかへっちゃらの人間だけの特権だったからだ。

だいたいにおいて、ふつうの人間は朝から夕方まで、ときには深夜まで自分の食い扶持を稼ぐために働いている。職業ではない活動に使うことができるのは、ほかの人が寝静まった夜のうちということが多い。そういう時間に、とくに開拓時代のアメリカのような人口密度の低いところで、どこか特定の場所で開かれる集会に長い距離を歩いたり、馬に乗ったりして自由に参加でき

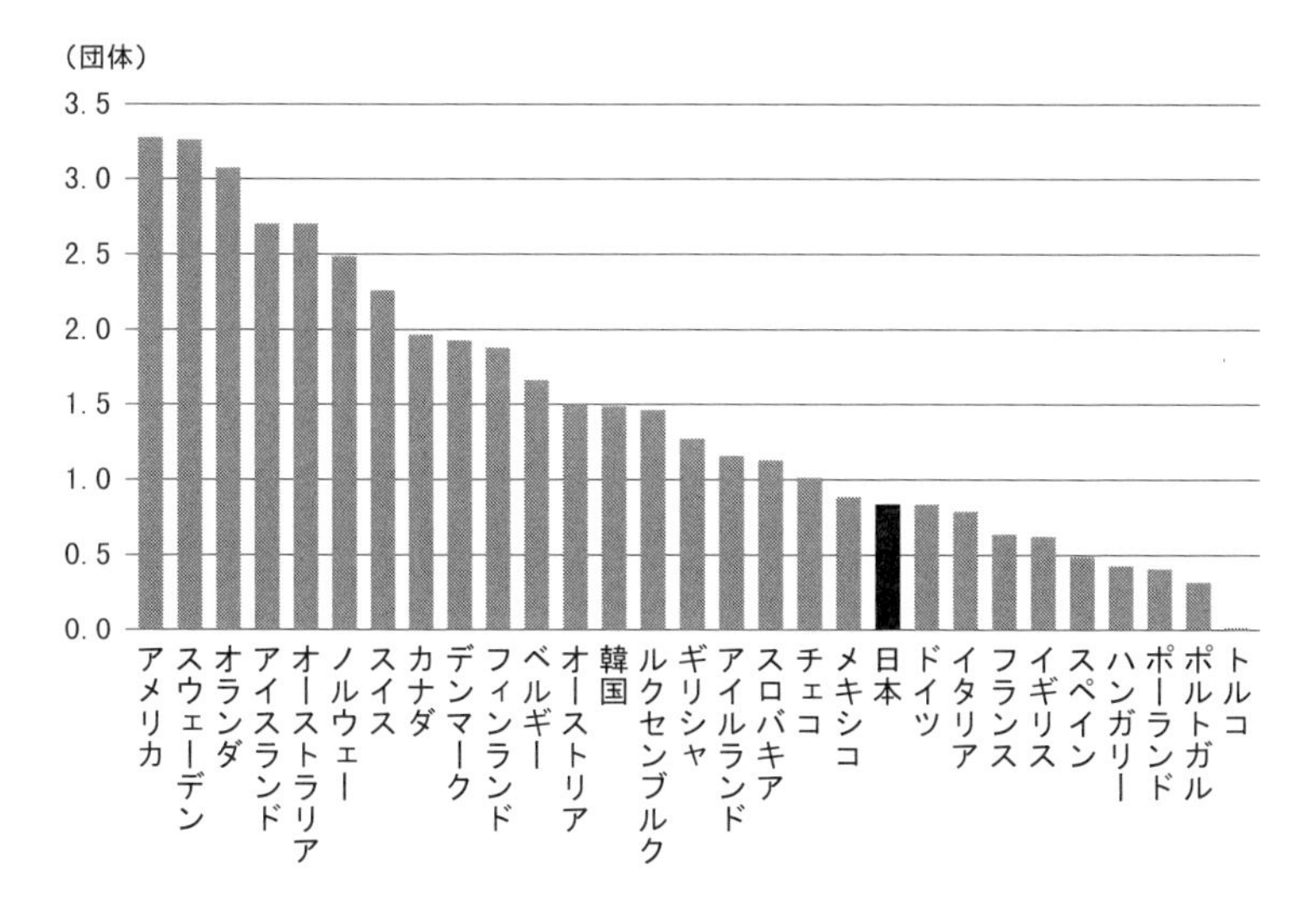

諸国民の所属団体数平均（ＯＥＣＤ諸国） 原資料は世界価値観調査（1999〜2002年）. イギリスはグレートブリテンのみ. 所属団体数は，社会福祉団体，宗教団体，教育・文化団体，労働組合，政党・政治団体，コミュニティ・ボランティア団体，途上国開発・人権団体，環境団体，職業団体，青少年団体，スポーツ・レクリエーション団体，女性団体，平和運動，健康づくり団体，その他ボランティア団体という計15のうち何種類に属しているかの平均数である．

る人間は限定されている。それは、金持ち、暇人、学生、社会からつまはじきにされたアウトサイダー、頑健で寝不足を苦にしない人間だけに限られていたということだ。

綾部恒雄の『アメリカの秘密結社——西欧的社会集団の生態』（中公新書、1970年）には、こんな記述がある。

それぞれの家族はいずれかの教会に属しているとしても、それは週一回の日曜日に、晴れ着をきて、馬車で一日がかりででかけてゆくところである。（同書、32頁）

馬車に乗っても教会に行くのが一

日がかりの大仕事だった場所に多くの開拓民は住んでいたのだ。これでは、どんなに結社の自由を行使したくても、もっとスピードの出る交通機関が発達するまでは、実行できる人間の数はかぎられていたはずだ。

ところが、自動車の普及は、この情況を画期的に改善した。だれでも、自分で運転するクルマさえ持っていれば、あまり不自由なく深夜の集会にも参加できるようになったのだ。

抽象論を振り回せば、特定のグループの人間だけが持つ特権が、ほとんどの人間に開放されるのはいいことだ。もちろん、結社の自由もクルマ社会化以後のアメリカでは、本当に個人の基本的人権と呼べるような実態を備えてきた。それで万々歳かと言うと、そこが「テクノロジー・アセスメント」でも指摘していた人間社会の不思議さで、思いもかけなかった悪影響が出てくる。その点では、科学技術の進歩や普及においても、法律概念が単なる観念にとどまらず実態化することにおいてもあまり変わらない。

人間から街歩きの楽しみを奪ってしまったアメリカのクルマ社会化は、もう一方では異常に多くの結社活動を促進した。そして、そういった結社によって思いもかけないような熱狂状態に投げこまれた国民が、先進国でそんなことが起きるとは想像しにくい事態を惹き起こしてきた。これもまた、地上でもっとも完成されたクルマ社会になっているからこそアメリカという国が抱えた重荷なのだ。

たとえば、第一次世界大戦に参戦する直前のアメリカで制定され、1919年から33年にかけて施行されていた希代の悪法、禁酒法がある。この法律の制定には、19世紀末に結成された反酒場同盟という組織が積極的に関わっていた。

禁酒運動自体は、それこそトクヴィルのころから何度か熱狂的な水準に達したことがある。だが、アメリカ連邦の憲法を改悪して酒類の製造・販売・運搬を違法行為とするところまで突っ走ってしまったのは、1917年のことで、まさにアメリカの自動車産業が興隆期にさしかかり、乗用車の販売台数が急増した時期だった。飲酒運転の危険性も、このころわかり始めたのかもしれない。

アメリカで近代的な工場制生産が急速に発展していた19世紀末から20世紀初めにかけて、大規模工場は大都市に集中していた。そして、工場のまわりの酒場や居酒屋では、昼飯どきに5セントを払ってビールを1パイント（500cc弱）注文すれば、大皿に盛られた各種の料理は食べ放題というサービスが普及していた。この仕組みのことを「ビール代さえ払えば、昼飯はただ」という意味でフリーランチと呼んでいた。

経済学者たちは、よく世の中に本当にただなんてうまい話はないという意味で、「フリーランチなどというものは存在しない」とお説教したがる。たしかに、昼飯どきに気楽に足を運んでもらうようになると、仕事帰りには一杯どころか、ぐでんぐでんになるまで呑んだくれてくれるので、昼飯だけでは赤字でも昼と夜を通算するとちゃんと儲かっていたからこそ、続いていた仕組みだった。

だが、禁酒運動が功を奏して、アメリカ合衆国憲法で「飲酒のためのアルコール飲料の製造、輸送、販売」が禁じられてしまうと、工場街の酒場や居酒屋も店をたたまざるをえなくなった。こうして、禁酒法の施行とともに、ビール一杯分のカネを払えば、腹一杯の昼飯がおまけについてくるという「フリーランチ」のうるわしい風習もすたれてしまった。

ここで注目すべきは、結社はこうした悪法をゴリ押しするためにも大いに活躍するが、法律上は犯罪と見なされている行為を摘発される危険を冒さずにやり続けるためにも役に立つことだ。たとえば、禁酒法が施行されていた1919～33年のあいだでも、さまざまな結社の構成員は、その結社のロッジとか集会場の中では安心して飲酒を続けていられた。

一般論として、排他性や秘密性の高い結社ほど、構成員に治外法権的な「隠れ家」地域を提供する能力が高かった。こうして、一方では個人的な正義感や主義主張の範囲内にとどめるべきことを悪法として国民全体に強制する側にも、その悪法の弊害から身を守る側にも結社が介在していたので、ますますアメリカ人の結社好きが高じていったわけだ。

そして、禁酒法が廃止された1933年の直後には、アルコホリック・アナニマス（匿名アルコール中毒者の会）というアルコール中毒を治すことを目的とする強力な結社が結成されている。結成時からのメンバーのひとりが書いたアルコール中毒克服の体験記が超弩級のベストセラーになったこととの影響が大きいのだが、性懲りもなく自分の信念を社会運動にしようとする押し付けがましさの目立つ組織だ。

まあ、「禁酒法程度では目くじら立てるほど深刻な事態ではない」とおっしゃる方もいるかもしれない。だが、いったんは完全に消滅したと思われていたクー・クラックス・クランという、黒人や黒人に同情的な白人を迫害する秘密結社が完全復活を遂げたのも、モータリゼーションまっただ中の1920年代だということになると、話は違ってくることもご理解いただけるだろう。

クー・クラックス・クランが結成されたのは南北戦争の敗北直後の南部で、身の程知らずに生意気になった黒人にリンチを加えたり、真夜中に黒人居住地域で火の十字架を燃やして見せたりして恐怖心をあおり、身の程をわきまえさせるためだった。だが、1880〜90年代まではけっこう大きな影響力をふるっていたこの秘密結社は、20世紀に入るとほぼ消滅したと言われていた。

そのクランが、1920年代には復活し、黒人や進歩的、自由主義的な白人に対する迫害活動を大っぴらに再開した。南部の比較的貧しい白人のあいだでも何世帯かに一軒は自動車を持っている世帯が出てきて、やることの卑劣さ・残虐さに比べると間抜けなシーツをすっぽりかぶったような制服とか、火の十字架にするための木材や薪とかを運搬しやすくなったからだ。まあ、金持ちの大地主が自分のクルマを貸してやることも多かったかもしれない。

ああいうものをバスや電車のような公共交通機関で運ぶのは、さすがに体裁が悪いだろう。だが、個人所有の乗用車なら、何を運ぼうと当人の勝手ということになった。その結果、南北戦争後から19世紀末までと同様、1920〜50年代のアメリカ南部では、悲惨なリンチ事件の被害が絶えないことになってしまったわけだ。

中でも、被害の大きさで突出しているのが、1921年にオクラホマ州タルサ市郊外のグリーンウッド地区で起きた黒人虐殺事件だ。当時、テキサス州とオクラホマ州では画期的に原油の生産量も拡大し、第一次世界大戦の軍需もあって、石油業界に成金が続出した。そして、グリーンウッドには「黒人たちのウォール街」と呼ばれるほど富裕な黒人世帯が集まっていた。そこで黒人少年が白人少女をレイプしようとしたといううわさが広がり、「犯人」の引き渡しを要求する白人たちと、銃も持ち出してこの少年を守ろうとする黒人たちのにらみ合いとなった。

日中はそのままで済んだが、夜になって白人集団があちこちで黒人世帯の豪邸に火をつけ、逃げ出そうとした黒人たちを殴り殺し、銃で撃つという無法地帯となった。その結果、焼死者をふくめて300人以上の犠牲者と、3000軒以上の焼失家屋を出す大惨事となった。ほぼ確実に、白人たちのあいだに「黒人の分際で白人より豊かな生活をする人間は許せない」という妬みが介在していた。もうひとつ深刻な問題がある。この大事件は1930年代から80年代ごろまで、ほとんどアメリカ近現代史の中で取り上げられずに埋もれていたのだ。

当時の中産階級以上の白人たちは、この明らかに「自由と平等」の建前とは大違いの現実に対して、真相を究明し、犯人に厳正な裁きを下すことより、うやむやのうちにほとぼりが冷めるのを待つ方針を取った。グリーンウッドに住んでいて焼け出されて莫大な資産を失った富裕な黒人たちの中には、当然かなり高額の損害賠償を要求する運動も起きていただろう。だが、この正当きわまる要求を抑圧するために「大活躍」したのが、人種差別主義の極致とも言うべき秘密結社、クー・クラックス・クランだった。

彼らは事件の翌々年に当たる1923年にオクラホマ州タルサ市で全国大会（クランヴェンション）を開催した。もちろん、狙いは「黒人の分際で白人より豊かな暮らしをするから当たった天罰に不平を言ったり、白人を非難したりする黒人には容赦なくリンチを加える」と威圧することだった。

こうして、クルマ社会では家族が孤族化し、街が消滅し、結社の自由が爛熟する。個別の科学技術や法律制度のあり方としては決して悪いことではなく、むしろ歓迎すべき変化なのに、アメリカ国民全体として見ると社会の質を劣化させているという解決策の見当たらない難問に直面することになったわけだ。

しかも、アメリカの場合には、新しく導入された科学技術のほとんどが、人が他人に頼らなくても、自分ひとりでやっていけるようにするための改良であることが多かった。それが、ますます人を孤立させて、自分の家族以外は顔も見ないですむような環境に閉じこもる生き方を助長する。外に出るときは自動車に乗って行って、買い物は1～2週間分買いだめをして、娯楽はほとんどテレビに頼るということになる。それだけ濃密な家族関係でもうまくやっていける幸せな家族ならいいが、そうではない家庭ではどんどん離婚率が高まっていく。

つまり、普通のヨーロッパの共同体であれば、家族では満たせないような人間関係についての需要は隣近所とのつきあいで満たされていた。ところが、アメリカという成立からして人工的な国では、自動車に乗れば個人が自分で勝手にどこへでも行けるようになった。こうして隣近所（ネイバーフッド）

共同体が崩壊したことによって、人間関係の需要を満たせるところがなくなった。その間隙を埋めて異常繁殖したのが、秘密結社だったわけだ。

海野弘は『足が未来をつくる』（洋泉社新書y、2004年）で、「〈都市〉とは視覚的、表面的なものだ」（同書、79ページ）と断言している。だが、都市が眺望を意識するようになったのは、動物には不可能なスピードを持続する鉄道や自動車といった交通機関が普及してからのことだろう。とくに、遠くからの眺めが良ければ予定を変更して見た目のきれいな町のほうに行き先を変更できる自動車の影響は、大きかったはずだ。

そして、周到に計画して美しい景観を創出したはずの、整然と整備されたブラジリア、オタワ、キャンベラといった人工都市は軒並み住み心地が悪い。意図的につくり出された見てくれの良い都市と結社の横行は、ふつうに生活する人間にとって居心地のいい都市の衰退を招いている。

運転愛好家には速度への愛があり、都市生活者には密度への愛がある。どうやらこのふたつの愛は両立せず、同じ場所に置かれるとお互いに不幸な衝突ばかりくり返すようだ。

自転車と鉄道網で結ばれた、居住人口が凝縮されたスペースの中に密集して住むことで治安もコミュニティ意識も高水準を保てる大国への道はなかったのか。

アメリカにおける「馬なし馬車」を持つことのプレステージを考えれば、それはまったくの空想にとどまることが分かる。

大罪その四　大衆社会の階級社会化
そして、クルマに乗った民主主義が横行する

アメリカにクルマ社会化以外の選択肢はなかったのか?

クルマ社会でクルマを持てない極貧層と、クルマを運転できない老人や子どもの日常生活は悲惨だ。ロサンゼルス郊外の猛スピードでクルマが通り過ぎるハイウェイの両端の停留所で排気ガス吹きっさらしの中、いつ来るとも分からない長距離路線バスを待っている乗客の大部分がヒスパニック系か黒人系で、ボロボロの中古車さえ買えないような極貧層に属している。彼らにとっては、日常生活における移動の自由なんて絵空事に過ぎない。

アメリカでは、子どもも運転免許を取れる年齢に達するまでは、ほとんど行動の自由を持たない交通弱者だ。大都市圏で生まれ育った女の子はとくにそうだ。15～16歳までは親か、親の知り合いの運転するクルマでしか外出したことがないという不自由な生い立ちの子がいっぱいいる。

男の子だって、11〜12歳までの子どもが夜ひとりで外出できるなんてことは、人里離れた草深い田舎にでも行かなければありえない。いや、最近では田舎も危ないようだ。

日本の子どもは、大体小学校の高学年になればひとりで、あるいは友達同士で電車に乗って買いものに行くことができる。しかも、日没までに帰らなければ危険だなどという場所もめったにない。だから、子どもたちが自分の読みたいマンガを育てるマーケットを形成している。

日本でマンガやアニメが多種多彩な主題について自由な表現力を駆使するメディアに発展したのに、アメリカでは相変わらずディズニーのような教訓臭紛々たるしろものやスーパーマン、スパイダーマンのようなヒーローものしか作れない最大の理由もここにある。子どもが自分の読みたいマンガを買いに行く自由のある社会か、買いものは常に大人が子どもを連れて行くので大人が子どもに読ませたいマンガを買い与える社会かの違いだ。

しかし、年齢によって陥る交通弱者問題がいちばん深刻なのはお年寄りだ。人間、歳を取れば必然的に瞬間的な判断力も運動能力も衰える。２０１９年4月、東京都心の池袋で高齢者の運転する乗用車が歩道に乗り上げ、母子ふたりが亡くなり、８人が重軽傷を負うという事件があった。運転していたのは87歳の元経産省高級官僚で、本来免許証の更新ができないほど認知症が進んでいたのに、コネで更新してもらっていた疑いが濃厚な、不愉快きわまる事件だった。

アメリカの状況は、はるかに深刻だ。80歳になろうと90歳になろうと、生きていく限りクルマに乗らざるを得ないという場所が多い。だから、年寄りの運転するクルマがちょっと居眠りしたために正面衝突なんて事故はしょっちゅう起きている。日曜学校に通う子どもの行列に突っこんだとか、蚤の市でにぎわう露店を何軒かなぎ倒したというようなセンセーショナルな事件にならない限り報道もされない。

運転免許に年齢上限をもうけるとか、運動能力や動体視力のテストに落ちた人から免許を取り上げるとかいう提案は何度もされてきた。だが、お年寄りで外出のたびにタクシーに乗るとか、ましてやお抱えの運転手を雇うというような余裕のある身分の人はめったにいない。危険は承知のうえで今のまま高齢者の運転を許容するしかないのが実情だ。

クルマに乗るということは、自分が属している階級の看板を鼻先にぶら下げて生きてゆくようなものだ。ドイツ車や日本車の競争にさらされる前のアメリカ車があそこまでばかばかしく大型化し、エネルギー浪費度を高めた一因は、隣の家より大型のクルマを持つことで、隣の家より高い社会階層に属していることを示したいという競争意識だった。

日本の個人家計に占める交通費の比率は、たかだか7～8パーセントだ。ところが、アメリカの個人家計に占める交通費の比率は、なんと17～18パーセントに達する。持ち家世帯のローン負担、借家世帯の家賃に次ぐ大きなシェアだ。電車賃に対するガソリン代だけを比べれば、絶対にこんなに大差はつかない。だが、平均的な買い替え期間から算出したクルマ自体の減価償却費を加算すると、これだけ大きな差になるのだ。

欧米で中流以上の生活をしている人たち、たとえば大手金融企業に勤めるファンドマネジャーやアナリストにこの話を紹介すると、彼らはほとんど異口同音に「クルマなんて、ボロボロの中古車でも故障なく動きさえすればいい。あんなものに国民全体が大金を投じているはずがない」といった反論をする。

クルマ社会は階級社会

階級社会の怖さにまったく無自覚なのだ。彼らは口を開けば、あるいはちょっと文章を書けば、知的エリートに属していることがすぐわかる恵まれた立場にある。この連中には、「精一杯高いクルマを買うことで自分を実態より高い階層に属しているように見せよう」なんて心境は、永遠のなぞだろう。

しかし、欧米、とくにアメリカは知識人階級による一般大衆に対する独裁が続いている社会だ。たとえば、工場労働者は絶対にと言ってもいいほど自分の勤めている会社の経営に参画することはできないし、そんなことをすれば仲間を裏切ることになるというメンタリティのもとで育て上げられている。経営陣は一般労働者の数十倍から数百倍の報酬を得ている一方で、労働者は生産工程にある部品や材料の約3割をくすねることで、莫大な報酬を得ている経営陣に対するささやかな復讐を果たした気になっている。

自動車が普及し始めたころに、通勤手段としての自家用車と鉄道を比べた人たちは、もちろん鉄道の省エネ効率、省スペース効率、公害廃棄物の少なさといった利点はあまりよく認識していなかった。それにしても、クルマのように大きなものを毎日の通勤のために利用したら、出勤のたびに駐車しておく場所を確保しなければならないし、運転している間は交通事故を起こさないように注意を絶やせないといった数々の問題点はわかっていたはずだ。

にもかかわらず、アメリカを筆頭に西欧諸国は次々にモータリゼーションの波に飲みこまれていった。なぜだろうか。

全人口の約15〜20パーセントがエリートという比率は、昔も今もそう大きく変わっていないだろう。だが、１９３０〜40年代には、大都市中心部のオフィスに通うサラリーマンという集団全体がエリート性を帯びたグループだった。その人たちの中では通勤者の半数以上が、鉄道という交通手段の無階級性に耐えられないエゴの持ち主だったからではないだろうか。

欧米で管理職や専門職についている人たちは、一般職員と同じ制服を着たり、同じ食堂で一斉に食事を取ったりすることは、自分の人格に対する侮辱だと思うような人たちだ。当然、本質的に無階級・平等主義の鉄道という交通機関には初めから不快感を抱いていた。

鉄道にも、もちろん一等車、二等車といった表面的な階級の区別はある。しかし、一定の時間内に乗客をある地点から別の地点に送り届けるという輸送サービスの本質においては、鉄道はおそろしく平等主義的な輸送機関だ。

一つながりの列車に乗った乗客は、特等車に乗ろうと三等車に乗ろうと、同じ線路の上を、同じ駅に途中停車しながら、同じ時間をかけて終着駅まで運ばれる。同じ列車の中で高い料金を取る車両の乗客だから、途中停車駅を少なくしてくれるとか、同じ距離を速く運んでくれるといった特別扱いは一切ない。

それに比べると、自動車は本質的に階級差別のかたまりだ。メーカー、車種、年式によって画然とした階級序列があって、クルマがそれを所有し運転する人間の階級的格付けを表現する。アメリカ車の全盛時代ならキャデラックが、ちょっと以前まではベンツやＢＭＷが、そしてごく最近ではトヨタプリウスやホンダインサイトが頂点を形成するといった、時代に応じた価値観の変遷はある。だが、そうした時代の変遷を貫いて、クルマが持ち主の階級序列を表すという原則は変わらない。

欧米の知識人階級は、鉄道という交通機関を使うかぎり変わらない「その他大勢」扱いにはどうにも我慢ができないという肥大化した自我の持ち主たちだったのだろう。彼らは、自分の予算の範囲内で少しでも高い階級序列のクルマを買って自動車通勤に切り換える。

日本ならこの手の自己顕示欲の強い人たちは、通勤人口のたかだか４～５パーセントを占めるに過ぎないだろう。だが、１９３０～60年代の欧米では、こうしたエリートを自任する人たちが大都市中心部への通勤人口の少なくとも3～4割を占めていたはずだ。ひょっとしたら6～7割くらいになっていたかもしれない。だから、通勤鉄道はかなり大勢の乗客をクルマに奪われ、運行頻度が低下し、ますます利便性が下がり、ついには通勤手段であることをやめてしまう。

こうした悪循環によって、欧米ではクルマに頼らなければ生きていけない社会が創り出されてしまった。

日本だけが世界中に押し寄せたアメリカ発のモータリゼーションの激流に呑み込まれずに済んだのも、この大津波が日本を襲った1960年代ころには日本では知識人による大衆に対する独裁は崩壊していたからだろう。

知識人独裁の社会は、高度消費社会としては大きな限界がある。一国の豊かさのピークは、結局のところ一般大衆にどこまでのぜいたくを許すかで決まってくる。イギリスは世界ではじめて一般大衆に綿製品や毛織物の着替えを潤沢に揃えることを許すことで最初の資本主義大国になったが、そこまでだった。アメリカは世界ではじめて一般大衆に自動車の所有を許すことでイギリスに続く資本主義大国になったが、そこまでだった。

近代産業革命が勃発するまでのヨーロッパはユーラシア大陸文明圏の中で、おそらくもっとも貧しい地域だった。主要作物は小麦で、播種量の2～3倍の実りしか期待できない時代が延々と続いていた。かなり早くから灌漑と排水を適切に行えば、播種量の15～30倍の収穫が期待できた東アジア水田稲作地帯とは大違いだ。

しかも、冬は毛織物を必需品とするほど寒いが、羊毛を取るための羊飼育には、広大な敷地を必要とするので穀物を蒔ける土地面積は制約される。おまけに、王侯貴族や教会がなけなしの余剰作物をきびしく取り立てる。また、縮毛技術が発達するまでの毛織物は一度でも洗濯すると着られないほど縮むので、王侯貴族や大富豪以外は、同じ毛織物の衣類を長期間洗濯もせず着つづけていた。
ヨーロッパでは匂いをかぎ、姿かたちを見ただけで相手の所属する階層がわかってしまうという時代が、17～18世紀まで続いていたのだ。フィリップ・アリエスの名著『〈子供〉の誕生――アンシァン・レジーム期の子供と家族生活』（みすず書房、1980年）は、このへんの事情をじつに的確に表現している。

十七世紀にはまだ庶民特有の服装はなく、また地方独特の服装もなかった。貧民は施しをうけた衣服や古着屋で買った衣服を着ていた。今日庶民の乗りまわす自動車が中古車であるのと同様に、庶民の衣服は中古服であった。（過去の時代の衣服と今日の自動車との比較は、外観的なレトリックで言っているのではない。自動車はかつて衣服が有していたが今日では完全に失ってしまった社会的意味を継承したのである。）

（同書、58頁）

アリエスも言っているように、欧米はいまだに新車を買える階層、中古車しか買えない階層、クルマを買えない階層とに分断された階層社会だ。
しかし、第二次世界大戦後の日本では知的エリートが許すも許さないもない。大衆自身が自分の欲しいものを自分で選んで買う社会だ。どてらを着てエルメスのスカーフを首に巻こうと、ボロボロのスエットスーツでフェラガモの靴を履こうと自由だ。欧米人は、いまだにひとつでもブランド品を身につけるときは、頭のてっぺんからつま先までそのブランド品にふさわしい格調高いものでコーディネートしないといけないという固定観念にとらわれている人が多い。日本の若者のほうがよっぽど気楽に一流ブランドを使いこなしている。だから、世界中で日本ぐらい人口当たりのブランド品と模造品の差が分かる人の数が多い国はない。

人間、どんなに豊かになっても病的な肥満に陥らずに食べられる量は決まっているし、着るものもそうむやみに量が多くては置き場所に困る。一定の生活水準に達した後は、だんだん良いものと悪いものの差がわかるようになっていき、良いものにはそれ相応の対価を払うことで消費を拡大する必要がある。あるいはモノとして残らないサービスでどれだけ豊かな気分になれる体験ができるかにカネをかけるしかない。

可処分所得のかなりの部分を実態よりほんのちょっと上の階層に属していると見せかけるために背伸びをした予算でクルマを買うことに使うのは、バカバカしい浪費ではないだろうか。ありとあらゆる生活の場面でほんとにいいものに気前よくカネをかけるか、おもしろいこと、楽しいこと、珍しいことにカネをかけるかという消費行動を取れば、高度消費社会における内需依存型の成長展望は、背伸びをしたクルマを買うことで本来自分が属しているより上の階層に属しているように見せるために大金を使うより、ずっと明るくなるだろう。

自動車産業の隆盛は住宅の穴を埋めるための国家的要請だった

自動車がこれだけ世の中に普及した最大の理由は、アメリカの国内経済の事情として、1920年代半ばから突然失速し始めた住宅産業に代わって永続的にブームが続くような耐久消費財産業が欲しかったから、自動車産業を大産業に育ててしまったという要因が大きい。もうひとつ大きな問題として、階級や階層が非常にきびしく分けられる社会か、それとも、そんなことあまりごちゃごちゃ言わずに、みんな一緒に仲良くやろうよという社会かの違いも、すごく大きかっただろう。

1890年には都市間幹線鉄道会社の軌道マイル数が5700マイルで、ほぼ全面的に蒸気機関車が牽引する列車を運行していた。ケーブルカーが500マイル、市街電車が1260マイルだった。ところが、1900年になると全国で3万マイルにのぼる軌道の98パーセントが電化されていた。つまり、1890年から1900年というたった10年のあいだにものすごく電車が普及する。鉄道業の経営者たちは、大陸横断鉄道のような長距離路線は落ち目だが大都市圏での通勤のための郊外電車や市街電車は伸びると確信していたわけだ。

ところが、1900年代から10年代あたりで急成長がだんだん鈍化していった。そして、20年代になるともう電車は落ち目の交通手段で、どんどん自動車、とくに「T型フォード」が主力になってしまう。なぜアメリカの大都市圏では、こんなに急速に電車優先から自動車優先に変わってしまったのか。

これについては、秋元英一のアメリカ大不況に関する名著、『世界大恐慌——1929年に何がおこったか』（講談社学術文庫、2009年）に、そのものズバリの叙述がある。

その最大の理由は何かというと、低運賃の市街電車は大都市ほど、そして急成長している都市ほど、黒人やアメリカに来て間もない移民のブルーカラーであふれていた。そのころアメリカに来たばかりの移民には、南ヨーロッパや東ヨーロッパからの移民が多くなっていた。中産階級の人々は、通勤ラッシュのときなどには自分の娘や妻がほかの労働者と肌を触れ合うほど混みあうことに嫌悪を感じた。『世界大恐慌』を引用すれば、こういうことだ。

ただ、低運賃の市街電車は、都市によっては黒人をふくむブルーカラーであふれていることが多かったので、とくに通勤ラッシュのときなど、中産階級の人びとは娘や妻が他の労働者と肌を触れあわんばかりになることに不快感を覚えた。

（同書、37頁）

まるで子羊が狼の群れの中に投げこまれてしまうとでもいうような、過剰な危機感がよく表れている。同じように移民といっても、昔からの移民で肌の色も白っぽく、宗教もプロテスタントかせいぜいカトリックまでの西欧や北欧からの移民なら我慢できる。しかし、黒人や、肌の色も浅黒く、宗教もギリシャ正教やユダヤ教だったりする南ヨーロッパや東ヨーロッパからの移民と、自分の妻や娘が肌を接すると考えただけでゾッとする……これが、電車が落ち目になる大きな理由のひとつ、いや、おそらく最大の理由だった。

ただ満員電車が嫌だっただけではなく、中産階級の人が労働者階級のどこの馬の骨ともわからないやつらと、自分の娘や奥さんが同じ車両の中に乗り合わせること自体が嫌だったのだ。日本人にはまったくない発想だろう。

いろいろな角度から日本と欧米社会の違いを見てくると、欧米社会はエリートが世の中全体を引っ張って行って、大衆はそれについていけばいいという階級社会で、日本は、知的エリートが大衆と大して知的能力で変わらないから、誰がやっても同じじゃないかという大衆社会だという結論に達する。そして、どちらが平和で豊かな社会かといったら、日本のほうが欧米よりも平和で豊かな社会だろうということになる。

家族があまりにも共同体から切り離されてしまっているので、たまたまうまくいけばいいが、家族関係が濃密になりすぎて離婚が増えるという社会には、日本は絶対なれないだろうと感じる最大の理由もそこにある。たとえば駅で電車に乗り降りする人たちは、相当の金持ちから、相当貧しい人までごちゃごちゃいっぱいいるが、そんなことを気にする日本人は滅多にいない。

アメリカも高度成長期までは大衆社会だった

１９１０年代までのアメリカは、黒人や先住民族をのぞけば大衆社会だった。植民地時代から建国後ほぼ二世代にわたって、アメリカへの移民の大多数がイギリス、オランダ、ドイツ、そしてユグノーと呼ばれたプロテスタント系フランス人で、いずれもかっちりと確立された階級社会から逃れて、新天地を求めてやってきた人たちだった。そして、綿花やタバコのプランテーション経営が必要な南部ではアフリカ出身の黒人を奴隷として使役する社会が形成されたが、北部から中部のアメリカは、自作農が国や貴族の庇護に頼らずに自活できる、当時の世界ではまれな平等主義的な地域を形成していた。

もちろん、大衆社会は知識人から見ればタガのはずれたようなルーズな社会だった。1609年の秋から10年の春にかけて大飢饉があって大勢の人間が死んだというのに、その翌年イギリスの貴族サー・トマス・デールが、今で言えばアメリカのヴァージニア州にあるロアノークの植民地に行ってみたら「人々は相変わらず真昼間から道端でボーリングにふけっていて、いっこうに真面目に働こうとしなかった」（安武秀岳『新書アメリカ合衆国史〈1〉大陸国家の夢』、18頁）というような記述を残している。

その後の世代の企業家にとっては「ここで働けなくとも、どこに行っても生きていくことぐらいできる」と居直った労働者を相手に近代的な大規模工場にふさわしい勤労倫理を植え付けるのは、さぞかし大変な作業だったろう。だが、こういう「むずかしい」労働者が多かったからこそ、アメリカでは耕運機や刈入れ機、あるいはタイプライターとかミシンとか、労働者の肉体的な負担を軽減するための発明や改良が進み、結果的に労働生産性が急上昇したのだから、皮肉なものだ。

もう一度アレクシス・ド・トクヴィルにご登場願おう。彼は『アメリカの民主主義』で、当時（1830〜40年代）の「アメリカに高等教育はない。当節アメリカで高等教育と呼ばれている教育は、大学教授という肩書きを持った職人の親方がもったいぶって授ける職業教育に過ぎない」と書いている。原文を引用すれば、以下の通りだ。

そこでは初等教育は誰でもうけられるようになっている。そして高等教育は、そこで殆ど誰もがうけられるようにはなっていない。

……

アメリカには富者というものは殆どない。したがって殆どすべてのアメリカ人は、それぞれ一つの職業に従事したいという欲望をもっている。ところで、あらゆる職業は見習を必要とする。それ故にアメリカ人は人生の最初の幾年かを知性の一般的教養のためにすごすことができる。彼等は十五歳で職につく。このようにして、彼等の教育は、普通、われわれフランス人の教育が始まる時期に終わるのである。彼等の教育がその時期以上に追求されるとしても、それは特別のそして収入を得るためのものごとを目ざして行われるにすぎない。人々は職につくのと同じように学問をする。そして人々は、学問からは現実の効用をもたらす応用だけをとりいれるのである。

（同書、上巻、109頁）

つまり、ヨーロッパ的な知的エリート支配の根幹をなす、自由七学芸（セブン・リベラル・アーツ）という古典的な教科を学び、論理的な思考法と人前で堂々とプレゼンテーションをする能力を身に付けた人間を送り出す一流大学はアメリカ中探しても一校もない。アメリカはそれほど民主主義的で平等な社会だ、と言っていたわけだ。

そして、1830年代末に二度にわたって大統領選に担ぎ出されたウィリアム・ヘンリー・ハリソンの大統領候補としての唯一のセールスポイントは、当時はインディアンと呼ばれていた先住民とアメリカ政府のあいだに起きたティピカヌーの戦いという「戦争」で大きな武勲があったというものだった。だが、政治的な発言をするたびにボロが出るので、選挙期間中は政治的発言を一切禁じられてしまい、政策論争抜きでお祭り騒ぎだけの選挙運動に徹した、いくらなんでもお粗末過ぎる大統領候補だった。

ところが、この「泡沫」大統領候補が2回目の挑戦でめでたく当選してしまったのだから、当時のアメリカ政治がいかにお粗末きわまるしろものだったかが分かる。このズブのしろうと大統領は、選挙戦の勝利に喜びすぎて真冬のワシントンの厳寒の中でアメリカ史上最長の大統領就任演説をしてひいた風邪がもとで、就任後32日で病死してしまったというくらい愚鈍な人間だった。

1870～90年代のアメリカは、南北戦争という甚大な被害をもたらした内戦の傷も癒えはじめ、経済大国へのスパートが始まっていた輝かしい時代だった。その目覚しい躍進ぶりは、以下に引用する文章に要領よくまとめてある。

一八六〇年、アメリカは工業生産においてイギリス、フランス、ドイツよりも遅れていたが、一八七〇年にドイツ、フランスを抜いて二位になり、一八八〇年代中葉にはイギリスを追い越し、九〇年代にはアメリカの工業生産は英独仏三国の合計に近づくまでになったのである。

（野村達朗『新書アメリカ合衆国史〈2〉フロンティアと摩天楼』、17頁）

この輝かしい時代を象徴する単語は「凡庸さ」だった。アメリカ人もヨーロッパからの来訪者もふくむさまざまな知識人が「これだけ世界経済に占める比重の高い国が、これだけ長期間にわたって凡庸そのものの国家元首とその取り巻き連によって支配されていたためしはない」という趣旨のコメントを残している。アメリカでも有数の偉大な歴史家のひとりとされているヘンリー・アダムスは、「コロンブスの時以来、アメリカ政治がこれほど徹底して凡庸になった時代は他になかった」（同書、14頁）と表現している。

池田首相が「トランジスタ・ラジオのセールスマン」と呼ばれた第二次世界大戦後の高度経済成長を遂げた日本とそっくりだと思うのは、私だけではないだろう。さらに、1900～10年代にいたっても、アメリカの知識人は「アメリカ文化には何ひとつオリジナルなものはない。全部ヨーロッパのモノマネばかりだ」というようなすさまじい劣等感にとらわれていた。

もう一度同じ本から引用させていただくと、「アメリカ生活は知的に浅薄で、テクノロジーと富の崇拝、ヴィクトリア朝的な時代遅れの道徳のために、芸術や知性が繁栄することは不可能であると論じるのが、知識人一般の風潮だった」（同書、２０３～２０４頁）というわけだ。このへんも、何かにつけて諸外国をほめそやし、自国のことをけなしたがる現代日本の知識人と瓜二つだ。

彼らは、足元でニューオリンズとシカゴを拠点にジャズが発展していたこととか、当時はまだ東海岸で撮影されていた映画が世界的なマーケットを開拓しはじめたこととかには、気づいてもいなかった。新しい文化や芸術がたくましく育っていることにまったく鈍感だという点でも、世界を席巻するおたく文化が今や滔々たる大河の流れとなっていることを感じ取ることもできずに欧米に対する劣等感ばかりを募らせている昨今の日本の知的エリートの姿勢と酷似している。

というわけで、１９１０年代までのアメリカは、知的エリートが大衆を思うままに動かすことができないので、自国の文化的貧しさにグチを言うだけの典型的な大衆社会だった。だが、20年代の文化・社会的な激動と30年代の経済大変動を経て、第二次世界大戦に突入したころのアメリカは完全な階級社会に変身していた。

大衆車T型フォードから差別化されたGM車への転換が、階級社会化のダメ押しだった

何が決定的な要因だったのかというと、１９２０年代後半にアメリカ自動車産業の盟主があらゆる階層のあらゆる個人に黒塗りのT型フォード一車種を勧めるフォード・モーターから、「あらゆる懐具合とあらゆる趣味にぴったりマッチする製品ライン」を備えたGMに変わったことだ。

この両社は、まったく対照的な社風のライバル企業で、社名のモーターでさえフォードは単数だし、GMは当然ながらモーターズと複数にしている。この盟主交代で、自動車産業は大衆社会化をさらに押し進める尖兵から、階級社会の構築者・擁護者に変わったのだ。

表面的にアメリカ社会史をふり返ると、アメリカという国には大衆社会を守り抜くチャンスがあったように思える。19世紀末に大流行した自転車にもうちょっと愛着を持って、長距離は鉄道、中距離は郊外電車や市街電車、短距離は自転車という使い分けで密集型の都市圏を維持していれば、ここまで悲惨な階級社会化はなかったかもしれない。

あるいは、19世紀半ばから20世紀初めにかけてあれほど多くの油田がアメリカ国内で発見されていなければ、アメリカ人のエネルギー浪費癖はここまで悪化せず、タバコを買いに行くにも自動車に乗らなければならないような場所に住む人間の数は限定されていたかもしれない。

そして最後に、たとえクルマ社会化を受け入れたとしても、販売台数が増えれば増えるほど価格が低下していくたった一車種のフォードを支持しつづけ、新型車への買い替え需要が起きないようなクルマ社会になっていれば、上昇志向を満足させるためのアップグレードと計画的陳腐化が渾然一体と化したアメリカ人の過剰消費体質も形成されていなかったかもしれない。

まるで、「このタブーさえ犯さなければ大丈夫」という予言に魅入られたように、わざわざタブーを犯して自分の破滅を招き寄せるギリシャ悲劇の主人公よろしく、アメリカ人はクルマ社会化だけではなく、クルマを通じた階級社会化を自分から選び取ってしまった。

アメリカのクルマ社会化＝階級社会化は、やっぱり必然だった

冷静にふり返ってみると、アメリカには階級社会の象徴としてのクルマを拒絶するという選択肢はなかったのではないだろうか。たとえば、自転車の流行ひとつ取ってみても、階級社会化が底流で進行していたアメリカと大衆社会の典型である日本では、消費者の受け入れ方がまったく違っていた。

アメリカでも日本でも、この画期的な交通機関をまっ先に受け入れたのは、当時の高等教育を受けられるような階層に属していた若い男女だった。だが、その先が決定的に違う。アメリカでは自転車は、内燃機関を持った自動車に駆逐されるまで、一貫して金持ちの子女の娯楽の道具だった。ところが、日本では自転車普及のごく初期から、この交通機関を使えば顧客層を大幅に拡大できるという業務用需要が生まれてきた。その典型がソバ屋の出前持ちだ。

何が決定的に違うのかというと、アメリカでは行商に特化した零細な商人は別にして、ふつうに店を構えた小売商や食べもの屋が、庶民の家庭に御用聞きに行って注文の品を配達したり、出前を届けたりという商習慣はまったくなかったが、日本ではしっかり定着していたということだ。もちろん、大金持ちの家には世界中どこでも商店からの配達や料理のケータリングもあったが、需要層は極度に限定されていた。一方、日本の小売商や食べもの屋にとって、自転車で行動半径が2倍とか3倍とかに広がるということは、潜在顧客が4倍から9倍に拡大するわけだから、

意欲的な小売商、食べもの屋は一斉に配達の道具としての自転車に飛びついた。

これが日本に特有の商習慣で、世界中日本以外の国はどこでもアメリカ型だということを教えてくれるエピソードがある。韓国を旅行した日本人のあいだでは、韓国ではけっして焼肉屋がポピュラーではなく、たまに本場の味を期待して焼肉屋に入っても日本で韓国系や北朝鮮系の人が経営している焼肉屋ほどおいしくないのでがっかりしたという体験をした人が多い。

食べもの屋をやろうとするとまず焼肉屋を思い浮かべるのは、日本に住んでいる韓国系、北朝鮮系の人たちに固有の発想であって、韓国人や北朝鮮人一般の発想ではないのだ。日本で大衆的な食べもの屋をやろうとすると、ほぼ必然的に出前を頼まれることになる。だが、日本とは比べものにならないほど身分制度がしっかり確立されていた朝鮮半島では、他人の家に出前を届けるということはその家より自分の家の階級が低いことを認めるに等しかった。

だから、日本で食べもの屋をやろうとした韓国系、北朝鮮系の人たちは、出前をせずに済ます方法を考えた。生肉を切ったままで客に提供して自分で焼いてもらうだけの店なら出前を断れると思いついたので、焼肉屋を経営することが圧倒的に多くなったのだ。

つまり、自転車普及のごく初期から、日本の自転車需要には非常に業務用のシェアが大きかったという事実は、日本という国が御用聞きに行ったり出前を届けたり程度のことでは、自分の身分の低さを認めたことにはつながらないという大衆社会だからこその現象なのだ。そして、アメリカを先頭に世界中の先進国がクルマ社会化する中で、日本の東京と大阪の二大都市圏だけが電

（単位：千台，百万ドル）

年次	乗用車生産		トラック・バス生産		登録台数	
	台数	金額	台数	金額	乗用車	トラック
1900	4.1	4.0	6.0	9.0	8.0	
1901	7.0	8.0	3.2	5.0	14.8	
1902	9.0	10.0	1.5	2.0	23.0	
1903	11.2	13.0	1.0	1.0	32.9	
1904	22.1	23.0	0.8	1.0	54.5	0.7
1905	24.2	38.0	0.7	1.0	77.4	1.4
1906	33.2	61.0	0.7	1.0	105.9	2.2
1907	43.0	91.0			140.3	2.9
1908	63.5	135.0			194.4	4.0
1909	123.9	159.0			305.9	6.0
1910	181.0	215.0			458.3	10.1

アメリカ：自動車の生産と登録台数の推移（1900〜10年）

車社会を守りぬいたのも、煎じ詰めれば大衆社会か階級社会かの違いに帰着する。

アメリカの自動車普及の速さは、たんに当時はほとんど無尽蔵と思われていた原油埋蔵地域が北米大陸の中央部に集中していたことだけで説明できることではない。普及のごく初期には、文字通り家一軒が買えるほどの大金を払って買い、しかもメンテナンスにも苦労の多いこの輸送機械を自家用乗用車として買う人が異常に多かったことが、クルマ社会化の根本にあったのだ。

上の表をご覧いただきたい。アメリカの自動車産業勃興期に乗用車とトラック・バスの生産台数、生産額そして登録台数がどう推移したかを示したものだ。

1900年には台数ベースでトラック・バスの約3分の2、金額ベースでは半分にも達していなかった乗用車の生産は、早くも01年には台数でも金額でもトラック・バスを追い越し、その後はもう差が開く一方だった。つまり、自動車が運送機械として普及し始めた直後から、この高額な運送機械は業務用ではなく、個人の自家用に購入されるほうが圧倒的に多かったのだ。

この表を見ているだけでは、日本での自動車普及のあり方との差があまり分からないかもしれない。だが、日本の自動車産業の発展はまったく違うかたちを取った。フォード、GMという二大メーカーが日本にノック・ダウン工場を建設したのは、アジアでは最も早く、おそらくヨーロッパ諸国よりも早い昭和初年のことだった。

そして、戦後は国産車メーカーが1950年代から生産活動を本格化していたが、かなり長期にわたってトラック・バスのほうが乗用車より生産台数が多い時期が続いた。また、乗用車の生産台数がトラック・バスを上回るようになってからも、じつはタクシーや社用車という業務用需要のほうが多く、自家用需要が業務用需要を越えたのは1970年代半ばになってからだった。

簡単に言えば、自動車産業勃興期からアメリカでは自動車を自分の家で持ちたいという需要が旺盛だったが、日本で自家用車需要が本格化するのは高度成長期もそろそろ終わるころからだったということだ。アメリカと日本では、なぜこんなに自家用車に対する執着心が違っていたのだろうか。これもまた、そもそも階級社会的な志向の強い国なのか、ほんものの大衆社会なのかというところに帰着する。

馬車があった国では、馬なし馬車は階級性の象徴

欧米は、カネさえあれば馬車の私有が許されていた社会だった。だが、馬車を所有するということは、大変なモノ要りだった。当たり前のことだが、馬車を所有するには常時何頭かの馬を飼っていなければならない。馬を飼っていれば、最低でも馬丁兼御者も雇わなければならないし、家内に住みこむ使用人を統率する執事も必要になってくる。女性の家内使用人だって、まさかまかない婦ひとりというわけにはいかず、小間使いも乳母も家庭教師も必要になる。小さいながらも家臣団を形成するという大ごとなのだ。

そして、家も厩舎や馬車の車庫が要り、何人かの家内使用人を住みこませるスペースのある大邸宅が必要だ。つまり、自家用馬車を所有することができるのは、全人口の1～2パーセントの王侯貴族と、3～4パーセントの大富豪だけで、双方合わせても全人口の5パーセントくらいのものだ。彼らが上流階級を構成していた。

そして馬車は、1日借り切るだけでも相当な出費を覚悟しなければならない乗りものだった。本城靖久『馬車の文化史』（講談社現代新書、1993年）によれば、「馬車を丸一日借りると少なくとも一〇リーヴルはかかる。当時の製造業における労働者の日給は一日一一時間も働いて一二ソルから一五ソルといったところ。一リーヴルは二〇ソルから成っているから、貸馬車一日のチャーター料は労働者が二週間休みなく働いて稼ぐ金額と等しい」（同書、70～71頁）というわけだ。必要に応じて馬車を借り切ることができるのも、相当稼ぎのいい人たちだったことが分かる。

だいたい所得や資産の水準で言えば、全人口の上から5パーセントを占める上流階級の次の10〜15パーセント程度のものだったろう。この人たちが、欧米で言う中流あるいは中産階級を形成していた。

日本では「中」という漢字に引きずられて、全人口のまん中あたりの生活水準と考える人が多いが、欧米の中産階級は十分金持ちぞろいと言える人たちだ。そして、残る80〜85パーセントが大衆、庶民、あるいは下層階級ということになる。

上流・中流と下流のあいだに自由とか平等とかの共通理念が成立するというのは、まったくの空念仏か、上流・中流の人間がうまく下流の人間をおだて上げて、たとえば国民皆兵制度のようにふつうなら嫌がるはずのことをやらせるための欺瞞にすぎなかった。しかも、ある人間がどの階級に属しているかは、自家用の馬車に乗っているか、貸馬車なら必要なときには使えるか、それともどこに行くにも歩くだけかではっきり分かる仕掛けになっている。

だからこそ、庶民に生まれた人間が馬車を持てるような身分になることは、筆舌に尽くせないほど大きな喜びだった。17世紀後半、王政復古時代のイギリスの世情を伝える日記を書いていたサミュエル・ピープスも、平民から海軍大臣の要職に昇りつめたことより馬車を持てたことのほうを喜んでいた。自家用馬車こそが、上流階級への帰属を示すステータス・シンボルだった。

そして、アメリカという、生まれついての貴族の家系というようなものがほとんど存在せず上流階級と中産階級の身分差があいまいな社会では、自動車という「馬なし馬車」の発明と普及が、中産階級の人間によって上流階級へのパスポートとして熱狂的に支持されたわけだ。アメリカでは自動車産業勃興期から乗用車需要が圧倒的に高く、乗用車需要の中でも業務用より自家用が圧倒的に大きなシェアを占めていた理由は、ここにあった。

この中産階級の上流階級化を逆手に取ったのが、自動車業界の風雲児ヘンリー・フォードだった。彼は、黒塗りのT型フォード一車種だけを大量生産すれば、コストはどんどん下がり、下層階級の人間にも自動車が持てる時代がやってくると確信していた。やがてアメリカ中のオフィスワーカーや工場労働者の家庭でも一家に一台自家用車が持てるようになって、労働者階級の中流化が進むことを夢見たわけだ。

たんに夢見るだけではなく、自社の工場労働者たちに1日5ドルという当時としては破格の高給を支払うことで、この自動車産業を大衆社会化の尖兵として使う戦略は着実に実を結んでいるように見えた。ところが、1920年代半ばに大逆転がやってきた。

T型フォードの売れ行きに突然急ブレーキがかかり、1927年にはまだ後継車種のモデルさえ決まっていないうちにT型の生産中止に追いこまれる。そして、たんに「あらゆる懐具合とあらゆる趣味にぴったり合う」多ブランド戦略を掲げていたGMの提供する多数の車種の合計にマーケット・シェア首位の座を奪われただけではなく、T型一車種しかないフォードブランドの売上台数が、GMの初級車種シボレーに抜かれてしまうというほど不振を極めたのだ。

結局のところ、アメリカ国民が自動車の普及を熱狂的に推進した最大の理由は、クルマが「だれでも、いつでも、どこへでも」行けるという実用的な交通機関だったからではない。クルマが差別化商品の極致であり、階級序列のシンボルだったからこそ、大衆社会から階級社会への転期にあったアメリカであれだけ大きな存在となったのだろう。

アレクシス・ド・トクヴィルは、アメリカ社会について今なお通用するところの多い優れた観察を数え切れないほど残している。だが、彼の千里眼を持ってしても見通せなかった展開の最たるものが、アメリカの民主主義は、1920年代から democracy on wheels＝クルマに乗った民主主義に変貌したということだろう。そして、クルマに乗った民主主義では、乗っているクルマの種類や年式によって幾通りもの待遇の違いが出てくる。

よく整備された最新式の高級車で追い抜き車線を駆け抜ける人生もある。小型のボロ車でおそるおそるいちばん端の車線を走る人生もある。さらにボロくなった中古車しか買えないので、他のクルマとエンストがこわくてめったに高速に乗らずに、赤信号を待っている時間ばかりが長い人生もある。そして、クルマに乗れないので、この民主主義に参加する資格を放棄したも同然という人生もある。

クルマは究極の「差別化」商品

アメリカ制度学派経済学の創始者、ソースティン・ヴェブレンは、1890年代最後の年、1899年に処女作『有閑階級の理論』(ちくま学芸文庫、1998年)を出版して、conspicuous

consumptionという概念を自分の経済学の核心に据えた。顕示的消費とか衒示的消費とかいうむずかしげな訳語が定着してしまったが、ようするに見せびらかすための消費ということだ。
この本が出版された1899年には、自動車はまだ萌芽状態の商品だった。だから、ヴェブレン自身がみせびらかし消費の好例として考察したのは、自動車ではなく馬だった。以下の引用が示すとおりだ。

駿馬の効用は、大部分競争心を発揮する手段としての効果的な作用にある。持ち馬が隣人のそれを凌駕することは、所有者の攻撃と支配の感覚を満足させる。このような利用は金もうけには役立たず、全体的にかなり一貫して浪費的であり、きわめて顕示的にそうであるがゆえに名誉を与えるものになるのであって、結果的に駿馬に、おそらく名声としてきわめて確固たる地位を与えることになる。
（同書、162〜163頁）

自動車ほど、見せびらかし消費という概念にぴったりくる商品はない。右の引用の駿馬というところに高級車という文字を入れ替えれば、そのまま通用するだろう。長年にわたって自動車デザイナーとして第一線で活躍してきた人が「差別化商品の王者としての自動車」の魅力を語った文章を引用させてもらおう。

（自動車の）第六番目の魅力は、自動車が所有者の生き方の表現手段として使える道具であり、通常、公共の場で使用するものであることだ。この、街で、人前でその製品を使うという、自動車の特性は独特である。どんなに素晴らしい冷蔵庫や洗濯機を持っていても、ふつう、人前で使うことはない。今日、わざわざ見せる人も少ないだろうが、見せたいと思っても家を訪ねてきた人にしか見せることができない。

しかし、自動車は常に衆目にさらされている。誰だれさんはこんな車に乗っているとか、顧客より立派な車には決して乗れないとか、ああいう車に乗っている人には近寄らないほうがよいとか、常に話題に上るのである。……すなわち個性表現や他の人びととの自己差異化の対象となる、この人間臭さは面白い。

（石渡邦和『自動車デザインの語るもの』、17頁）

そして、この差別化商品、差異化商品としての特性をフルに活用して、安定的に高収益を上げるシステムを構築したのが、創業102年目の2009年に至ってめでたく破綻したGMだった。フォードがアメリカ自動車産業の首位企業だったころ、自動車は他のすべての「文明の利器」同様、先端技術が普及し、大量生産が可能になるにつれて価格が下がる「デフレ型」商品だった。そのへんの事情は、次ページのグラフが雄弁にものがたっている。

ところが、入門級、中級、上級というブランドラインを取り揃えたGMが首位を奪うやいなや、自動車は技術革新が進もうと進むまいとほとんど関係なく、ジリジリと価格を上げる「インフレ型」商品に変わってしまった。

ハーリー・アールと自動車デザインの興隆

そして、フォードが登録台数首位の座をシボレーに明け渡した1927年のアメリカ自動車産業には、控えめに見てもフォードの首位陥落と同じくらいにインパクトの大きな変化が、もうひとつ起きていた。ハーリー・アールがGMの新設したアート・アンド・カラーセクション部長に抜擢されることによって、自動車デザイナーという職種の存在が公式に認知されたのだ。

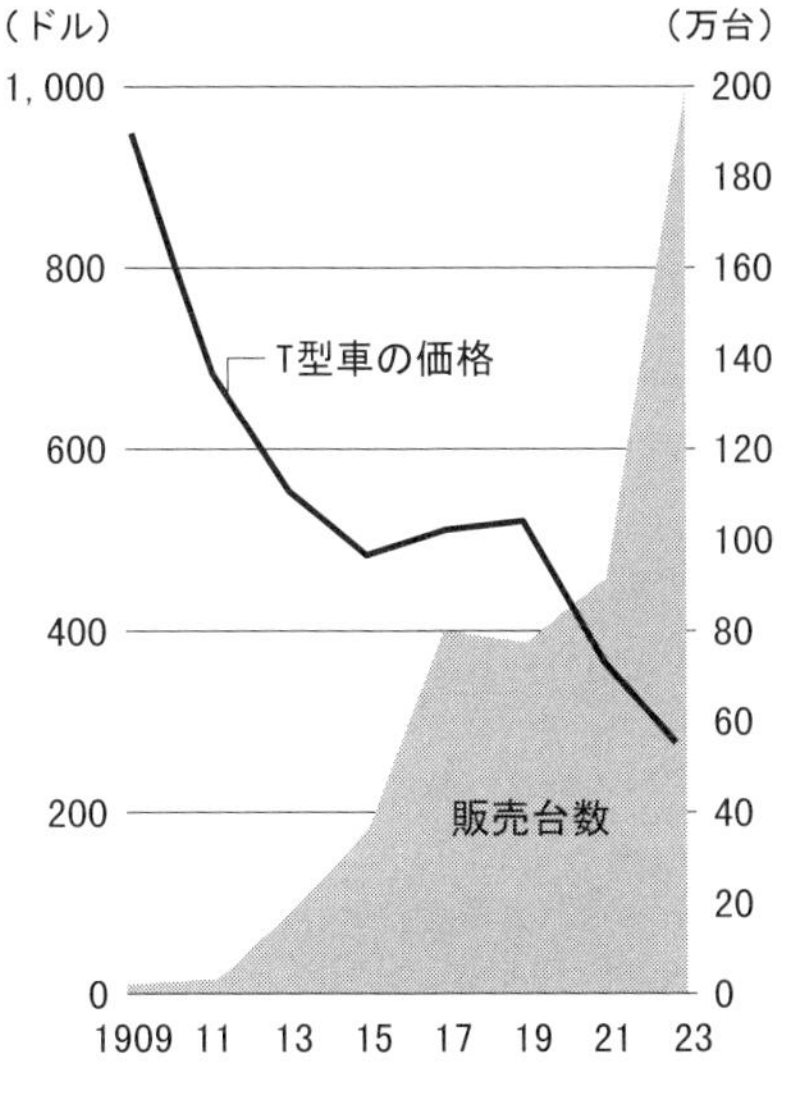

アメリカのフォード社での自動車の量産にともなう価格の低下（1909〜23年）

ハーリー・アールの生家は何代かにわたって馬車製造にたずさわっていたが、ハーリーの父親の代になってロサンゼルスで馬車製造会社を興し、1849年のゴールドラッシュ以来急速に経済発展の進んでいた西海岸の生み出した成り金たちの豪華な馬車に対する需要動向を的確につかんでいた。

そして、ハーリーはまだできて間もないスタンフォード大学で美術と工学を学んでいるから、相当開明的な両親に育てられたのだろう。なにしろ、アメリカ中探しても工学部のある大学はほとんどなかった時代のことなのだ。

そして、ハーリー・アールの指揮のもと、アート・アンド・カラーセクションは10年後の1937年にはスタイリングセクションと改名し、自動車デザインなんて「ケーキのデコレーションと似たようなもの」という偏見に打ち勝って、自動車デザインの重要性を広く社会的に認めさせる業績を積み上げていった。だが、その活躍がどの程度社会的な意義のあるものだったかということになると、首をかしげるようなものも少なくない。

たとえば、全体のバランスが悪いからというだけの理由でほぼ完成していたモデルの車長を10センチとか20センチとか平然と伸ばしてしまう。実用的には、損はあっても得になることは何ひとつないデザイン「改良」だ。あるいは、重心が低く安定して見えるからという理由で車体の床を車軸の下に落としこむ。これも、機械的には相当ムダな問題をしょいこむが重心を下げる効果はほとんどない。そして、いまだにアメリカ自動車メーカー黄金時代の愚行の典型として語り草になっている長く尖った尾ヒレのついたデザインの導入だ。

だが、こうした実用的には無用だったり有害だったりするデザイン改良の累積効果が、「科学技術の発達は、その技術を実用化した商品の価格を低下させる」という、万有引力の法則とも言える「価格低下原則」を克服して自動車を万年高額商品にとどめてきたのだから、見せびらかすことのできる階級差の象徴としての自動車デザインの果たした役割は大きい。

ポスターに見る「共感の鉄道」と「羨望の自動車」

そして、こうした階級差を意識した広告宣伝が、ますます階級社会化を推進する。鉄道旅行が観光旅行の花形だった時代の鉄道会社のポスターと、自動車が階級意識をくすぐる「差別化」商品の王者にのし上がったころの自動車会社のポスターを次ページの上下段で見比べていただきたい。

まず、大陸横断鉄道のゆったりした食堂車で、思い思いに食事を取ったり、歓談したりしている乗客を描いたポスターだ。もちろん、一等車乗客用の食堂車なのだろうが、文字どおり和気あいあい、みんなが旅行を楽しんでいる雰囲気がよく出ている。どのグループの客も、他の客をうらやましそうに見ていたり、他の客に自分のしていることをみせびらかしたりはしていない。

その下は、最新の高級車の乗り手は抑えきれずににじみ出てしまう優越感を押し隠すためにうつむき加減にあごを引いているが、まわりにはうらやましそうに人だかりができつつある自動車のポスターだ。

このポスターにはおとなしか登場しないので、さすがに露骨に優越感をむき出しにした絵柄にはしていない。だが、ここでは実際に画像としてご紹介できないのが残念だが、小学校高学年から中学に入りたてくらいの女の子を母親がクルマで送っているポスターでは、無邪気に女の子がお

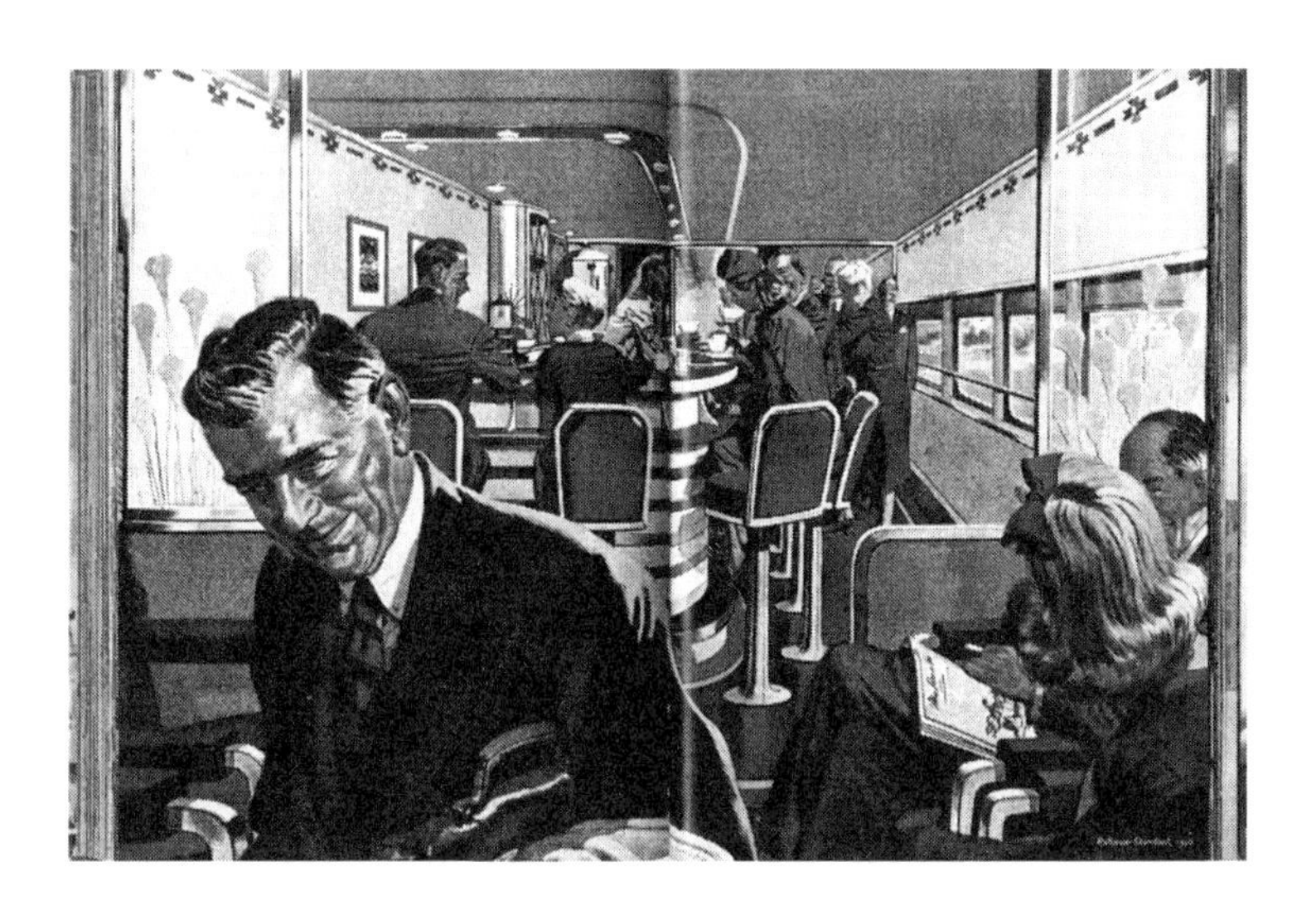

上：ジム・ハイマン編『トラベル広告集　SEE THE WORLD』より “Pullman-Standard, 1946” を転載．下：同『アドバタイジング・50年代の車』より “General-Mortors, 1952” を転載．

姫様気取りになっている。
鉄道社会からクルマ社会への転換点で、アメリカ人の消費意欲を刺激するポスターはこれだけ明確に、共同体意識から優越感対羨望という図式に変わっていったのだ。

知的エリートが消滅を嘆いた階級差は、労働者のあいだに残っていた

クルマ社会化と階級の問題は、1970年代にも続いていた。当時のアメリカの知的エリートたちは、表面的には浮かれ騒ぎながらも、実際には肉体労働者たちの中から知的労働者を上回る収入を稼ぐような連中が続々と出てきたことに戦々恐々としていた。トム・ウルフは、この時代の雰囲気を永久保存したエッセイ集『そしてみんな軽くなった――トム・ウルフの1970年代革命講座』（ちくま文庫、1990年）で、こう書いている。

ソルジェニツィンがすっかり目を丸くして見ていたものは、有史以来最初の「ひと、みな、貴族」の時代だった。

……

アメリカの異常な好景気は一九四〇年代前半に始まったが、新大衆がそれを常態と考えるようになったのは一九六〇年代になってからだった。そのときになって初めて、かれらは借りられるだけの金を借りまくり、それを湯水のごとく使って、それまでは上流階級にしかできなかった生活様式をどしどし真似しだした。当初はたんに物質的なぜいたくさを楽しむ程度だったが、一九七〇年代になると、文字通り貴族的なぜいたく気分を味わうまでになった。昔の騎士道時代の貴族さながら、自分が舞台にのぼりたがるようになり、自分の行動、自分の人間関係、自分の悩み、自分の性格を分析しはじめた。

（同書、25頁）

サブプライムローン・バブル崩壊後の現在から見て驚くのは、ウルフが経済的繁栄の永続性をまったく疑っていなかったことではない。これだけ階級意識をむき出しにして、肉体労働者風情が自分の悩みや性格を分析する思い上がりを非難する文章を、気の利いたエッセイとして受け入れていた多くの読者たちの階級社会に対する無自覚さであり、無邪気さだ。

もちろん、当のアメリカの肉体労働者自身は、たとえ知的労働者がうらやむほどの高給取りだったり、自分の会社を設立してブームで大もうけしていたりしても、まったく浮かれ騒いではいなかった。今もいわゆるリベラルには包摂されない左の立場を崩さない社会学者として活躍しているリチャード・セネットの初期の名著に『階級の隠された傷（*The Hidden Injuries of Class*）』（Vintage Books、1972年）というボストン郊外の熟練肉体労働者たちの生活感覚をインタビューで掘り起こした本がある。邦訳は出ていないが、アメリカでは珍しく、まじめな学術書なのに翌年2ドル45セントでふつうのペーパーバック版が出ている。

この本の中でもとくに印象的なシーンのひとつが、なぜアメリカの労働者階級は不細工で新車としての値段も燃費も高いビッグ・スリーの大型車を好むのかを、当人たちの肉声で語ってもらったくだりだ。ちょっと拙訳で引用させてもらおう。インタビューを受けた熟練肉体労働者のひとり、イタリア系移民のダン・ベルテリの証言だ。彼は大型のポンティアック・セダンに乗っていた。

ベルテリの支出項目のいくつかは、ものを所有することが自分について感じている無力さを埋め合わせる心理的作用を持つことを明らかにしている——たとえば、その典型が自動車だ。「なぜもっと安上がりなクルマをもたないのか」と聞かれて、彼はこう答えている。「クルマの中でも自由に動き回れるし、馬力もある。あんたたちが乗ってるようなちっこいクルマ（インタビュアーが乗って行ったフォルクスワーゲン・ワゴンを指している）じゃ、自分で運転してても自由にコントロールできないし、道では（もっと大型のクルマに）小突き回されちゃうじゃないか」

（同書、164頁より拙訳）

一流大学の大学院生だったり、新米講師だったりすれば、ときどき高速で恐る恐る運転しなければならない程度のことが人格に深い傷を残したりしない。アカデミズムの世界での安定した職や、それなりの社会的地位は約束されているからだ。だが、こうした知的エリートとは生まれも育ちも違っていて、どんなに個人的な努力を重ねたところで、彼らに同類として受け入れられることはないとあきらめている人間にとっては、高速でびくびくまわりをうかがいながら運転しなければならないことは、人格に深刻なトラウマを与えるようなことがらだったのだ。

その構図は、今も基本的に変わっていない。デカくて強いクルマに対する愛着は、アメリカの労働者階級のあいだでは相変わらず根強い。そして、小さくて軽くて燃費がいいクルマを選べるのは、知的エリートや中産階級以上の恵まれた境遇にある人たちだけなのだ。

日本のクルマには階級差がない

一方、日本車は自動車評論家には「没個性」とか「無特徴」とかさんざんけなされるけれども、世界中でよく売れる車種が育ちつづけている。それがなぜかという理由も、階級社会対大衆社会という構図の中に置くと、はっきり見えてくる。日本は基本的に大衆社会で、「馬車所有に対する灼けつくような欲求」を持ったことがない人が多かった。だから、日本では勃興期の自動車産業は自分の属している階級のシンボルとか愛情の対象としてではなく、カネを稼ぐ道具として自動車を使う人たちによって育てられた。

そうとう倒錯した人でもなければ、たんなるカネ儲けの道具を愛情の対象とは見ないだろう。タクシーやバスやトラックの運転手にとって最大の関心事は、エンジンをかけてから何秒で時速何キロまで出せるかとか、加速やコーナリングで重力をどう感じるかとかではなく、安全性と耐久性だ。そして、業務用需要のきびしい眼にさらされた日本の自動車は「愛される名車」ではなく、空気のように、あるいはミソ汁のように存在を感じないほど出しゃばらない名車に育っていった。

今後20～30年の世界は、中国、インド、インドネシアといった人口大国で、古今未曾有の規模でマスマーケットの「中流」化が進むことになる。そこで主流を占めるのは、一方の極にロールスロイスやベンツやレクサスやキャデラックの模造品があり、もう一方の極にカローラやシボレーの模造品がある、階級社会の象徴としての差別化された自動車市場なのだろうか。どうもそうではなさそうな気がする。

T型フォードやフォルクスワーゲンほど画一的ではないけれど、労働者階級あるいは勤労者階級の枠の中での差異化にとどまるマーケットになりそうな気がする。そして、クルマは愛情の対象というより便利な道具に徹することで、高額商品であることをやめ、世間一般の科学技術応用製品同様に「デフレ型」商品になりそうな気がする。そうなったとき本領を発揮するのは、やはり馬車職人の伝統をひく欧米のメーカーではなく、いたって実務的に輸送・交通機関としての実用性しか追求できない日本の自動車メーカーだろう。

こうした未来を示唆するおもしろいデータを発見したので、ご覧いただこう。アメリカでは、マイカーは短くて3～4年、長くても6～7年で買い替えるのが、ふつうの消費行動だった。ところが、大企業や新興ハイテク企業の経営者や金融業界のスタープレイヤー以外は、実質所得が

順位	車種	比率	全車種平均との差
1	トヨタ・ハイランダー	18.3%	2.4倍
2	トヨタ・シエナ	15.5%	2.0倍
3	トヨタ・タコマ	14.5%	1.9倍
4	トヨタ・タンドラ	14.2%	1.8倍
5	スバル・フォレスター	12.8%	1.7倍
6	トヨタ・RAV4	12.7%	1.6倍
7	ホンダ・パイロット	12.6%	1.6倍
8	ホンダ・CR-V	12.4%	1.6倍
9	トヨタ・プリウス	11.9%	1.5倍
10	トヨタ・4ランナー	11.8%	1.5倍
11	ホンダ・オデッセイ	11.6%	1.5倍
12	トヨタ・カローナ	11.4%	1.5倍
13	トヨタ・カムリ	11.0%	1.4倍
14	トヨタ・シビック	11.0%	1.4倍
15	トヨタ・ランドクルーザー	10.6%	1.4倍
	全車種平均	7.7%	-

最初のオーナーが15年以上持ちつづけた車種トップ15（2019年末時点での調査結果）

GM，フォード，米車メーカーはレンタカー企業の大量購入への依存度が高い．昨年，フィアット・クライスラーの合計販売台数に占めるシェアは56%で97万5000台に達した．レンタカー企業への販売台数合計に占めるシェアも同社が21%でトップ，日産が20%，GM18%，フォード17%，現代，起亜，トヨタがそれぞれ約11%で続く．

じりじり下がっている勤労者が増え、同じクルマを15年以上持ちつづける人も多くなってきた。そういう人たちのあいだで圧倒的な支持を得ているのが、軒並み日本車だということが、上の表に出ている。

普通乗用車の堅牢性、経年劣化の少なさでは日本車の評価が断トツで強いとは聞いていた。だから、右側の全車種のトップ15を日本車が総なめにしたことに驚きはなかった。だが、左側のスポーツ・ユーティリティ・ビークル（SUV）は輸入する際の分類は小型トラック扱いになっていて、25パーセントもの高率関税がかかる。だから、新車販売シェアでは圧倒的にGM、フォード、フィアット・クライスラーが強い。それでも、同じオーナーが15年以上乗りつづ

順位	車種	比率	全車種平均との差
1	トヨタ・ハイランダー	18.3%	2.5倍
2	スバル・フォレスター	12.8%	1.7倍
3	トヨタ・RAV4	12.7%	1.7倍
4	ホンダ・パイロット	12.6%	1.7倍
5	ホンダ・CR-V	12.4%	1.7倍
6	トヨタ・4ランナー	11.8%	1.6倍
7	トヨタ・ランドクルーザー	10.6%	1.4倍
8	トヨタ・セコイア	9.8%	1.3倍
9	現代・サンタフェ	9.1%	1.2倍
10	三菱・アウトランダー	8.4%	1.1倍
11	ホンダ・アキュラMDX	8.4%	1.1倍
12	日産・アルマダ	8.0%	1.1倍
	SUV全車種平均	7.4%	-

最初のオーナーが15年以上持ちつづけたSUV車種トップ12（2019年末時点）

けるクルマとなると、9位に現代サンタフェが入っている以外は、トップ12を日本車が独占しているのだ。

ご覧のとおり、どちらにもアメリカ車、ヨーロッパ車は一車種も入選していない。

クルマを見せびらかし消費の対象ではなく、実用的な道具として買う人が増えるにつれて、日本車はますます優位に立つはずだ。なお、自動車市場全体がガソリンや天然ガスを燃料とする内燃機関（エンジン）車中心から電気自動車、水素自動車中心に変わるにつれて、この勢力図が激変すると予測する人もいるだろう。だが、私は電気自動車や水素燃料車は熱狂的なファンの支持に支えられてニッチ市場として生き延びることはあっても、自動車市場の主流となることはないと確信している。そのへんは、第八章で詳述しよう。

大罪その五　味覚の鈍化
そして、肥満が国民病として蔓延する

国民全体が健康で長寿を保つ権利は、先進国と呼ばれる国々の中ではだいたいどの国を見ても近代的な国民国家が確立した基本的人権のひとつとされている。だが、クルマ社会化は、確実にこの基本的人権を侵害している。クルマ社会化すると、国民の味覚が鈍化し、同時に日常生活で歩くことが少ないので運動不足にもなり、肥満が国民病として蔓延するからだ。非常に多くの国民の基本的人権を侵しているという意味では、肥満はクルマ社会がもたらした七つの大罪の中で、いちばん深刻な罪かもしれない。

アメリカは昔から「味覚の荒野」だったわけではない

じつは、19世紀末までのアメリカはけっして「味覚の荒野」ではなかった。それどころか、新鮮な素材をごまかしの効かないシンプルな料理に仕立てることでヨーロッパ中の食通に認められていた味覚大国だった。ヨーロッパに長いあいだ滞在していたマーク・トウェインは、ノートに「あれも食べたい、これも食べたい」と60種類以上のアメリカ料理をリストアップして懐かしんでいたという。

マーク・トウェインが活躍していた時代のアメリカン・ブレックファーストは、簡単に言えば

ヨーロッパのケチな連中が、コーヒーとパンだけで済ませていたのに対して、ベーコンとスクランブルエッグを加えた程度のものだった。だが、そのベーコンにしてもスクランブルエッグにしても、ものすごく新鮮でいい素材を使っていたので、素朴だけれども味はとてもよかったわけだ。

故郷を遠く離れたアメリカ人の望郷の念で美化された文章だけでは、どこまで本当においしいものを食べていたのか信用できないとおっしゃる方もいるだろう。もっとずっと権威のある証人を喚問しよう。時代は、19世紀末からさらに百年も前にさかのぼるが、18世紀末の伝説の美食家ブリア・サヴァランについて、以下のような記録が残っている。

一七九四年にコネティカットを訪れた稀代の美食家は、コーンビーフやガチョウの煮込み、マトンのもも肉、豊富な野菜などを楽しんだ、という。　　　（加藤裕子『食べるアメリカ人』、11頁）

すでに紹介したように、そういう素朴だが良い材料を使った料理が工場街の酒場や居酒屋の昼飯ではビール一杯のおまけとしていくらでも食べられたのだから、19世紀末から20世紀初めまでのアメリカ人の食生活は現代よりはるかに豊かだった。そして、禁酒法施行の影響で工場街の酒場や居酒屋が閉店を余儀なくされたことは、新しい商売が繁栄するきっかけともなった。

禁酒法が励行されていた1920年代に、大規模工場周辺の昼飯難民のために馬車で屋台を引っ張って売り歩く日本で言えば弁当屋に当たる行商人が出没するようになった。やがて、成功した行商人の中から常設でランチ主体の営業をする食堂が発達した。初めは、曳いて歩いていたころそっくりに、屋台そのままの車のついた細長い店舗だった。やがて、屋台時代の細長い形状を残しながらも、大陸横断鉄道の豪華な食堂車をまねたデザインの、土台の上にしっかり建てられた食堂に変わっていった。

今でも70代、80代の老人には懐かしむ人の多い、アメリカン・ダイナーの誕生だ。細長い辺いっぱいにカウンターを置いて、できるかぎり効率的に昼飯客を詰めこめるように設計された勃興期アメリカの合理主義、機能主義を象徴する食堂だった。

だがそれは、味を犠牲にした合理主義、機能主義ではなかった。アメリカがクルマ社会化するまでは、ダイナーでさえけっこうまっとうなものを食べられる場所だった。もちろん、ビフテキ、主として揚げもので出てくるシーフード、フルーツパイ、ミルクセーキといった標準的なアメリカ料理中心だが、ユダヤ人の伝統的な調理法、コシャーにのっとって漬けたピクルスや、スパゲッティ、チリコンカーネ、ギリシャ風サラダといった、当時のアメリカでは十分にエキゾチックな料理もメニューの一角を占めていた。

ダイナーの大部分は個人経営で、客層としてはごくごく普通の中産階級の下から労働者階級の人たちを相手にしていた。そして、ファストフード全盛になってしまった現代アメリカの飲食店との大きな違いはどこにあるかというと、個人経営特有の融通のきくメニュー構成にあった。ダイナー全盛期には、経営者次第でたとえば自分はアルメニア移民だから、アルメニア料理も料理の中にひとつ入れてみようといった個性のあるメニューを売りものにした店が、それぞれの街で固定客をつかんできちっと経営ができていた
しかも、かならずしも異国情緒あふれる国からの移民がいない地域でも、こうした料理をレパートリーに加えたダイナーが多かった。人間は、ある料理を生まれて初めて食べたのはどこだったかというようなことを奇妙に覚えているものだ。アメリカ人の食の多様化に大いに貢献したことも、いまだにダイナーを懐かしがる人が多い一因だろう。

インターステイトの開通でダイナーが衰退し、ファストフードが隆盛した

ところが、1950年代後半から全国各地で州間高速道路（インターステイト・ハイウェイ）が続々と開通して、クルマさえ持っていれば自由自在に州を越えてあちこちに行けるようになった。毎日の通勤でさえ、州境を越えて行くこともめずらしいことではなくなった。やはりまったく知らない街で、どんなものを出すかわからないような個人経営のダイナーに入るよりは、マックだったらマック、バーガーキングだったらバーガーキングに入れば、少なくともとんでもなくまずいものを食わされる危険はないという安全第一の昼飯選びが優勢になり、次第に個人経営のダイナーが没落していった。

マックやバーガーキング、あるいはケンタッキー・フライドチキンは、それぞれメニューにいろいろごちゃごちゃ「オプション」を入れていくつも品目があるように見えるが、基本メニューは二つか三つしかない。そういうメニューのやせ細ったファストフード店ばかりがはやるにつれ

て、まるで貧弱なメニューを埋め合わせるようにアメリカ人一般が太っていった。

アメリカ人の味覚は、素朴だけれども非常に味のいいものが分かる19世紀末までの水準から、量さえあれば味はどうでもいいというところまで落ちていった。ようするに、腹さえ満たされればいいというわけだ。アメリカの寿司バーでは、日本で本格的な寿司職人として修行をした人の握った寿司は「いくつ食べても、食べた気がしない」と不評で、代わりにまったくのしろうとが自分なりに工夫して握りひとつのサイズを日本の標準リイズの3倍にしたら大好評で、このしろうとのほうが高級和食店に寿司職人として引き抜かれたという、まんがのような実話もある。

アメリカ人の味覚に決定的な打撃を与えたのが、道路沿いの広大な土地のまん中に建てられて、クルマでの客にほぼ全面的に依存するドライブイン・レストランやドライブスルー・レストランが、工場街で徒歩圏の集客に頼っていたダイナーにとって代わってしまったことだった。ドライブインなら、クルマで来た客も一応クルマを降りて店内のテーブルにつくか、「カーホップ」と呼ばれたウェイトレスに注文を伝えて、そこで停めたままのクルマに料理を持ってこさせて食事をする。だが、ドライブスルーとなると、クルマに乗ったまま注文した料理を受け取って持ち帰るだけの仕組みに「発展」していったわけだ。

こうした背景の上に1970年代以降、「レストランでのサービスは大量に食わせること」という企業文化が定着し、国民の肥満度を高めた。ファストフードの店に駐車して歩いて店内に入ることさえ面倒くさいから、食事もドライブスルーですますという究極のものぐさ文化を育てるためにも、1930年代から50年代にかけてクルマ以外の交通機関を撲滅しておいたことが貢献した。

この大暗転の原因を突き詰めていけば、自動車で街を通り過ぎるだけではいいレストランを発見することができないという単純な真理にたどり着く。いいレストランは足で探すしかないが、クルマで飯を食う場所を探すとき一軒の店にかけることのできる時間は1～2秒だ。瞬時に「何を食わせる店か」と「平均点は出せる店か」を判断してレストランに入る習慣が、全国一律にマニュアル通りの食べものを出すファストフード・チェーンの隆盛と、歩いて探さなければわからない地元の味を大事にするレストランの衰退を招いた。

自動車に乗った人が何かものを食べようとしたときには、大きな黄色いMの字があれば「まずくて食えないということはないハンバーガーを出す店」、カーネル・サンダースの人形があれば「まあまあ食えるフライドチキンにはありつける店」程度の条件反射のような探し方しかできない。マックの逆さにしたふたつのUの字がM型になっているロゴや、ケンタッキー・フライドチキンのカーネル・サンダース人形のような、シンボルとしてどこに行っても目立つものを見つけて、そこに入るしかないというわけだ。

そして、みんな太り始めた

まず、次の見開きページに紹介するふたつのグラフをご覧いただきたい。アメリカと、そして

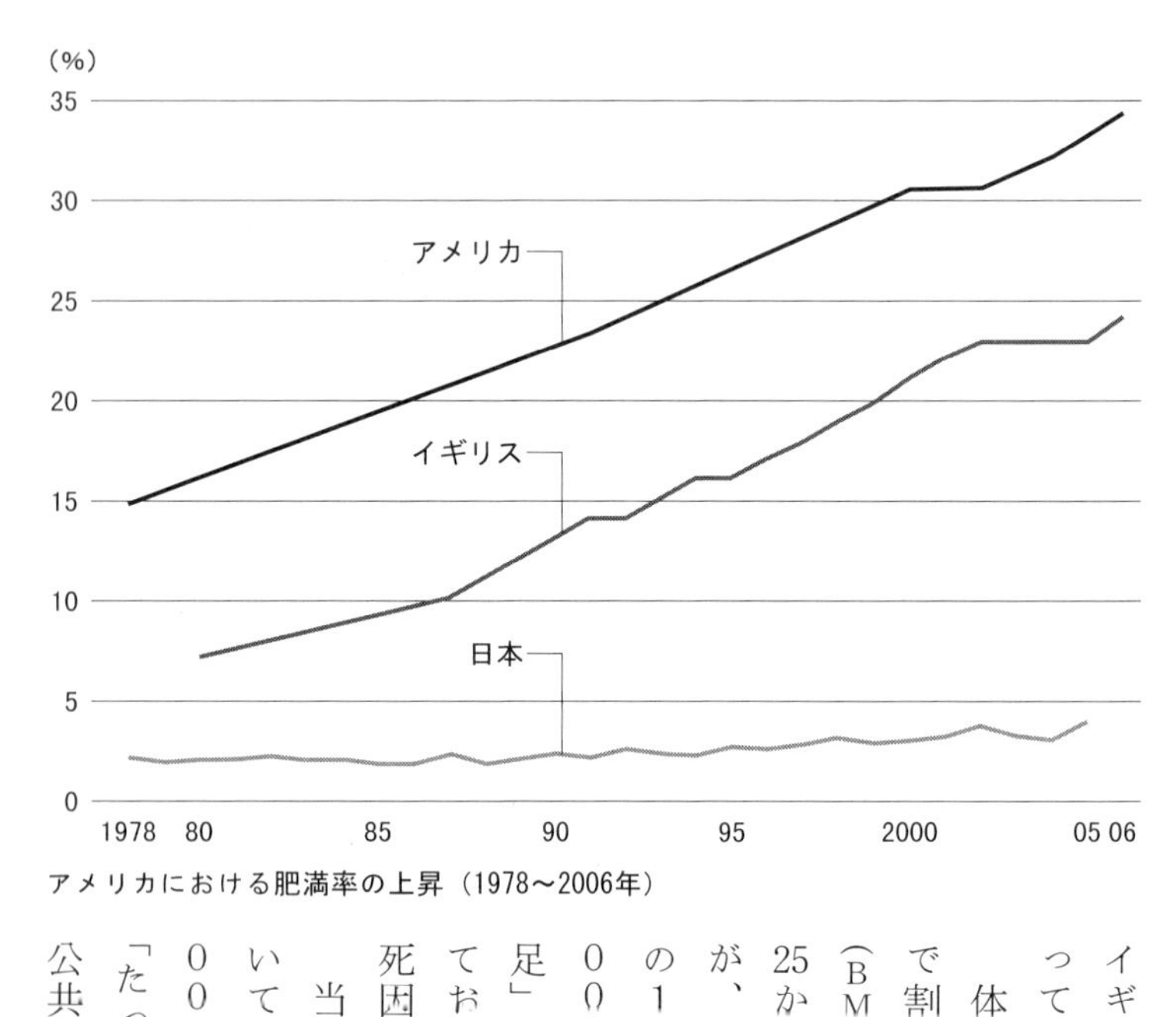

アメリカにおける肥満率の上昇（1978〜2006年）

イギリスで肥満がどれほど大きな健康問題になっているかをみごとに描き出している。

体重（キログラム）を身長（メートル）の2乗で割った数値をボディ・マス・インデックス（BMI）と呼ぶ。この指標が30を超えると肥満、25から30のあいだだと太りすぎと言われる。だが、直近の数字では、なんとアメリカ人の3分の1以上が肥満症状を呈している。そして、2000年時点では、「不適切な食生活と運動不足」が毎年約40万人を死に至らせる原因となっており、事故や災害や自殺・他殺を除く通常の死因の第2位だった。

当時から、いずれ肥満は「タバコの害」を抜いて死因のトップになると言われていたが、2000年時点ではアメリカ国民の肥満比率は「たった」30・5パーセントにすぎなかったし、公共施設での強制的な禁煙措置も今ほど普及し

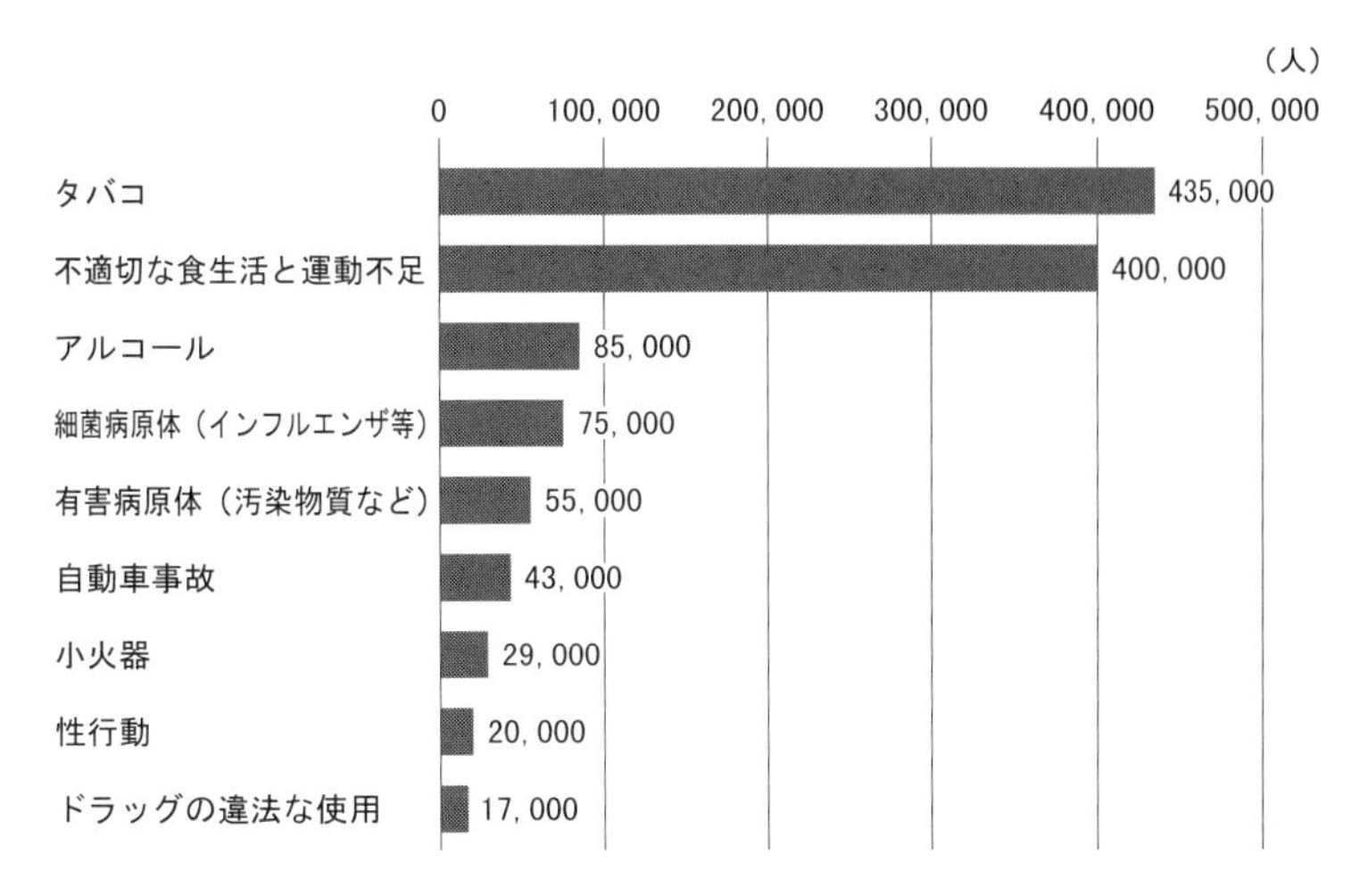

アメリカにおける一般的な死亡の実際原因（2000年） 米疾病対策センター（Center for Disease Control and Prevention）の調査による．

ていなかった。それでも首位に肉薄した2位だったわけだから、２００５年以降ではアメリカ人の死因の第1位になっているかもしれない。

さらに、アメリカ人のカロリー摂取量がいかに大きいかを見ておこう。世界各国を比較した統計では、輸送中のロスや調理中のロス、そして食べ残しといった部分を除去したデータはないようなので、摂取ベースではなく供給ベースでの比較しかできない。だが、次ページのグラフを見るだけでも、アメリカのカロリー供給量が１９７０年代半ばあたりから異常に増加していることが分かる。

また、こうした過剰なカロリー摂取が、クルマに依存してほとんど歩かない生活と組み合わされると、確実に肥満の蔓延を招く。この間の事情は、２１３ページと２１５ページの２枚のグラフが疑問の余地のないほど明瞭に示している。

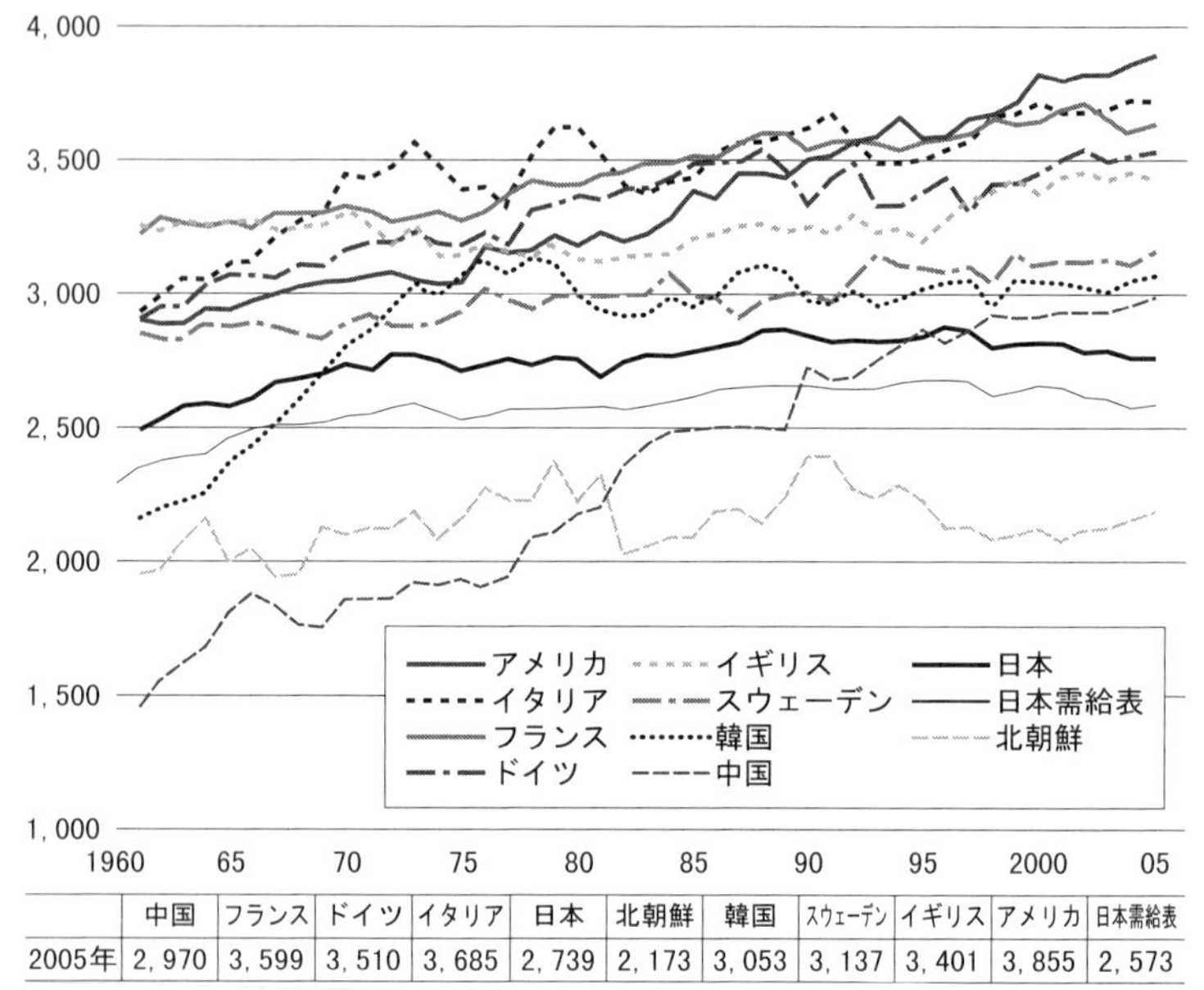

	中国	フランス	ドイツ	イタリア	日本	北朝鮮	韓国	スウェーデン	イギリス	アメリカ	日本需給表
2005年	2,970	3,599	3,510	3,685	2,739	2,173	3,053	3,137	3,401	3,855	2,573

1人1日あたり供給カロリーの推移（1960～2005年）

日本人は過食による肥満がもとでの「死にいたるやまい」と言うと、心筋梗塞をはじめとする心臓病を思い浮かべがちだ。実際にも、アメリカ人はクルマ社会化とほとんど同時に心臓疾患の激増に見舞われた。ブライネスとディーンの共著になる『歩行者革命』（鹿島ＳＤ選書、１９７７年）では、以下のような数字が紹介されている。

多数のアメリカ人が自動車に乗り始めたために歩くことが不得意になってきた一九三〇年から一九六〇年にかけて、心臓の冠状動静脈疾患を原因とする死者が二〇倍にも増加したことは、決してたんなる偶然では

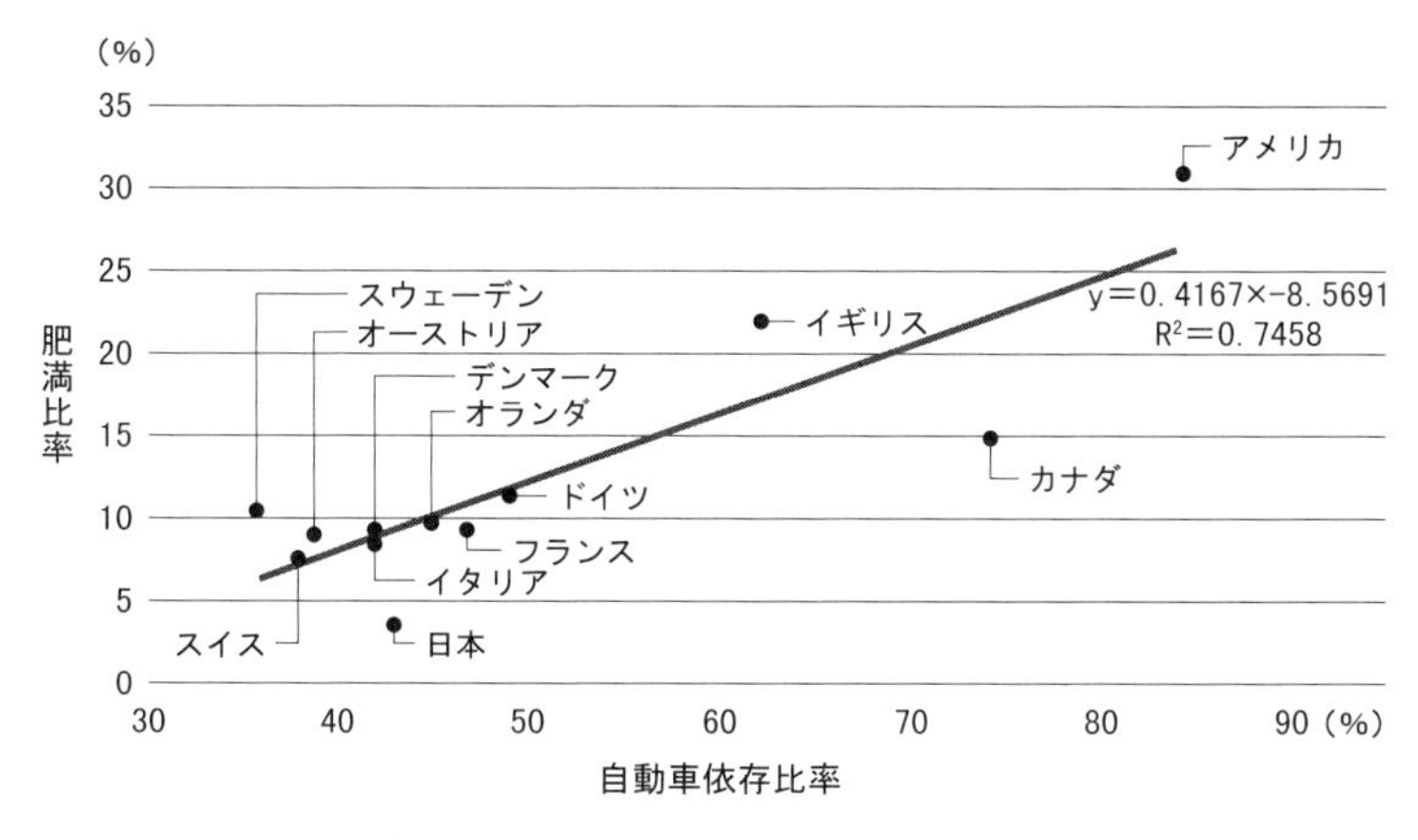

主要国自動車依存率と肥満比率の相関性　自動車依存比率：外出時トリップ数構成比（自動車以外は徒歩，自転車，公共交通など，1998〜99年）．肥満比率：BMI30 超比率（1999〜2002年）．

ない。

（同書、18頁）

だが、アメリカで肥満と関連して人命を奪う病気としては、心臓疾患とともに糖尿病が非常に大きなシェアを占めている。心臓疾患が速攻で人命への影響を示したのに対して、糖尿病のほうはアメリカ人体型の脂肪爆発が顕在化する1970年代以降まで時間がかかったという差はあるが。

日本では、糖尿病はいったん発病したら完治することはないが、節制によって長く付き合っていくことのできるおだやかな病気というイメージがある。だが、アメリカやヨーロッパで病的な肥満との複合症として発病する糖尿病は、短期間のうちに失明とか両足切断とかの重篤な症状が出て、寿命も大幅に縮めるこわい病気なのだ。

スーパーでの買いだめも味覚の鈍化を促進した

これほど明白な因果関係があるというのに、アメリカの「3億総肥満化」問題を取り上げた本では、肥満とクルマ社会の関連は意外なほどあっさりとしか触れられていない。たとえば、エレン・ラペル・シェル著『太りゆく人類』（早川書房、2003年）では、肥満を誘発する遺伝子の存在や食べすぎを抑制する遺伝子の欠如について延々とページを費やしたあと、クルマ社会化の弊害については、最終章の一節「車社会の弊害」で触れているだけで、ページ数にしてたった3ページ分だ。

しかも、クルマ社会化が味覚の鈍化を促進することには一切触れずに、ただただ運動不足傾向だけが指摘されている。「車社会の弊害」の結論は、以下の通りだ。

アメリカ人の通勤時間は一九八三年から九五年のあいだに三六パーセントも増大した。総車輛走行距離は六七パーセントも増大し、その大半をハイウェイの走行距離が占めている。そして徒歩と自転車の交通量は、この二五年間で四〇パーセントも減少した。現在では、アメリカ人が移動する距離のうち八五パーセントを自動車が占め、残りの大半は飛行機と電車が占めている。郊外では、徒歩や自転車で移動しない傾向に拍車がかかり、歩いたり自転車に乗ったりしていると風変わりな人間だと思われる。

（同書、313頁）

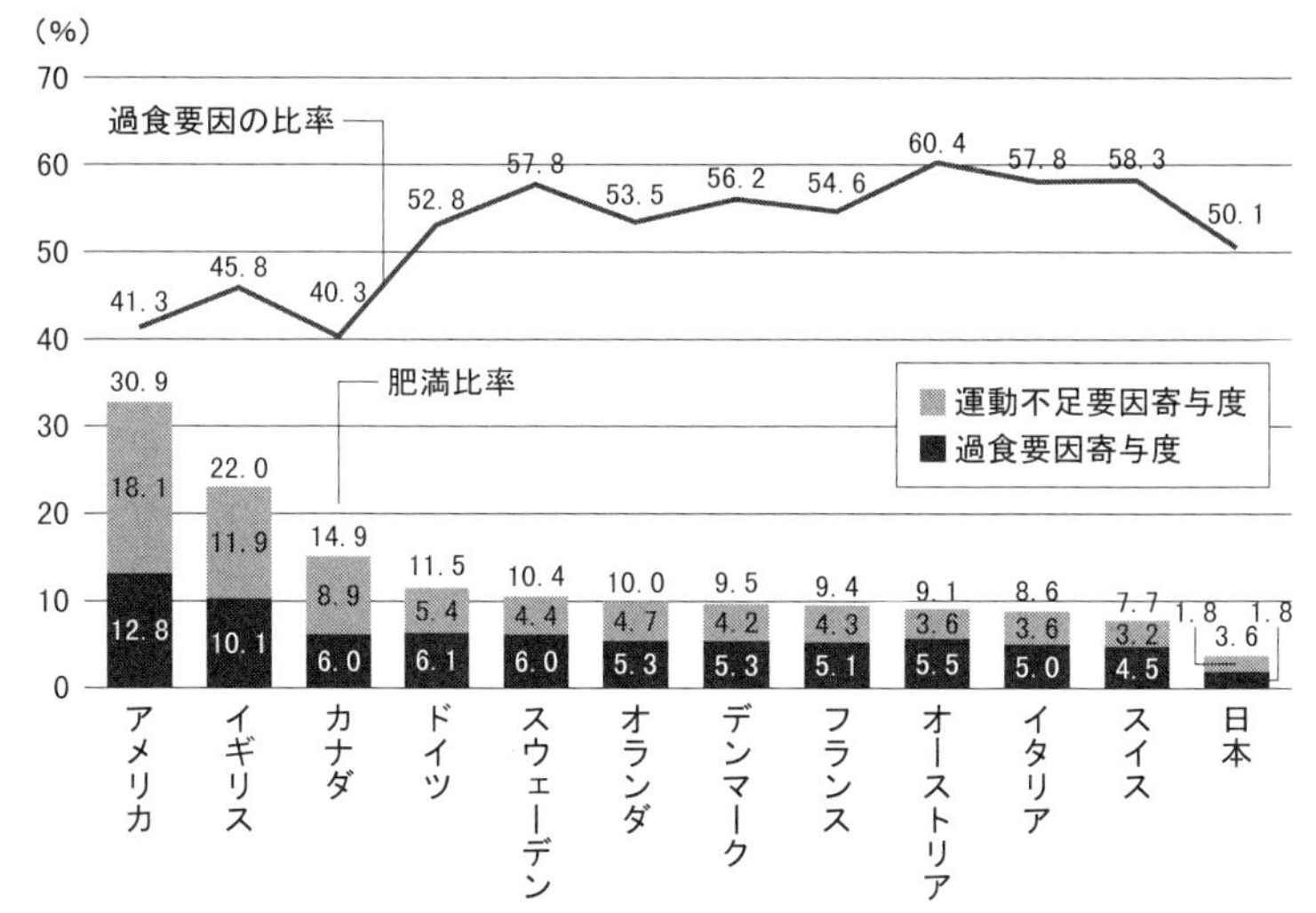

主要先進国における肥満：過食と運動不足への要因分解試算図　カロリー供給を過食の変数，自動車依存比率を運動不足の代理変数と考え重回帰分析を行った結果は以下であり，この結果をもとに肥満の要因分解を行った．肥満比率（t 値）＝ 0.006231 × カロリー＋ 0.39699 ×自動車依存比率－ 28.7932．R2 ＝ 0.8707132．ただし，カロリーは FAO データによる 1 人 1 日あたり供給カロリー（1999～2001年平均）．

たしかに、主要先進国の中でもアメリカ国民の歩く距離は異常に短い。それは、217ページのグラフが端的に示している。

日本人が年間で約1830キロ、1日当たりほぼ正確に5キロ歩いているのに対して、アメリカ人は年間たった141キロ、1日当たりで400メートル弱しか歩いていない。これだけでも深刻な問題なのに、おまけに過剰なカロリーを取りつづけているのだから、むしろ肥満にならないほうが不思議だ。なお、このグラフにはおもしろいと表現するにはあまりにも深刻なアメリカ社会の身分格差がひそんでいる。

スタンフォード大の研究者を中心に、

世界各国のボランティアを募って、スマートフォンに標準装備されている万歩計で測った、1日当たり歩行距離のデータとさまざまな社会経済指標の相関性を検証した調査がある。その結果わかったのだが、国民の平均歩行距離ともっとも相関性が高いのは、男女間で行動の自由に関する認識のギャップが大きいか、小さいかだった。

そして、男女間で行動の自由に関する認識のギャップが最大で、歩行距離も極端に短かったのがサウジアラビアだった。ここまでは、いかにもさもありなんという気がする。しかし、先進諸国で認識ギャップが最大で歩行距離も極端に短くなっていたのは、アメリカだった。アメリカ以外の先進諸国では、男女間の行動の自由に関する認識が大きく隔たっていた国はなかった。

これもまた、言われてみればたしかにそうだろうと納得せざるを得ない。アメリカの中層以下では、共働きでかろうじて生計を立てている世帯が多い。そういう世帯の主婦が自由に行動できる時間は、早朝か勤めから帰った後の夜しかない。だが、大都市中心部だけではなく、郊外も、農村部も、暗くなってから女性が気軽に散歩やジョギングをできる道はほとんどない。

それにしても、アメリカのクルマ社会化を文字通り食いものにして高成長を続けてきたファストフード業界は、クルマ社会化による味覚の鈍化に大いに貢献するとともに、味の良さによっては満たされない食への欲求をひたすら量で補う戦略を的確に打ち出していた。そのへんの事情も、同じ『太りゆく人類』の中でラペル自身が記録している。だが、残念なことに結局全篇を通じて味覚の問題に正面から向き合わなかったので、せっかくの情報を紹介するだけでどうしてアメリ

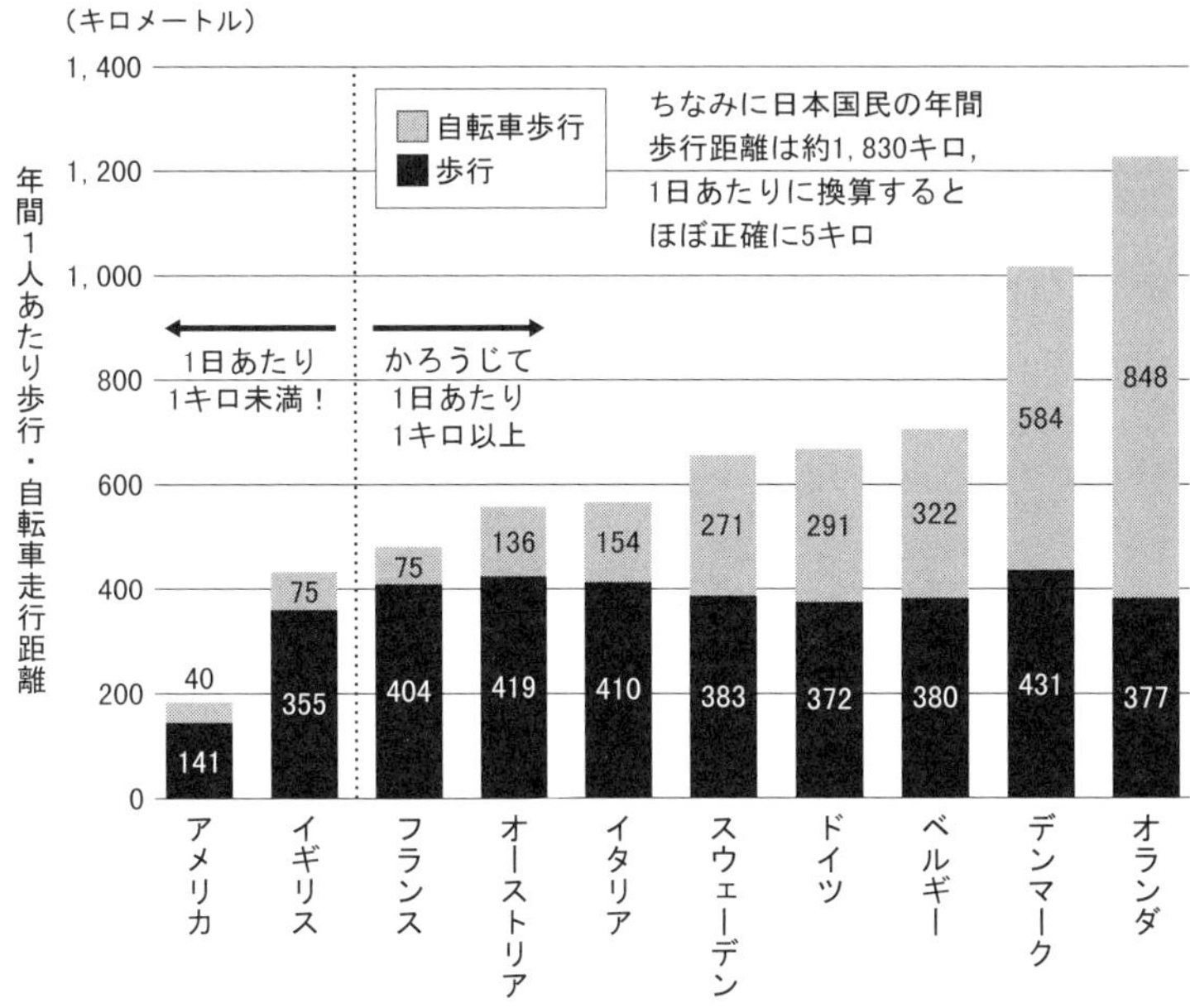

欧米諸国の年間歩行・自転車走行距離比較

カ人の味覚がこんなに鈍化したのかを考えることなく終わっている。

　このような行儀の悪いやり方で食べていると、腰をおろして意識を集中させながら食べるよりも、知らないうちにずっと大量に食べる結果になる。食品業界はこのようにして食べる食品に名前をつけた。その名も「ノー・シンク・フーズ」。なにも考えない食べ物。定義は「垂れない、粉々にならない、食器がいらない、それほど注意も必要としない」食べ物である。

（同書、282頁）

　ノー・シンク・フーズをことばの意味に忠実に和訳するとすれば、関東地方ではバカ飯、関西地方ではアホ飯ということになるだろう。食べる場所にお構いなしで、とにかく何も考えずにつまんでは食べ、つまんでは食べしているうちに、腹が一杯になってしまう食べもののことだ。そして、このバカ飯の起源は、かなりはっきりとアメリカ社会史の中で跡付けることができる。

クルマを運転するのとは別に食事をする時間をさくことさえ惜しいとなれば、「持ち帰り」の料理も当然家まで持って帰ってから食べるのではなく、帰り道で食べるということになる。ハンドルを握っている一家の主人は運転しながら食べるわけだから、食べることに少しでも注意力が必要な料理は敬遠され、バカ飯、アホ飯ばかりがもてはやされることになる。

こうして、丸ごとのチキン・ローストが食べやすい大きさに切って揚げたケンタッキー・フライドチキンになり、ペースト状の鶏肉が、ポロポロこぼれ落ちないように衣で包んで揚げたチキン・マクナゲッツになる。その過程で、「食べやすさ」の犠牲となったのが味だった。というわけで、クルマ社会化によってアメリカ人の味覚は大幅に鈍化した。

また、味覚が衰えていく理由は外食以外にもあった。郊外に住む人がスーパーで生鮮食品まで大量買いをするようになったことだ。そのことによって、野菜の新鮮さが分からない味覚を育ててしまった。野菜を冷蔵庫で保存すると、本来パリッとした食感を楽しめるはずのものはクタクタになるし、本来しっとりとしたみずみずしさのあるものはパサパサになってしまう。

電気機器の細かい改良では世界最高水準を行く日本の電機メーカーでも、この問題を解決するような冷蔵庫を開発することはできていない。ましてや、何もかも大味ですませるアメリカの電機メーカーの作った冷蔵庫では、2週間分とか、3週間分の食材を貯蔵できる大型冷蔵庫はあっても、そんな繊細な味へのこだわりが生かせるような冷蔵庫は作ろうという発想さえなかっただろう。

生鮮食品をまとめ買いするようになった世帯では、なまじ新鮮なものと古びたものの違いがわかるような味覚を持ち合わせていても、毎日食べるものがまずくなるとわかるだけだから不幸のもとだ。だから、パリパリとかしっとりという食感そのものが消えうせていく。郊外ショッピングセンターでのまとめ買いは、野菜や果物の鮮度を感じ取る味覚を持ち合わせない世代を育てた。

逆説的なようだが、こうした味覚後進国だからこそ、アメリカは成人に占める病的な肥満の比率が世界中の先進国で最高になった。レストランは味覚に訴える競争をしても仕方がないので、せめて量でサービスを競うようになった。アメリカのレストランで出す料理が物量作戦一本槍になったのは、電車社会で成長したアメリカ人がほぼ引退するか、死に絶えてしまった1970年代からだった。

また、ヨーロッパでいちばん成人に占める病的な肥満の比率が高いのが、料理のうまさで知られるフランスや南欧諸国ではなく、むしろ料理のまずさで悪名高いイギリスだという事実も、成人の肥満にいたる飽食は料理がうまいからではなくまずいから起きるという因果関係を立証している。ＯＥＣＤ諸国のあいだで、子どもの肥満症では料理のうまいイタリア、スペインがリードしているが、成人の肥満症ではアメリカ、イギリスが不動の1、2位コンビだ。かつての鉄道王国イギリスが、鉄道の復権において大陸のフランスやドイツに大きく出遅れていることと無縁ではない。

先進国でカロリーを過剰摂取していないのは日本だけ

一般論としては、日本人は欧米に比べて幼児的な傾向が強い。だが、欧米人よりはるかに成熟しているところもある。いちばん良い例が、食事の好みだ。別に国が啓蒙運動をしたわけでもなく、ましてや消費量に上限を課したわけでもないのに、日本は爛熟した消費大国になってから砂糖の消費量が下がりつづけている。

戦後の高度経済成長がピークに達した1973年に年間29・2キロで頂点に達したあとは一貫して下がりつづけ、90年代末の日本国民1人当たりの砂糖消費量は、国民全体が飢餓線上をさまよっていた40年代後半から50年代前半の水準とそれほど変わりがなかった。そして、2002年の統計では砂糖が配給制となる第二次世界大戦直前の水準まで落ちて、年間17・8キロ、1日当たりでいうと約50グラムとなっている。

砂糖消費量とほぼ並行して、カロリー摂取量も1970年代前半にピークアウトして、その後下がりつづけていることを示すのが、次ページのグラフだ。

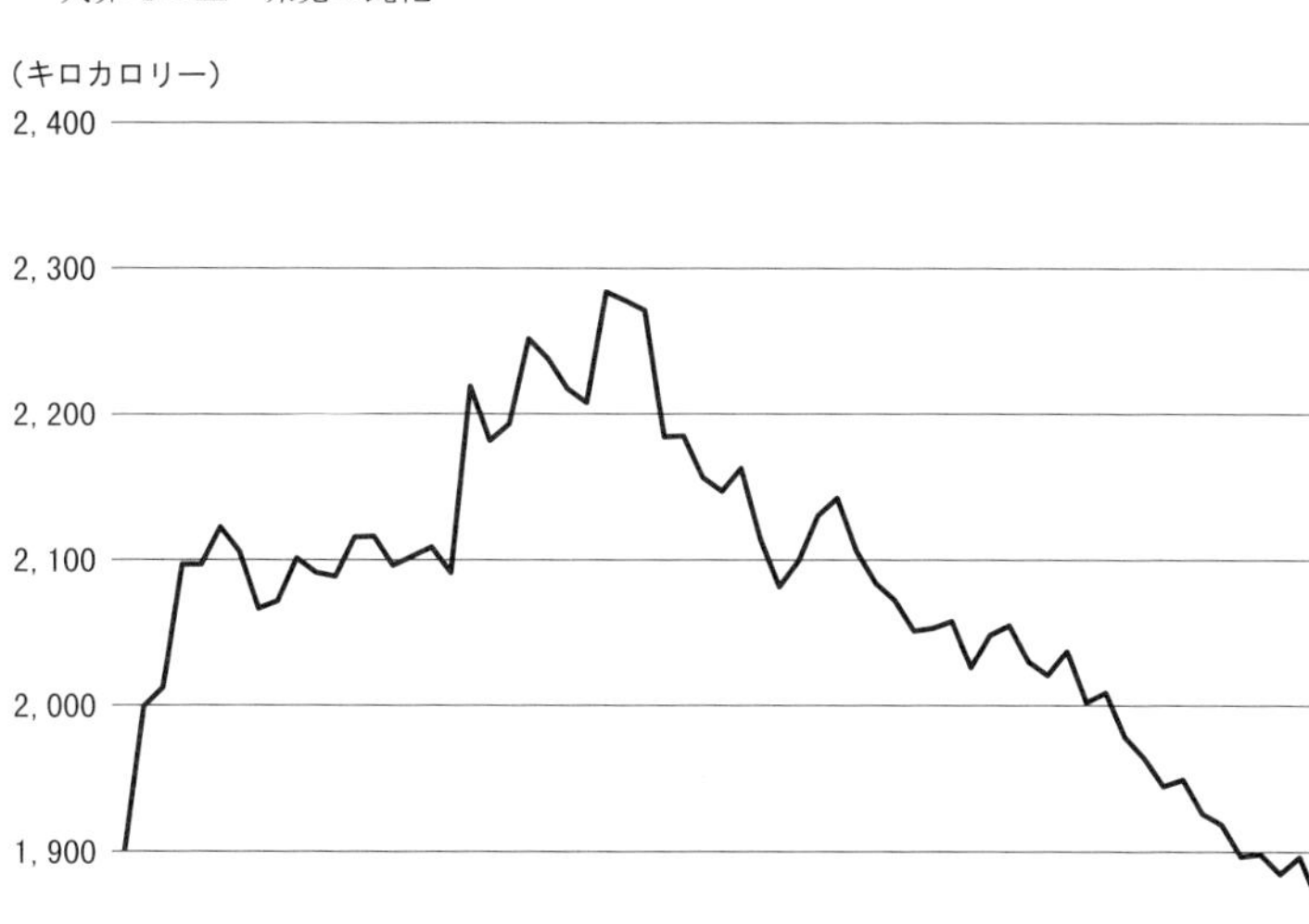

日本人の摂取カロリーは終戦直後よりも少ない（1946～2008年）　厚生労働省「国民健康・栄養調査」，１人１日あたりの平均摂取量.

日本人の砂糖消費量の少なさを国際比較の中に置いてみたのが、２２３ページのグラフだ。２００１～03年の平均値で１日当たり１８８グラムぐらい摂取しているだけで、ブラジルやニュージーランドといったトップクラスと比べてわずか３分の１ということになる。くだものの消費量も少ないほうなので、砂糖の代わりに果糖で糖分を補っているというわけでもない。ようするに日本人は糖分の摂取量が先進諸国では例外的に低いし、近年ますます下がっているのだ。これは、いかに日本人が健康を優先しているか、それとともに甘すぎるものはマズイという、非常に成熟した味覚を持っているかの証拠だ。

この砂糖摂取量の低下で驚いていたら、２０１０年２月22日付の日本経済新聞夕刊には、日本人の平均カロリー摂取量が08年の時点でついに敗戦直後の1946年の水準さえ下回る1867キロカロリーに下がったという記事が出ていた。

世界中の先進国でカロリーの過剰摂取による太りすぎや肥満が深刻な問題になっている。その中で、日本では若い女性たちのカロリー摂取量が低すぎて、妊娠した場合に胎児の健全な発育に必要な脂肪分を蓄積できていない人もいるのではないかということのほうが、肥満よりずっと現実的な問題になってきた。ぜいたくな悩みを持った国民だと言えるだろう。

そして、日本が先進国の中で唯一カロリーを過剰摂取していない国だということが、国民の医療負担を低く抑えながら健康寿命を伸ばすことに貢献してきた。それだけではなく、日本は先進国の中で植物性のたんぱく質摂取量がいちばん多く、動物性たんぱく質でもエネルギー効率の高い魚介類への依存度がいちばん高くて、エネルギー効率の低い牛肉、豚肉、鶏肉の消費量が低い。つまり日本が長寿先進国なのは、単に医療制度が整っているという理由によるのではない。国民ひとりひとりが健全な食生活をすることが自分の好みに合っているという非常に持続性のある、良い理由で健全な食生活をしているからなのだ。

だが、日本では甘すぎるものはまずいという単純きわまる理由で減少に転じた砂糖の消費量が、アメリカやヨーロッパでは一向に減少の気配を見せないどころか、ファストフード業界の宣伝活動が巧妙になるにつれて、ますます増加している。いったいなぜ、欧米では「文明のバロメータ

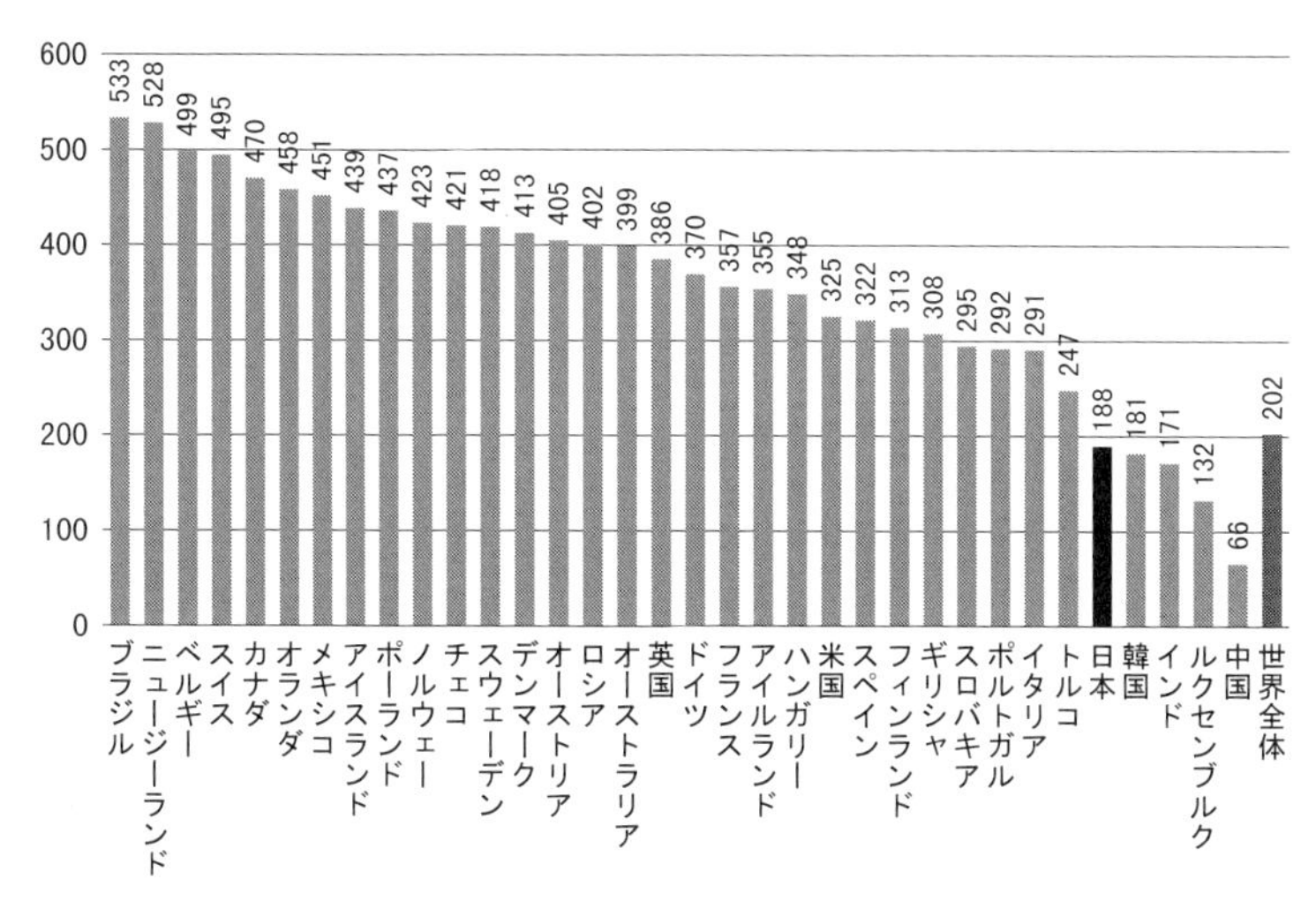

主要国の１人１日あたり砂糖消費量比較（各国 2001～03年中の最新数値）

ー」と言われるほど、砂糖消費量の増加が続いているのだろうか。

サトウキビ栽培は大英植民帝国の原罪

欧米諸国では、好きなものを好きなだけ食べていると肥満が国民病として蔓延してしまう。一方、日本では好きなものを好きなだけ食べていると、若い女性のあいだでカロリー摂取量が低すぎるほど少なくなってしまう。この味覚の差は、ヨーロッパ系諸民族がなぜ15世紀末以降植民地侵略戦争をくり返して、最盛期にはほぼ全世界を征服してしまったかについての「原罪」とも重なり合っている。アメリカが抗しきれずに結局は屈服した相手が、ぐうたら暮らしへの誘惑だったとすれば、アメリカの兄貴分だった大英帝国が陥ったのは、文字通り甘い罠だった。

ヨーロッパが、15世紀末から世界中ありとあらゆるところに進出した動機はふたつあった。ひとつはもちろん、スペインやポルトガルが典型だが、南米大陸その他で金銀財宝のあるところに押しかけていって金銀財宝を略奪し、逆らう原住民に対して男は殺して、女子どもは奴隷にするというむき出しで相当野蛮な致富衝動だった。

だが、もうひとつ大きな動機があった。最初はインドネシアの香料諸島で、コショウとかナツメグとかオールスパイスとかのヨーロッパには自生していない植物性の香料で、腐りかけの肉をおいしく食べること、あるいは腐るのを少しでも長く防止することだった。金銀財宝を奪うのはもっぱら支配階級の人間たちを突き動かす衝動だったが、スパイスを探し求めるのは金銀財宝に対する欲望よりはるかに切実で大きな、ヨーロッパの一般大衆が共有していた動機だった。

そして、オランダがインドネシアの香料諸島を植民地化して香料貿易をほぼ独占的に押さえてしまった次の段階として、ヨーロッパ諸国の関心は、なかなかヨーロッパ内ではきちっと取れなかったもうひとつの食材である砂糖に集中した。それまでは蜂蜜とかくだもので細々と甘味を取っていたが、糖分はなかなか充足というにはほど遠い量しか食物に添えることができなかった。

当時、サトウキビの大規模栽培ができる場所は、コロンブスを中心にヨーロッパ人が新大陸で最初に進出した、カリブ海のあちこちにケシ粒のように点在する小さな島々に限定されていた。これらの島々が、サトウキビ栽培には最適の気候風土だった。今の地名で言えば、ジャマイカやバルバドス諸島だ。中でもイギリスが早くから植民地としての支配に成功していたバルバドス諸島は、サトウキビの大農園を経営するのに適した気候風土だったので、まさに雨後の竹の子のようにサトウキビ農園が激増した。

16世紀から18世紀にかけて人を誘拐して連れて行って奴隷として使役することを、英語では「バルバドスする」と言っていた。それくらい、イギリス人が進出したバルバドスでアフリカ大陸を中心に狩り集めた奴隷を使ってサトウキビを大量に栽培させて、それをヨーロッパに持ちこむと儲かっていた。

栽培だけではない。収穫したサトウキビから樹液を搾って精製する搾汁工場もあちこちに建てられた。のちに蒸気機関の実用化とともに大英帝国の経済優位を確立する二本柱となった生産活動のための大規模作業所の設立も、大英帝国の全領土の中でバルバドスの搾汁工場がいちばん早かったらしい。そして、このバルバドス諸島の搾汁工場こそ、おそらくヨーロッパ人が手掛けた最初の大規模工業生産施設だった。イギリスで水力や蒸気機関を用いて綿紡績工場が大規模化するより半世紀から一世紀早い、17世紀半ばのことだった。

サトウキビ農園や搾汁工場はおそろしく儲かる商売だった。どれくらい儲かっていたかというと、黒人奴隷は16~19世紀のヨーロッパ人が持っていた動産の中ではおそらくいちばんの高額「物件」だったが、その高額資産への投資が購入してから1年半で元が取れるほど高収益を生み出していたというのだ。

若い教師であったダウニングなる人物が、プランテーション制度が展開した一六四五年にバルバドスから書き送ったところでは、「本年は少なくとも一〇〇〇人以上の黒人がもち込まれた。より多くの黒人を買い取れば買い取るほど、かれらの奴隷購買力はいっそう高くなる。というのは、黒人奴隷というものは、ほぼ一年半で元がとれるものだからである」、という。

（シドニー・W・ミンツ『甘さと権力』、120〜121頁）

なぜこの大規模工場が奴隷制でしか労働力を調達できなかったかというと、サトウキビの精製はすさまじく原始的な方法に頼っていて、昔の洗濯機のローラーのようなものを縦に置いたあいだにサトウキビを突っこんで、そこから出てきた樹液を煮詰めて精製するという工程だったからだ。このローラーにサトウキビを突っこむときに、作業をする人間の手まで吸いこまれるという事故がひんぱんに起きていた。吸いこまれたままにしておくと死んでしまうので、吸いこまれたとたんにその手を手斧で切り落とした。だから、サトウキビ搾汁工場には片腕を切り落とされてしまって、ハンパ仕事しかできない黒人奴隷が何人かいるのがふつうだった。

これでは、一応は自由意志で職場を選ぶ権利のある白人の労働者は行かないだろう。だからこそ、奴隷を使わざるを得なかったわけだ。イギリスが奴隷制容認に傾いた動機となったのも、バルバドス諸島の砂糖農園と搾汁工場の経営安定化だった。

砂糖とスパイスを求めて世界の涯まで雄飛したヨーロッパ人

そして、ヨーロッパ人がわざわざカリブ海まで行って砂糖を作らせた理由としては、やはりヨーロッパ人は基本的に肉を主体に食事を構成していたことが大きい。

まず、肉は屠畜した直後を逃すと死後硬直があって食べられないほど硬くなる。だから、安定的に死後硬直をゆるめるのに最適の温度や時間が解明できていなかった中世末期までは、腐る直前まで寝かせておいてから食用にしていた。そこまで「熟成」させてしまうと相当くさくなるので、スパイスなどの調味料は必需品だった。そして、肉に調味料としてよく合うのは、じつは甘いものだった。

コショウももちろん合うが、醤油とかソースよりも、ヨーロッパ人は甘いもので肉を食べたがる。日本ではカモと言えばネギをしょってくることになっているが、ヨーロッパではカモには甘酸っぱいオレンジソースをつけるのが定番になっている。また、七面鳥は必ずと言っていいぐらい、クランベリーソースで食べる。

それは単に腐りかけのときにどうしても自然に酸味が出るから、酸味の多い果物でごまかすというようなことではなく、ヨーロッパ人の味覚にとって、肉と甘味は切っても切れない縁があるからだった。だから、ヨーロッパ人がたとえば中国料理の酢豚を作ると、必ずといっていいほどパイナップルを入れたりするわけだ。

ヨーロッパ人の原罪として、甘いもの欲しさに世界各国を侵略していったわけだが、そのひとつの結果が世界各国から取り入れてきたソフトドリンクが、軒並み甘くなったことだった。紅茶もコーヒーもココアも、原産地では全然砂糖を使わなかったのに、ヨーロッパ人が取り入れると必ず砂糖を使って甘くして飲むようになった。

中国でお茶は、絶対と言っていいぐらい砂糖を入れずに飲む。だが、イギリスで紅茶になると砂糖を入れる。

あるいは、アラビア原産のコーヒーも、アラビアでは全然甘味をつけるものではなく、イスラム教の修行僧が夜眠らずに修行を続けるためになるべく苦いままで飲んでいたものだった。だが、最初はイギリス、それからフランスではやったコーヒーハウスやカフェでは、砂糖を入れて甘いものとして飲む習慣が定着した。

ココアも同じことだ。これも南米の原産地では、全然甘くないままでさまざまな料理のソースのベースにしていた。だが、イギリスやヨーロッパ大陸では、大量の砂糖を投入して非常に甘ったるい飲みものにして飲んだ。

とにかく、そもそも甘いものを欲しがる体質というか、国民性というか、民族性があって、その甘いものを確保するために、サトウキビ・プランテーションをカリブ海のあっちこっちの島々で作ったのが、奴隷制を採用せざるをえなくなった最初の理由でもあったわけだ。ヨーロッパの近代的な製造業としての大規模工場制度さえもが、カリブ海諸国で奴隷を使った大規模製造業としてのサトウキビの精製から始まったくらいだ。ヨーロッパ人はそれほど甘いものに執着があり、ある意味では甘いものを確保するために世界中に進出したし、カリブ海諸国を征服したし、奴隷貿易も始めたとさえ言えるかもしれない。

サトウキビを煮詰める段階で、まだ精製の度合いが非常に低いものを糖蜜と呼ぶ。その糖蜜からラム酒を造る。このラム酒もまた、海賊映画によく出てくるように、人を騙して海賊船に拉致するときに使ったり、長い航海のあいだ船員や水夫たちが反乱を起こさないようおとなしくさせておくためにふるまったりした、近代初期の海運には不可欠の商品だった。ラム酒にしろ、サトウキビそのものにしろ、あるいは砂糖にしろ、香料にしろ、嗜好品としての食べものへの執着も、ヨーロッパ人が競争で世界中に植民地帝国を築こうとした原動力となっていた。

アラビア原産のコーヒーも、カリブ海で栽培し始めたら、アラビアよりもよく取れるようになり、またジャマイカのブルーマウンテンというような最高級品として認識されるようにもなった。そのへんも含めて、ヨーロッパ諸国が築いた植民地で奴隷として働かせるために、アフリカから商品として買った黒人を連れて行く、いわゆる「三角貿易」の網の目を形成するについても、イギリス人の砂糖への執着は大きな要因だった。

今も歴然と残る大英帝国の甘いもの好きの遺産

ここで、ちょっとおもしろいものをお眼にかけよう。世界各国で砂糖の消費量が歴然と多いとか、少ないとかの特徴を持った国々を抜粋した次ページのリストだ。

順位	国名	1人1日当たりの消費量（キロカロリー/グラム）
1位	トリニダードトバゴ	552Kcal/143.5g
2位	キューバ	536Kcal/139.4g
3位	ブラジル	533Kcal/138.6g
4位	ニュージーランド	528Kcal/137.3g
5位	エストニア	519Kcal/134.9g
6位	バルバドス	511Kcal/132.9g
7位	コスタリカ	505Kcal/131.3g
8位	ベルギー	499Kcal/129.7g
9位	スイス	495Kcal/128.7g
10位	セントクリストファーネビス	480Kcal/124.8g
13位	カナダ	470Kcal/122.2g
16位	オランダ	458Kcal/119.1g
25位	スウェーデン	418Kcal/108.7g
27位	デンマーク	413Kcal/107.4g
31位	ロシア	402Kcal/104.5g
34位	オーストラリア	399Kcal/103.7g
37位	マレーシア	391Kcal/101.7g
39位	イギリス	386Kcal/100.4g
44位	ドイツ	370Kcal/96.2g
45位	フランス	357Kcal/92.8g
49位	アイルランド	355Kcal/92.3g
62位	アメリカ	325Kcal/84.5g
71位	南アフリカ	312Kcal/81.1g
80位	イタリア	291Kcal/75.7g
85位	エジプト	283Kcal/73.6g
102位	パキスタン	235Kcal/61.1g
113位	日本	188Kcal/48.9g
116位	韓国	181Kcal/47.1g
117位	インド	171Kcal/44.5g
132位	ルクセンブルク	132Kcal/34.3g
149位	中国	66Kcal/17.2g
165位	コンゴ民主共和国	30Kcal/7.8g
166位	バングラデシュ	28Kcal/7.3g
167位	北朝鮮	28Kcal/7.3g
168位	ルワンダ	25Kcal/6.5g
169位	ミャンマー	17Kcal/4.4g

砂糖消費量で目立つ国々　灰色の国はイギリス本国と旧イギリス植民地

まず、大英帝国が「民族総入れ替え」をしてアングロサクソン系が多数派になった旧植民地諸国は、軒並み砂糖消費量が多い。これはもう歴然としていて、ニュージーランドなどは、ラグビーのナショナルチーム、オールブラックスの活躍もあってなんとなく健康的な国民性の国という印象がある。だが、砂糖消費量は異常に多い。また、世界は広いと実感させられるのが、あの日本人にとっては閉口するほど甘いもの好きのアメリカ人が、アングロサクソンが先住民を追い出して多数派となった旧大英帝国植民地諸国では砂糖消費量がいちばん少ないという事実だ。

また、大英帝国の植民地だったカリブ海諸国もいまだに消費量が多い。一般論としては砂糖消費量が少ない東南アジアで、マレーシアの砂糖消費量がいちばん多いのも、大英帝国の植民地だったことの遺産かもしれない。そうかと思うと、やはり大英帝国の植民地にされていたミャンマーの砂糖消費量は、健康が不安になるほど少ない。経済封鎖の爪あとがはっきり出ている。

そして、大英帝国の落ちた甘い罠と、アメリカ合衆国が抗しきれなかったぐうたら暮らしへの誘惑という世界経済覇権国家二代にわたる妄執を総合した結果が、アメリカ・イギリスで国民病として蔓延する肥満だと言っても言いすぎではないだろう。イギリスはすでにこの国民病を克服することなく衰退期に入ったし、アメリカも結局は克服できないうちに没落しはじめる可能性が高い。クルマだけ、あるいは甘みだけならなんとかしのげたかもしれないが、このふたつの妄執の相乗効果は、怠惰な生活になれたアメリカ人にとっては打ち勝つことのできない業病なのだろう。

大罪その六　自動車産業の衰退

そして、都市型製造業が壊滅する

クルマ社会の弊害の中でもっとも皮肉なのが、クルマ社会は自動車産業を衰退させるという事実だろう。クルマ社会化の先頭を切っているアメリカでは、２００７〜09年に国際金融危機が勃発するまでは、最大手のＧＭだけは何とか金融業で生き延びるだろうが、フォードやクライスラーは生き残れないという観測がもっぱらだった。

だが、そのＧＭの金融部門もあわれジャンク債並みの格付けになるとともに本家が国有化された２００９年ごろには、３社揃って討ち死にというシナリオが現実味をもって語られるようになってきた。フォードだけは生き延びると見る人も、その根拠は企業としての健全性より絶滅危惧種への郷愁や憐憫のほうが強そうだ。

アメリカほどクルマ社会化が進んでいないヨーロッパには、もうちょっと骨のある企業が生き残っている。だが、クルマ社会化でいちばん遅れている日本ほどの競争力はない。

自動車産業は、いったん大衆の足を人質に取ってしまうと徹底的に堕落し、意味もなく危険な飾りをつけたり、なるべくエネルギーを浪費するクルマばかり作ったりする、雲助根性のかたまりなのだ。だから、自動車産業の会社をお行儀よくさせるためには、大衆の足を人質に取られない社会を維持するしかない。日本はそれに成功し、ヨーロッパは崖っぷちでかろうじて踏みとどまっているが、アメリカは完全に失敗したのだ。

ナショナル・オートモビルミュージアムが教えるアメリカ自動車産業惨敗の真相

カリフォルニア州とネヴァダ州の州境にある風光明媚な湖、レイク・タホーをごぞんじだろうか。そのネヴァダ側の湖岸にほど近い場所にリノという町がある。ネヴァダ州内ではラスベガスに次ぐギャンブリングの名所で、離婚の手続きがお手軽なことでも名高い町だ。

「近いうちにネヴァダのカジノでひとつ、運だめしでも……」とお考えの向きには、ぜひラスベガスではなく、リノのカジノ兼営のホテルをお選びになることをお薦めする。その道の権威に言わせると、ラスベガスと比べればぐっと小粒で家族的な雰囲気で運営もどことなくしろうとっぽいそうだ。

だが、カジノと言えばバハマの首都ナッソーのリゾートホテルや、スペインのコスタ・デル・ソルの小さな避暑地、トレモリーノスの小ぢんまりしたカジノしか知らなかった私には、飛行機の格納庫を思わせる巨大空間いっぱいにスロットマシンがずらっと立ち並んだすがたは圧巻だ。これで家族的でしろうとっぽい雰囲気なら、ラスベガスのカジノはどんなスケールなのか、想像もつかない。

さて、リノのカジノをお薦めする最大の理由は、リノにはナショナル・オートモビルミュージアムがあるからだ。ナショナルという形容がつくと見境なく「国立」と訳す人もいるが、英語でナショナルというのは、「全国規模の」とか「国民全体が誇るに足る」といった語感のことばだ。つまりは、全国有数の自動車コレクションが置いてある博物館なのだ。カジノ兼営のホテルが林立する通りとはリノ市の中心部を流れるトラッキー川でへだてられた、あまり騒々しくない川岸に無造作に建つこの博物館、アンティーク・カーのファンにはこたえられないほど貴重なクルマがゆったりとしたスペースに展示してある。

この博物館に収蔵されているクルマの大半は、リノ市中のカジノ経営者たちの大元締めで、ギャンブリング・コミッションという組織の先頭に立って賭博と贈収賄や暴力犯罪との縁を切るために奮闘したウィリアム・F・ハラーというカジノ経営者が個人で集めたものだという。

写真を見ると、中学校の先生か、村役場の帳簿係かという印象の謹厳実直を絵に描いたような顔をしている。1940〜60年代のまだまだお堅い社会だったアメリカで企業としてギャンブリングを成功させるためには、こういう真面目そのものに見える経営者が必要だったのだろう。

リノでも1、2を争うほど繁盛したカジノを経営していたウィリアム・ハラーがカネに糸目をつけずに買い集めたコレクションだから、古い自動車のファンにとっておもしろくないはずがない。ピアス・アローとかスチュードベイカーとかの1900〜10年代の名車が、どれもちゃちなミニチュアでも実物大の模型でもなく、エンジンなどのはらわたを取っぱらったドンガラだけでもなく、きちんとエンジンもチューンナップした実物が柵も手すりもないところに展示してある。

ヘンリー・フォードが「客の好みの色が黒でさえあれば、いくらでも好みの色のT型フォードを作ってやる」と豪語するほど自信過剰になる前に、ほそぼそと作っていた目の覚めるような緋色のT型フォードも置いてある。また、車体が全部18金づくりという成金趣味の極致のようなデローリアンの燦然と光り輝くすがたを拝むこともできる。

だが、このコレクションの最大の興味は、何が置いてあるかではなく、何が置いてないかにある。もちろん、イギリス車のコレクションは非常に充実している。ドイツ車もフランス車もイタリア車もある。館内は年代ごとに通りが作ってあって、展示車は製造年代ごとに60年代通りとか70年代通りに陳列するという趣向なのだが、80年代か90年代の通りには韓国車まで置いてある。だが、この博物館にまったく置いてないのが、勘のいい方はもうお察しのとおり、日本車なのだ。

ウィリアム・ハラーなり、この博物館の研究員なりが日本という国の存在を知らなかったわけではない。40年代通りの壁に貼られた時代を象徴するような新聞スクラップの貼り混ぜには、「US Navy Sinks Big Jap Battleship（合衆国海軍、日本の巨大軍艦を撃沈）」という、おそらく戦艦大和を沈めたときの大見出しが躍っている。だが、この博物館中眼を皿のようにして探し回っても、日本車は一台たりとも置いていないのだ。

アメリカでも有数の自動車ファンだったウィリアム・ハラーは1978年に亡くなったのだが、そのころにはもう、日本車の輸入は押しとどめることもできない奔流になっていた。それでも、ハラー・コレクションに日本車はなかった。「自分が死んでからも、日本車だけはコレクションに追加するな」と遺言をしていたのかもしれない。この自動車博物館は、それぐらい不自然に日本車のないクルマ社会を「再現」している。

結局、ハラーには、いったいどんなクルマがビッグ・スリーの作り出すアメリカ車から自動車産業の王座を奪おうとしているのか、直視する勇気さえなかったのだろう。ハラーの遺志をついでこの博物館を運営している連中も、まるで危険に見舞われたときに砂の中に自分の首をつっこむダチョウのように、日本車は一台たりとも置かないという方針にしがみついたままだ。

自分たちを追い落とそうとしている勢力の正体を確かめる気にさえなれないのは、もちろん傲慢さではなく恐怖とか絶望に根ざした心理を表している。そして、何に負けたのかを直視できなければ、どうすれば勝てるのかだってわかるはずもない。T型フォードが発売され、GMが創業した1908年からちょうど百周年に当たる2008年に、ビッグ・スリーのうち2社が破綻するという惨状のタネは、リノにナショナル・オートモビルミュージアムができたころには、もう蒔かれていた。

本土決戦での惨敗も覚悟していた日本車が、逆にアメリカ車を惨敗させた

いったいなぜ、アメリカの自動車業界はここまで落ちぶれてしまったのだろうか。1964年9月の外国車輸入自由化を控えて、まだやっとヨチヨチ歩きを始めたばかりの日本車メーカーは戦々恐々としていた。第二次世界大戦末期にはあぶないところで回避することができた「本土決戦」は必至、それでなくとも小さなマーケットに過剰な数がひしめき合っている日本車メーカー

のうち、いったい何社が生き残れるのだろうかというのが、当時の自動車業界最大の関心事だった。

そのころ第一線の自動車評論家だった高岸清の見立てによれば、日本車メーカーが生き残れる可能性はただひとつ、ビッグ・スリーが日本はわざわざノック・ダウン工場を建てるほど将来性のあるマーケットではないと、お眼こぼしをしてくれることだけだった。彼がまさに自由化前夜の1964年5月に出版した『世界の自動車――各国代表車の特長と背景』（カッパブックス）には、こんなくだりがある。

> 日本の乗用車工業が危機に瀕する時というのは、外車がこのノック・ダウン方式をもって輸入することを計画する時だ。
> （同書、245～246頁）

戦前の日本の自動車産業をよく知っていた事情通なら、ほとんど全員がこの意見に同意したのではないだろうか。戦後の国産車優先の経済復興政策しか知らない人間には想像もつかないが、1930年代半ばまでの日本の自動車市場は、おそらく世界中でいちばん自由競争の原理を忠実に守っていた市場で、横浜のフォード社ノック・ダウン工場と大阪のGM社ノック・ダウン工場で組み立てられるアメリカ車が乗用車市場の大半を握っていた。

ND＋完成車で一九三一（昭和六）年二万二千七十一台、一九二九（昭和四）年三万二千六百八十八台となり、約三万台の需要の九十五％をアメリカ車が占めてしまった。

（サトウマコト『横浜製フォード、大阪製アメリカ車』、134頁）

さらに、自動車輸入自由化直後の日本の主要産業を解説した1968年版の向坂正男編『新版日本産業図説』（東洋経済新報社）を見ると、規模の大小が決定的な有利不利につながるというのが定説のこの業界で、アメリカのビッグ・スリーと日本の大手自動車メーカーではどれほど大きな事業規模格差があったのか、はっきり分かる。

1965年の統計によれば、日本を代表する自動車メーカーA社（トヨタとも日産とも特定せずに、まるで少年非行の当事者のようにAとなっているところも時代を感じさせるが）の売上はGMのたった4・9パーセント、ビッグ・スリー中では最小のクライスラーと比べても18パーセントでしかなかった。同じくA社の研究開発費はGMの2・8パーセントでクライスラーの14パーセント、そして研究開発スタッフの人数はGMの4・4パーセントでクライスラーの28・6パーセントとなっていた。

日米両国の自動車産業同士で比較してみよう。次ページに紹介するグラフは、両国での乗用車の年間生産台数を対比したものだ。

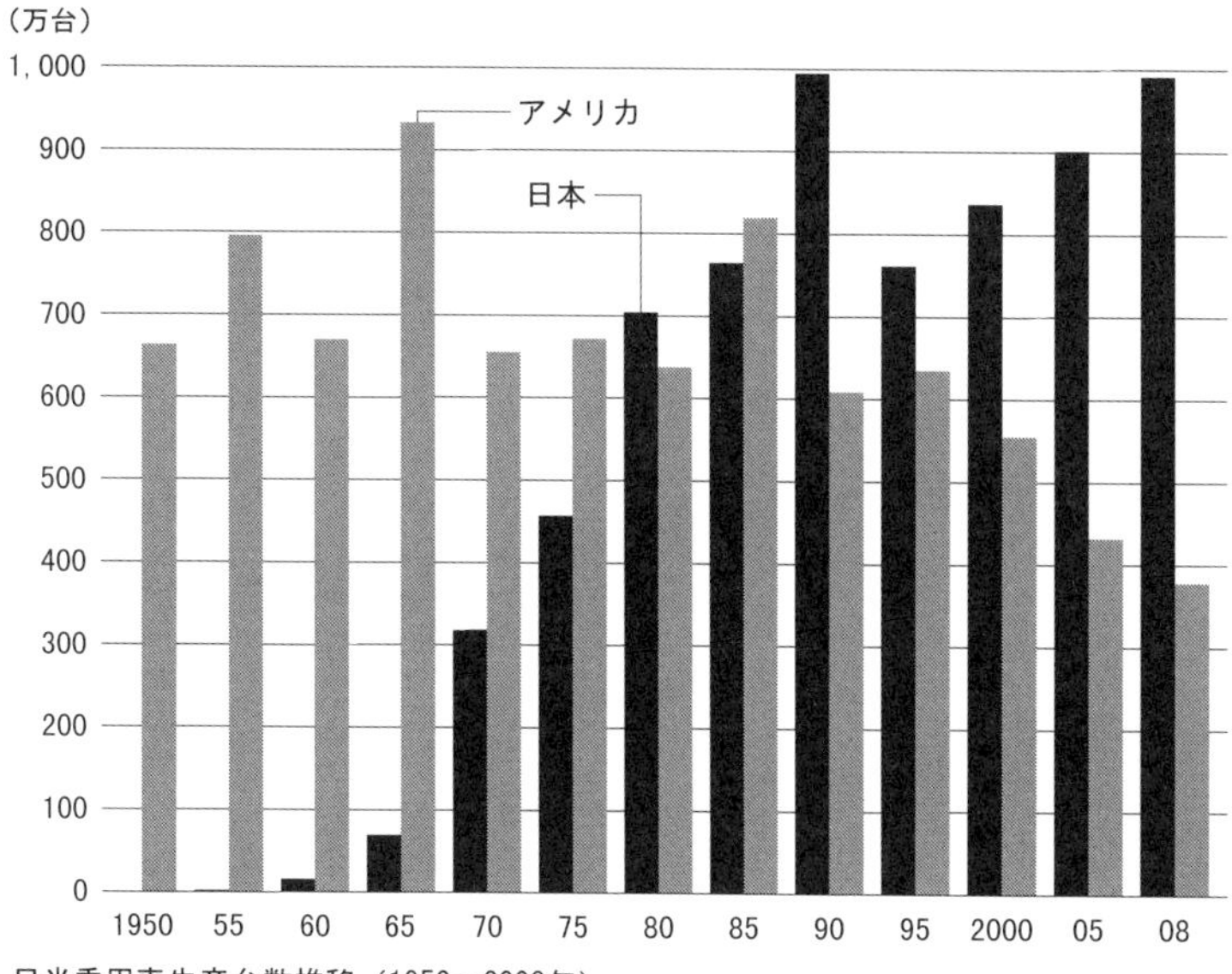

日米乗用車生産台数推移（1950〜2008年）

自由化後で最初の一年間となった1965年で比較すれば、アメリカの生産台数は日本の13倍以上あった。古風な表現を使えば、まさに蟷螂（とうろう）の斧、よくまあこんな巨大な敵に立ち向かう勇気があったものだ。

歴史の教訓や足元での企業規模格差以外にも、高岸清には心配なことがあった。それは、第二次世界大戦に惨敗してからの日本人が持っていた卑屈なまでの「舶来品」崇拝だった。高岸のことばを借りれば、以下の通りだ。

> 国産中型車の修理代は一カ月平均、だいたい四、〇〇〇円であがっているのに、外車のばあいは、八、〇〇〇円以上についている。それにもかかわらず、……外車の維持費について、「高い」、「まあまあ」、「安い」と区分けしたアンケートでは、「高い」

という回答をよこした者が、きわめて少数であった……。

……外車に対する日本人特有の寛容さが見られるのだ。ところが、国産車に対してはひじょうに峻厳だ。ベンツのように高性能で、ジープのように強く、ジャガーのようにスマートであれ、と要求する非常識な国産車ユーザーも、けっこうあとを絶たない。

（高岸『世界の自動車』、238～239頁）

規模で圧倒的に不利な上に、日本の消費者は一貫してホームチームに不利、アウェイチームに有利な笛を吹くタチの悪い審判団のような存在だった。この四面楚歌、絶体絶命に見える環境では、おおかたの自動車評論家たちの関心は、日本の自動車メーカーのうち何社が生き延びることができるかに集中していた。

ところが、彼らにとってはまったく想定外の事態だったろうが、日本の国内市場が外国車メーカーに開放された1964年以降の本土決戦の舞台は、日本列島ではなく北米大陸だった。そして、結果は日本車メーカーの圧勝だった。世界経済史上まれに見る大番狂わせだ。なんでも自慢したがる国民性なら、日本中で花火を打ち上げ、パレードをして祝っても良かっただろうし、子々孫々末代まで語り伝えてもいいようなジャイアント・キリングだ。

いったい全体、何が起きたのだろうか？　日本車メーカーはどうやって、生き延びるどころか急成長を続けて世界一顧客信頼度の高い自動車産業にのし上がったのだろうか？

一見不利な三つの条件が日本の自動車産業に勝利をもたらした

アメリカの自動車業界に油断や慢心、日本車メーカーに対する過小評価があったのは、もちろんだ。だが、日本側にもこの北米大陸本土決戦を有利に導くための三つの要因があった。

その三つとは、以下のとおりだ。

①世界中の自動車業界が「ガリバー型寡占」(最大メーカーが圧倒的な価格支配力と生産調整能力を持って業界をリードする構造)になっていた中で、日本の自動車業界だけは「ふつう」の寡占で、最大手といえども圧倒的に有利な立場を築いていなかったこと。

②世界中の自動車生産能力を持つ国々の中で、日本とソ連の自動車業界だけが、1960年代後半まで乗用車より商用車(バス・トラック)の生産台数のほうが多い、業務用優先の産業構造だったこと。

そして逆説的だが、

③日本の消費者が一貫して国産車にはきびしく、外車に甘い明らかなダブル・スタンダードでクルマ選びをしていたことだ。

まず、業界構造から説明しよう。下川浩一の『世界自動車産業の興亡』(講談社現代新書、1992年)は、1980年代末までの世界の自動車産業に関するすぐれた概説書だ。そこにはこう書かれている。

日本では、欧米が寡占化による企業の合併集中で進んできたのに、現在なお一一社体制が続いて構造的にきわだった特徴をなしているが、これによって非常に激しい競争的刺激が与えられている。

（同書、２１９頁）

まさに、競争こそ自由市場経済における成長や進歩の源泉なのだ。そして、アメリカのＧＭ、ドイツのダイムラー・ベンツ、フランスのルノー、イタリアのフィアットのように最大手が業界全体を牛耳っているような国の自動車市場では、かならず消費者の満足度上昇には貢献しないお手盛りの値上げが横行する。

１９５４〜63年は、第二次世界大戦後の復興景気が頂点に達するとともに、それまでアメリカ一国の現象だったモータリゼーションがヨーロッパ各国に伝播した記録的な自動車産業ブームの時期だった。この９年間の累計での主要国の自動車生産台数の伸び率は次ページの表のとおりだった。

日本の生産台数比較だけは1年短く8年間の累計となっているが、この間の累計増加率は18・6倍と、欧米諸国を圧倒していた。大きな理由となっていたのは、欧米の自動車業界はガリバー型寡占企業が牛耳っていたが、日本の自動車業界は競争が激しかったことだった。欧米市場では、

国名	1954年※の生産台数	1963年の生産台数	累計伸び率
アメリカ	5,505	7,644	39%
イギリス	769	1,608	2.1倍
ドイツ	535	2,414	4.5倍
フランス	444	1,520	3.4倍
イタリア	150	1,105	7.4倍
日本	69	1,284	18.6倍

主要国の自動車生産台数の伸び率（1954〜63年） ※日本のみは1954年ではなく，55年の生産台数.

本来規模の経済が働いて1台当たりの生産コストはかなり大幅に下がっているはずであるにもかかわらず、自動車価格は軒並み上昇していた。だが日本の市場では、規模の経済の恩恵をすなおに反映して、自動車価格は大幅に値下がりしていた。

たとえば、アメリカでは1957〜63年の6年間で、フォードが26パーセント、シボレーが12パーセントの値上がりに対して、キャデラックは5・7パーセントの値上がりにとどまっていた。ドイツでも、フォルクスワーゲンの標準仕様車が10・8パーセントの値上がりに対して、メルセデス・ベンツは5パーセントの値上がりにとどまっていた。大衆車狙い撃ちで大幅な値上げをしていたことが分かる。

一方、日本ではどうだったか。前ページの生産台数比較とまったく同じ1955年〜63年までの8年間で、80万円から58万3000円へと、27パーセントも値下がりしていたことが、次ページの価格推移表でわかる。

しかも、この間勤労世帯の年収はかなり伸びていたから、年収倍率で言うと2・57倍から0・98倍への急激な低下を見せていた。2年半の収入を全部注ぎこんでも買えなかったものが、1年の年収で買え

（円）

年	自動車	白黒テレビ	カラー・テレビ
1953		175, 000 (0. 63)	
54		125, 000 (0. 41)	
55	800, 000 (2. 57)	89, 500 (0. 28)	
56		79, 800 (0. 24)	
57	675, 000 (1. 88)	76, 500 (0. 21)	
58	767, 000 (1. 99)	66, 500 (0. 17)	
59	695, 000 (1. 69)	60, 000 (0. 14)	
1960		51, 000 (0. 11)	420, 000 (0. 93)
61		46, 500 (0. 09)	
62		52, 000 (0. 09)	198, 000 (0. 35)
63	583, 000 (0. 98)		230, 000 (0. 39)
64			178, 000 (0. 27)
65		48, 900 (0. 06)	
66			
67	560, 000 (0. 80)		159, 000 (0. 18)
68		42, 800 (0. 04)	148, 000 (0. 15)
69			131, 000 (0. 12)
1970			108, 000 (0. 08)
71	694, 000 (0. 50)		95, 000 (0. 06)
72	743, 000 (0. 41)		93, 000 (0. 06)
73	817, 000 (0. 36)		89, 800 (0. 04)
74	833, 000 (0. 32)	39, 800 (0. 01)	105, 000 (0. 04)
75	960, 000 (0. 34)		92, 800 (0. 03)
76			
77			
78	989, 000 (0. 28)		87, 000 (0. 02)

自動車，白黒テレビ，カラー・テレビの価格の変化と対年収倍率（1953～78年）
※カッコの中は年収倍率.

るようになったわけだ。まさに、多くの自動車メーカーがひしめく「過当競争」市場のご利益てきめんといったところだ。

もちろん、何かにつけて一家言あるアメリカの知的エリートが、自動車メーカーのやりたい放題の値上げ攻勢をだまってみていたわけではない。さらに、彼らが自動車の存在そのものに対して猛然たる抗議の声を上げたのも、昨日や今日のことではなかった。

アメリカにおけるクルマの傲慢さへの批判は昨日今日始まったことではない

実際のところ、アメリカのクルマ文明を批判した数ある書籍の中でも、胸のすく痛快な論旨で今も類書の追随を許さない名著がアメリカで出版されたのは、1958年のことだった。J・キーツ著『くたばれ自動車――アメリカン・カーの内幕』（邦訳は1965年、至誠堂新書）として日本でも出版されている。キーツは、自動車文明の弾劾を、こう説き起こした。

自動車の最初の魅力は、彼女の要求の増大に反比例してしぼんでいった。ブタみたいに肥えるにつれて、彼女は大きく広く滑らかな道路を求めた。道路が大きく良くなればなるほど彼女はますます肥え太り、太れば太るほどますます大きな道路を求める欲望がふくれ上がったのだ。……ふくれあがった腰に尾びれをそびやかし、その尾びれの上にしなやかなアンテナを生やした。そして、彼女が新しい気まぐれを思いつくたびに、それにはいちだんと金がかかったのはむろんのことである。（同書、7頁）

今やわが新大陸のうち4万平方マイルが敷石におおわれている。バイパスやモーテルやガソリン・スタンドや食品看板をかけたレストランなどのあるわが新道路網によって、東海岸ニューヨークのブルックリンから西海岸のロスアンゼルスまで新しい食い物にも新しい風景にも新しい文化にもぶつからずにドライブすることができるが、これまたデトロイトのおかげである。

かくして、もしも人類の進歩が生命のめくるめく混沌を秩序整然たる画一へと着実に変えていくことにあると仮定するなら、自動車こそ、かつて存在した雑多の住民や光景や産物の大混沌状態を画一的な標準品質に変えてしまうことによって、かかる進歩に貢献したことは否みがたい。
（同書、9～10頁）

実際いまやアメリカ人の生活があらゆる形で自動車に結びつけられているため、車を持つことはもはや金持ちの特権ではなくなって、日常茶飯事になっている。その意味で、デトロイトは自分が作るときめたものを何でもかでもアメリカに押しつけているのではないかという問題に対する答えはイエスなのである。自動車を必要とするなら、そしてたぶん必要とお考えのはずだが、それを買わねばならない。さらに統計の示すところによれば、九五％がデトロイトから、そしてほぼ五〇％がゼネラル・モーターズから買うことになっている。
（同書、29～30頁）

だが、結局のところ、こうした叫びはあまりにも小さな少数派のゴマメの歯ぎしりにとどまった。圧倒的多数を形成する大衆は、ビッグ・スリーのデザイン部門と優秀な広告代理店が自分たちの好みまで作り変えてくれるおせっかいに抗議するより、最新流行に乗り遅れることのほうを恐れていた。

このへんの事情を見ても、一部の経済学者が言う「独占の弊害論は杞憂だ」という主張のまちがいがわかる。彼らの主張はこうだ。

「市場で強いメーカーのシェアが高まるかたちで独占やガリバー型寡占が出てくるのは、そんなに心配すべきことではない。何か特定の商品価格が独占によってあまりにも高くなってしまったら、その機能を満たすほかの商品がその商品のシェアを奪う。たとえば、自動車価格が上がりすぎたら公共交通機関を利用する人が増えるから、自動車業界のガリバーたちが事実上の独占価格で暴利をむさぼることはできない」

だが、第二次大戦中のアメリカや1950〜60年代のヨーロッパを見ていると、公共交通機関はどんどん路線網も運行頻度も削減されてしまい、大都市圏でも通勤や通学に使うには不便すぎる状態になっていた。そうなると、自動車メーカーは消費者の足を人質に取ったような商売ができる。

したがって、本来であれば規模の経済の恩恵を消費者に還元して値下げすべき時期にも、各国のガリバーが音頭をとって情け容赦のない値上げということになる。1970年代以降、日本車が着実にアメリカで売上を伸ばし、ヨーロッパ各国が軒並み日本車に対する厳重な輸入制限で国内市場を守るしかなくなる下地は、この大好況時代に作られていたわけだ。

ところが、日本の東京や大阪のような大都市圏は、教条的な近代経済学者が言うとおりの「もし自動車の値段が高すぎたら、自動車を買わずに公共交通機関で通勤する」という選択肢が実際に使える社会構造を守り抜いてきた。日本では、国産車は「性能が良くて価格もリーズナブルなら買ってやるが、そうでなければ別に買わなくてもいい」商品だった。

それに対して、外車は世間に対して「おれは、こんなにコスト・パフォーマンスの悪いものでも持っていられる余裕があるんだ。どうだ、参ったか」と見せびらかす対象なのだから、値段の割に性能が悪いのはむしろ歓迎すべき商品だった。

今でも、この基本構造は変わっていない。だからこそ、あれやこれやの問題が指摘されても、日本車はつねに自動車産業の技術革新の最先端を切り開きつづけているのだ。そして、日本車圧勝の二番目の要因として指摘した、日本は業務用車両の構成比が高い自動車産業を育ててきたことも、煎じ詰めれば先進諸国の中で日本だけが大都市圏で電車社会を維持してきたことに帰着する。

日本の自動車産業を牽引してきたのは業務用のクルマだった

東京圏、大阪圏では自分が通勤・通学に使うためのクルマは必需品ではなく、ぜいたく品だ。だから、かぎりある道路スペースをいわゆるマイカーが占領してしまうことがない。そうなると、小ロットで高頻度の物流をドア・ツー・ドアで行える貨物運搬用自動車、すなわちトラック、軽トラック、オート三輪といった商用車が使いやすい環境になる。

だから、1956年にいたっても、日本の自動車生産の3分の2以上は商用車で、残りが乗用車という構図だった。次ページのグラフでご確認いただけるとおりだ。

乗用車のほうも、細かく見ると個人が自分の移動のために所有するマイカーより、タクシーやハイヤーなどの客を乗せるクルマ、法人企業の持つ社有車の比率が高かった。大都市圏に住むふつうの勤労者にとって、自動車の効用は雨風の強い日や、どうしても急ぐときタクシーを駅と勤務先のあいだだけ使うとか、呑みすぎて千鳥足のときに駅と家のあいだで使うとか、その程度で十分享受できるものだったからだ。

つまり、バスやトラックの商用車はもちろんのこと、乗用車でさえもマイカーとしてではなく、仕事で毎日長時間延々と運転するプロのおめがねにかなったクルマでなければ、競争のきびしい日本の自動車産業では生き残れない環境だったわけだ。

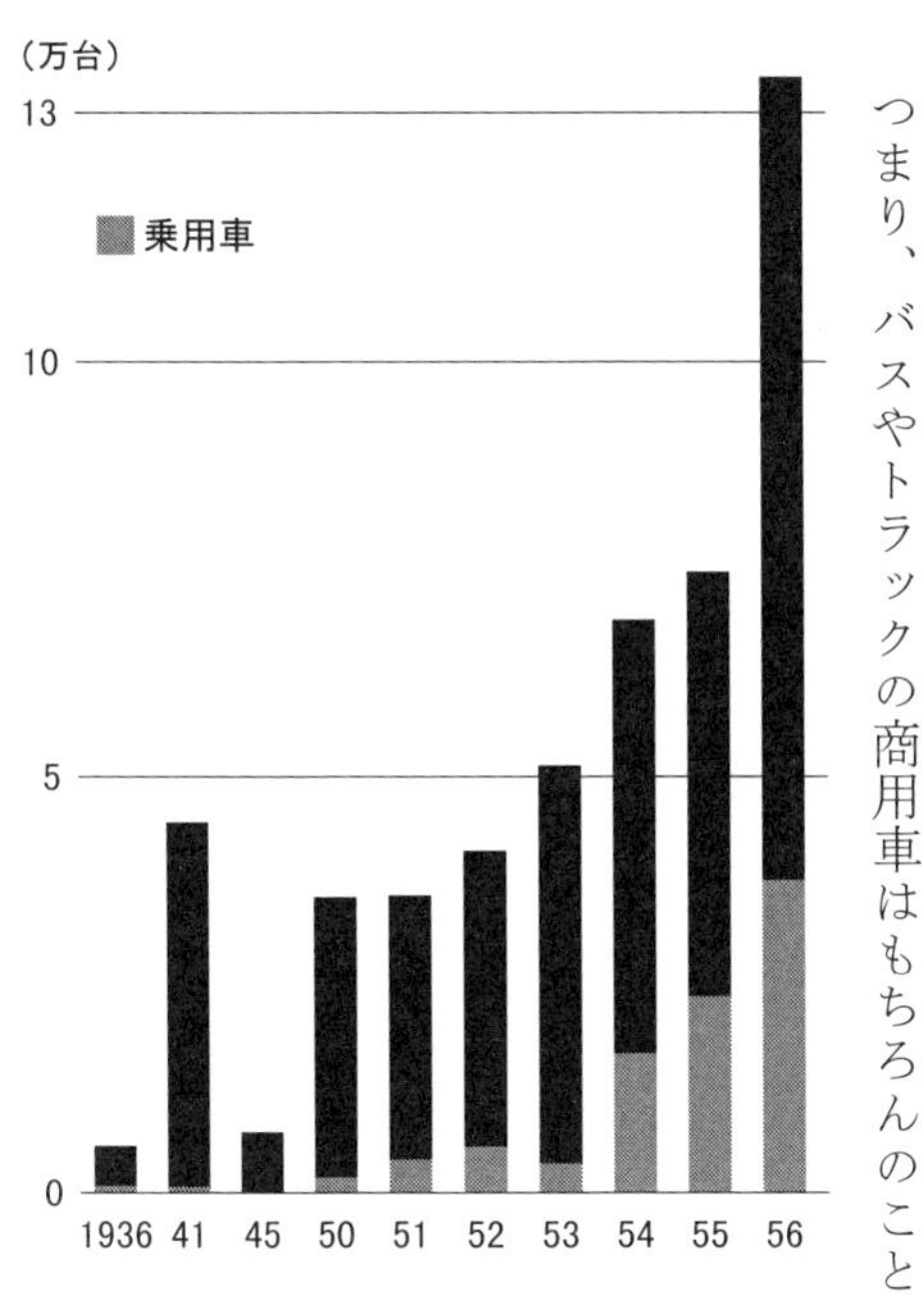

日本の自動車の生産台数の推移（1936〜56年）

１９６０年代に日本車の海外輸出が始まったころの文献を見ると「ちょっとした上り坂でも発進ができない」とか、性能の悪さがさんざん酷評されている。だが、堅牢性や耐久性の高さについては、ほとんど例外なく折り紙つきで誉められている。プロが長時間仕事で使うものなら、耐久性が最重要項目になるのは当たり前のことだ。

もうひとつ見落とせないのが、オーナー・ドライバーは「自分が自分でいられる空間」とか「自己表現の手段」としてクルマを持ち、運転することが多いという事実だ。そして、彼らがデザインとともにこだわるのが、自分の「愛車」はどのぐらい無理を聞いてくれるかということだ。そういう意味では、クルマを持つ人がマイカーに求めるものとして、愛着の持てるデザインと同時に、パトカーや救急車や消防車並みの急発進や急加速や急カーブを曲がりきれるかというような性能が重要になってくる。

経営書出版最大手の一角を占めるダイヤモンド社の創業社長の御曹司で、自身もダイヤモンド社の社長を務めた石山四郎という人がいた。ごく初期の自動車エンスーシアスト（熱心なファン）のひとりで、業務用以外の理由で運転免許を取る人がめったにいなかった時代に大学生のうちに免許を取って母校の自動車クラブの創設にかかわったあたりは、たんなる金持ちのドラ息子と思う向きもいるかもしれない。

だが、この二代目にはまったくひ弱なところはなく、実力で経営評論家としても活躍した人だった。その石山四郎が、まだアメリカ旅行は非常に貴重な体験だった1955年にアメリカ旅行記として『横眼で見たアメリカ』（ダイヤモンド社）というタイトルの本を出している。日本人はほぼ全員ひもじい思いをしていたころに、アメリカの飯がいかにまずいかとか、クルマ社会化で近隣商店街がどれほどさびしくなってしまったかとか、鋭い指摘の多い本だ。
その中に、救急車を例にとって日米の自動車の性能比較をしたくだりがある。

救急車もすばらしい。たいてい最新型のキャデラックだ。これが低いサイレンの音と共に、疾風のごとく飛んで来る。
サイレンだけはむやみと勇ましいが、急カーブを切ったら最後、ヒックリ返って、もう一台、救急車を呼ばなきゃならないような、日本の老朽救急車や、トラック改造救急車とは、わけがちがう。
（同書、21頁）

ようするに、日米の自動車性能の差がいちばん大きく出るのは、急発進、急加速、急ブレーキといった無理をどれだけ安全にこなせるかというところだった。緊急用車両の運転者や、自己表現の手段としてクルマを持つマイカー族には、たしかに重要なことだったのだろう。だが、自動車産業勃興期に日本の乗用車を育てたのは、仕事で運転するプロだった。仕事で無理ばかりやっていては体がもたない。

だから、日本で運転のプロたちに育てられた乗用車には、個性的で愛着を感じさせる「名車」が少ないという印象がある。マツダが作った最高傑作と評する人も多い初代のユーノス・ロードスターの商品化をリードした立花啓毅にいたっては、『なぜ、日本車は愛されないのか』（ネコ・

パブリッシング、２００３年）という本を一冊書いてしまうほど、「デザインが没個性だ」とか「性能に取り立てて特筆できるところがない」とかの否定的な評価が多い。

クルマとしてやるべきことをふつうにやらせているかぎりきっちり及第点は取るし、非常に長期間にわたって信頼できる耐久性を発揮する。でも、「丈夫で長持ち」がほぼ唯一の取り柄という面白みのない自動車ばかりだというわけだ。日本の消費者がクルマに対して持っている信じられないほどの要求水準の高さを考えれば、基本性能で全分野にわたって及第点を取って、その上「個性を発揮しろ」とか、「たまには意外な一面を見せろ」と言われても、これはもう、ないものねだりの無理難題としか言えないだろう。

そういう意味で、つねに外車に甘く、国産車に辛い日本の消費者たちの要求水準が自動車設計者たちに遊びの余裕を与えないほど過酷なものだったことこそ、日本車がビッグ・スリーに対して圧勝するための第三の要因だったわけだ。このきびしい眼にさらされて育ってきた日本車は、過酷な条件でひんぱんに長時間運転する必要があるといったむずかしいユーザーに受け入れられて、世界中でマーケット・シェアを拡大してきたのだ。

もうひとつの優位は、新生日本の平和で豊かな国を作る熱意にあった

産業構造と消費者の選別眼という面から見れば、日本車勝利の要因は以上で述べてきたことに尽きる。だが、日本車の強みを考えるとき、もうひとつ忘れられないのが、製造工程での絶え間

ない改良改善だ。これは、第二次世界大戦直後のすさんだ世相の中で、日本の勤労者たちと気むずかしい経営学者とのあいだに生まれた純愛物語が出発点となっていた。しかも、純愛物語は悲恋に終わることが多いが、この純愛物語は大輪の花を咲かせ、たわわな実りをもたらした。

故国アメリカでは無視されるというより、古風な精神主義者として煙たがられていた品質管理工学の第一人者、エドワーズ・デミングの開発した品質管理手法が日本の財界と勤労者たちに熱狂的に受け入れられたのには、幾重にもかさなる偶然があった。第二次大戦中の軍需生産管理で有効性を実証したにもかかわらず、デミングの品質管理は戦後の復興景気に沸くアメリカ経済界ではもてあましものだった。

アメリカでは、「品質管理なんて、処遇に困るへんくつな取締役でも本部長に据えて、気の利いたスローガンを考えて、従業員を集めてハッパをかける。その程度のものだ」という認識が主流だった。財界も、経営学界も、デミングにきちんとした職を用意してくれなかった。失意のデミングがかろうじてアカデミックな仕事としてもぐりこんだのが、国勢調査の研究官という役職だった。

ちょうどそのころ、ＧＨＱ総司令官マッカーサー元帥が、当時の吉田茂首相の出した大げさな餓死者数の予測について統計の不備を問い詰めたら、吉田茂に「統計がしっかりしていたら、アメリカ相手に開戦するなんて無謀なマネはしない」と開き直られてしまった。マッカーサーがあわてて本国に「優秀な統計学者を派遣して国勢調査の精度を上げてくれ」と頼みこんだのに応じて送りこまれたのが、国勢調査の研究官として半隠遁生活をしていたデミングだった。

しかも、経団連の初代会長、石川一郎を父に持ち、鹿島建設の会長時代に日商会頭を務めた石川六郎を弟に持つという財界指折りの名家に生まれ、駆け出しの研究者だったころの専攻は化学工学だった石川馨という学者が、次第に生産工程管理、品質管理に関心を移していく過程でデミング理論に惚れこんでいた。この偶然がなかったら、やっぱりデミング流の品質管理手法は日の目を見なかっただろう。

そして何よりも重要な役割を果たしたのが、明日の食べものにも事欠く生活の中で、軍国日本に幻滅して世界中を相手に平和な商売をすることで生きていくことを誓った新生日本の勤労者たちだった。彼らは、手っ取り早く儲かる仕事を探すより、世界中でいちばん品質の良い製品を作ることで日本経済の再生を目指した。

この偶然がなかったとしたら、やっぱり世界中の品質管理は「チアリーダーによる応援活動のような無用の長物」にとどまっていたかもしれない。故郷では受け入れられない孤独な預言者エドワーズ・デミングと、敗戦に打ちひしがれながらも短期的に儲かる仕事より、消費者の信頼を裏切らない仕事を心がけた日本の勤労大衆とのあいだに芽生えた、利害を超えた純愛だった。

こうした数々の偶然のたまものとして、デミング流品質管理は日本の産業界の本流に受け入れられた。そして、日本製品にきびしく外国からの輸入品に甘い消費者の監視のもと、戦前は「安かろう、悪かろう」の典型と言われていた日本製品の評価を画期的に向上させた。ちょうどアメリカ財界で、叩き上げの生産現場管理者たちが経営会議の席上で鉛筆と紙だけに頼る経理マンに押しまくられて企業経営が近視眼的になり、雲をつかむような画期的な技術革新より、目先の収益貢献度が計算しやすい既存工程のコスト削減が優先される風潮になっていた時期のことだった。

1950年代には、アメリカのクルマ社会化は引き返すことのできない既成事実として定着していた。ここが、新生日本の現場主義経営が製造業における画期的な品質改善として結実し、日本の経済力が急成長に転ずる一方、アメリカの経済力が衰退に転じた戦後史最大の分岐点だった。すでにこの時エドワーズ・デミングは、今後5年でアメリカは日本に対して保護貿易を発動せざるを得なくなるだろうと見ていた。フォード社と日産を題材に日米自動車産業の攻防と、そして興亡を描いたデイビッド・ハルバースタムの『覇者の驕り』には、こんなくだりがある。

日本人の経営者たちは、ほとんど病的とも言えるほど正しい事を行うことに熱意を燃やした。デミングは、もし日本人が慎重かつ正しく事を運べば、アメリカ人が五年以内に保護政策を要求せざるを得ないまでになりうるだろうと語った。日本人はそういう彼を信じることはできなかったが、デミングは真剣にそう考えていた。彼が考える限り、全ての必要条件はそろっていた。中でもとりわけ彼が重要だと感じていたのは、アメリカ人が基礎から離れていくいっぽうで、日本人は進んで基礎をしっかりやろうとしていることだった。

（同書、上巻、448頁）

この逆転の立役者となった日本的経営に深く根づいている現場主義は、単純素朴な実感以外に「理論的」な根拠はない。だが、長い眼で見れば、現場主義経営は中長期的に高い成長と永続企業としての安定性をもたらす。短期的には合理性の高い経理マン主導のコスト重視の経営は、長い眼で見れば大企業が次々に没落し破綻していく安定性の低い企業社会をもたらす。

そして、日本型の現場主義経営に理論的根拠はないが、アメリカ型の現場軽視・財務諸表重視の経営には確固たる社会学的根拠がある。それは、ライン・ワーカー（現場労働者）とスタッフ・エンプロイー（経営・研究・事務職員）のあいだには身分や階級の違いがあるという事実だ。デミング流の品質管理がアメリカではなかなか受け入れられなかった最大の理由も、経営トップから一工員にいたるまで、平等に責任と権限をもたなければ品質管理はできないという主張だったからだろう。

アメリカにおけるスタッフとラインの身分の差は、いろいろなところに現れている。いちばんはっきり分かるのが時間管理の問題だ。さきほど紹介した石山四郎は、「ニューヨークで日本の銀行に行く用事ができたら、明るいうちに探すな」というアドバイスをしている。夜が更けてからウォール街の真ん中であたりを見回して、まだ明かりが点いている窓をめざして行けば、必ず日本の銀行のニューヨーク支店に行き当たるというわけだ。

全般的に人手不足だった第二次大戦中はわからないが、1950年代半ばにはアメリカの金融機関でもヨーロッパの金融機関のニューヨーク支店でも、頭脳労働者は絶対に残業をしないというペースが定着していた。最近の金融機関はグローバル化のおかげで、深夜とか早朝から昼までとかの変則的な時間で働く金融マンが増えているが、彼らも、決まった時間内に仕事をこなして、ズルズル残業をしないという点では50年代から変わっていない。

ところが、自動車産業の工員ということになると、話はまったく違ってくる。世界中どこでも自動車工場は16時間操業が標準となっている。そして、アメリカではちょっと繁忙になると簡単に、夜働き始めて朝方上がりというGraveyard Shift（墓場のシフト）を使って、24時間操業をしてきた。

生産台数の急増に人手の確保がついていけなかった時代に、日本の自動車メーカーもこの24時間操業を取り入れようとした。だが、労組の猛反対で撤回せざるを得なかった。『覇者の驕り』は、なぜ日本車がビッグ・スリー製のクルマを追い上げているのか、そしてなぜビッグ・スリーは没落せざるを得ないのかを描いた名著だ。その名著の著者、ハルバースタムでさえ「アメリカと日本で違いがあったらアメリカのほうが進んでいて、日本は遅れている」と決めつける偏見を克服できていない。

彼は、「日本で墓場シフトが定着しなかったのは、狭くて間仕切りもふすまや障子程度の日本の住宅では、家族が起きているときに主人である工員だけが寝ていることができないほどうるさいからだ」と説明するだけで片付けている。アメリカでは工員風情が一家団欒の時間を奪われることに抵抗するのは身の程知らずだが、日本では工員でも一家団欒の時間を奪うような勤務時間には応じないという、階級社会と大衆社会の差がわからなかったのだ。

そして、クルマ社会化と近視眼的な「数字」ばかり重視する経営と、職員と工員のあいだに歴然として存在する身分や階級の違いが組み合わさると、製造業全体が大都市圏から消滅するという深刻な事態を招く。大規模工場が大都市を追われ、郊外へ、地方へ、そして後進国・低開発国へと低い労賃によるコスト削減を求めてさ迷い歩くうちに、最先端の技術とも日常的な工程管理の改良改善とも縁のない、労賃の安さ以外に何ひとつ取り柄のない工場・企業・産業となり、脱工業化が完成してしまう。

アメリカは、住宅産業が万年好況を謳歌した最初の国

アメリカの没落を語る前に、アメリカはどうやって世界経済の覇権を握ったのかについておさらいしておこう。自動車産業の興隆が大きな要因だったことはまちがいない。

アメリカは、世界で初めて住宅産業を耐久消費財産業として確立した国だ。たとえばイギリスやフランスの住宅産業は、産業というより流通仲介業でしかなかった。なぜかと言うと、大昔からあるストックに対して世帯数が増えて付け加える必要がある戸数は微々たるものでしかなく、製造業として実態をなすほどの規模は備えていないからだ。

しかし、アメリカにはどんどん移民が入ってきた。アメリカ国民の総人口が1億人を超えたばかりだった時期に、すでに年間100万人の移民が入って来ていた。移民の流入が多かったこと

によって何が起きたか。アメリカは、貧しさゆえではなく、労働力人口の激増ゆえに住宅ストックが慢性的に足りない世界で初めての国となった。

移民はアメリカ入国直後には知人とか親戚とかの家に間借りをし、2～3年金を貯めると自分でアパートを借り、自分の所帯を営むようになった。それからまた、10年から15年くらいで、自分の家を持つようになる。

その移民が流入しつづけることによって、2～3年のタイムラグで貸家需要も当然喚起される。さらに、10年から15年というちょっと長いタイムラグをおいて、持家需要も喚起される。この安定した需要増加によってアメリカは、世界で初めて住宅産業を産業として確立しただけではなく、耐久消費財産業として確立したわけだ。

耐久消費財産業はだいたいにおいて、大きな新製品ができるとそのときブームが起きて、それからしばらく衰退していて、そのかつての新製品の買い替えの時期になったり、あるいはまた画期的な新製品ができたりすると急回復するというサイクルを描くのがふつうだった。ところが、アメリカの住宅産業という耐久消費財産業はほとんどサイクルなしにどんどん伸び続ける、珍しいかたちの耐久消費財産業になった。この住宅産業の不況知らずの万年成長産業ぶりが、アメリカの国内経済全体の成長を非常に大きく促進したわけだ。

しかし、1920年代後半に、この万年成長産業としての住宅産業を深刻な危機が襲った。深刻な危機が到来したいちばん大きな理由は、移民が突然激減したことだった。1900年代の初め、１９０３～05年あたりは、年間１００万人の人が移民として入って来た。ところが、１９２１年、24年、26年の３回にわたる移民制限法の厳格化で、ピーク時には１００万人だった移民入国数が、最悪期には年間３０００人くらいに落ちこんでしまう。第一次世界大戦の結果に関する幻滅も大きかったが、自動車の普及とともに増殖した各地の人種差別的な秘密結社が、人種や宗教にもとづく移民排斥運動をしたことも影響していた。

この移民激減は、まず貸家需要を突然低迷させる。だからもう、１９２６年の移民制限法が三度目に強化されたとほとんど同時に、貸家需要が激減する。運の悪いことに、その時期がちょうど、10年から15年前に入ってきていた移民たちによる持家需要も激減する時期に当たっていた。なぜかと言うと、１９１４年から19年まで、第一次世界大戦が起きていたからだ。

アメリカは開戦と同時に参戦したわけではなかったが、当然のことながら第一次世界大戦のあいだは交戦国だったドイツ、イギリス、フランスといった国々から大西洋航路で移民を受け入れるための貨客船を自由に行き来させることが、非常にむずかしくなっていた。つまり、１９１４～19年は戦争の影響で移民が激減をしていた時期に当たる。１９２０年代後半は、アメリカでいろいろなブームが起きて、ものすごく華やかな時代だった。だが、その裏では、景気は過熱から後退への兆しを見せていた。

たとえば、フロリダで別荘ブームが起きて、昔はたんなる田舎町だったところにおそろしく豪華な家を建てて、それがとんでもない高値で売れたというような派手なニュースがあった。その反面、1926年を頂点に住宅着工が戸数ベースで見ても、着工金額ベースで見ても激減していた。なぜかというと、移民制限法で貸家需要が直接抑制されたのと同時に、第一次世界大戦の時期に激減していた移民がちょうど家を持つころになっていたが、この時期に移民してきた人たちの数が少なく、持家需要も激減してしまったからだった。

そこでアメリカは、初めて今までどおりに住宅に依存して、内需依存型の経済成長を維持することができなくなった。こうした環境を背景に、耐久消費財だがふつうの耐久消費財のようにいいとき悪いときの波が大きくはない、持続的に成長しつづける住宅に変わる耐久消費財がなければいけないという国家的な要請が出てきた。

二代目万年好況業種が自動車だった

ちょうどそのころ、アメリカの自動車産業でフォード社のT型フォードが極端に売れなくなった。その代りに、GMという、あっちこっちで潰れた自動車会社を買い集め図体が小さいわりにはかきあつめの車種だけはいろいろ取りそろえているという会社で経営陣の刷新があった。その結果、経理もずさんだし、ひとつひとつの車種もきちっと作れないので万年二番手業者だったGMが、不思議なことに突然フォードを抜いてしまうという番狂わせが起きた。

T型フォードは、のちにヒトラーが国策として作らせたフォルクスワーゲンと同じような、国民車を目指していた。これ一台あれば、家族がどこにでも行けて、耐久性もあって、モデルチェンジをしないので、極端なことを言えば一生一台に乗りつづけることさえできる、そういうクルマを目指していたわけだ。

この目標は、当時のアメリカの内需依存型成長を支える住宅に変わる万年好況産業を創出するという国策には合わなかった。あまり更新需要が起きない。アメリカ経済全体として、耐久と名乗りながらもどんどん買い替えることで持続的に成長を維持できるような耐久消費財が欲しいという困難な局面に、たまたま巡り合わせたのがGMだった。

当時のGMは、新社長アルフレッド・スローンの厳格な計数管理のもとで、創業社長ビリー・デュラントがあっちこっちから車種を寄せ集めたプロダクト・ラインは一杯あるが、どれひとつとしてパッとしたものはないというボロ会社から、ようやく抜け出そうとしていたところだった。

このボロ会社のビリー・デュラントという創業者は馬車製造業を営んだ経験があり、機械のことはあまり分からないが、小さな飾りひとつを変えるだけで目先を変えて売れ筋商品にするといった、成熟産業としての馬車屋で昔からやっていたことはよく知っている人間だった。しかし、GM最大のスポンサーだったデュポン社が、あまりにもあっちこっちから破綻した自動車会社を買い集めてきて財務負担を大きくしすぎるデュラントを追放し、経歴はエンジニア上がりだが、のちに「財務の天才」と言われるようになるアルフレッド・スローンを社長にすえた。それから、GMは破竹の勢いで伸び始めた。

GMは、結局のところ自動車という商品の計画的陳腐化を最初に企業戦略として追求した会社だった。まず、入門ラインとしてシボレーを買わせる。そのうち、客に金ができると、中級車種のポンティアックとかビュイックとかオールズモビルに買い替えさせる。最終的には、高級車であるキャデラックまで行かせるという販売戦略だ。

アメリカン・ドリームを体現した人間の個人生活を、自動車のランクが大衆車から中級車、高級車に上がることで表現するという、言ってみれば生活哲学みたいなものを最初に普及させることで、T型フォードたった一車種ですさまじい勢いで伸びつづけていたフォードを追い抜いたわけだ。

追い抜きのきっかけとなったのは、フォード社がT型の突然の売れ行き不振に驚いて、後継車種も決めずに1927年にT型の生産を停止したことだった。つまり、敵失に乗じた首位交代だった。だが、1931年以降は、GM自身のブランド戦略で首位固めに成功し、その後はビッグ・スリー全体が凋落し始める80年代にいたるまでずっと不動の首位メーカーとして君臨するようになった。

自動車産業がこれだけ大きくなったことについては、アメリカ経済が内需依存型成長を維持するためには、どうしても計画的陳腐化をやって、消費者に大衆車から中級車、高級車と、どんどん機能的にはあまり意味のない買い替えをさせる必要があったからこそという要因が大きかった。この計画的陳腐化は、当然のことながら、それでなくとも低かった自動車という交通手段のエネルギー効率をさらに低めた。まだまだ使えるクルマを下取りに出させて、新しいクルマを買わせるというようなことを常時やっていたのだから、当然だ。

豊富な油田の存在がアメリカをエネルギー効率ナンバーワン国家にした

ただ、その反面、アメリカはやはり自動車を普及させたことによって、国民経済全体のエネルギー効率という点では、世界中の先進国の中で圧倒的有利な立場を確立した。次ページに1926年までのアメリカの原油生産シェアがどんなに圧倒的に大きかったかのグラフを示すが、30年代初めにもこの構図に大きな変化はなかった。

ちょうど1929年の大恐慌が起きた翌年、30年の『ウォールストリートジャーナル』に、アメリカという国がいかに世界の中で大きな経済的役割を果たしているかについての特集記事が出ていた。その記事には、アメリカには世界中の人口の7パーセントしかいないが、世界中の原油生産量の70パーセントを生産して、69パーセントを消費しているということが誇らしげに書いてあった。

1860年から1926年までという石油産業創成期を通じて、世界の原油生産量に占めるアメリカの生産量のシェアは圧倒的に大きかった。その点は、アメリカの原油生産量と対世界シェアのグラフでご確認いただきたい。

つまり、そのころは、原油の探査技術も未発達だったし、世界中見渡してもアメリカ国内のペ

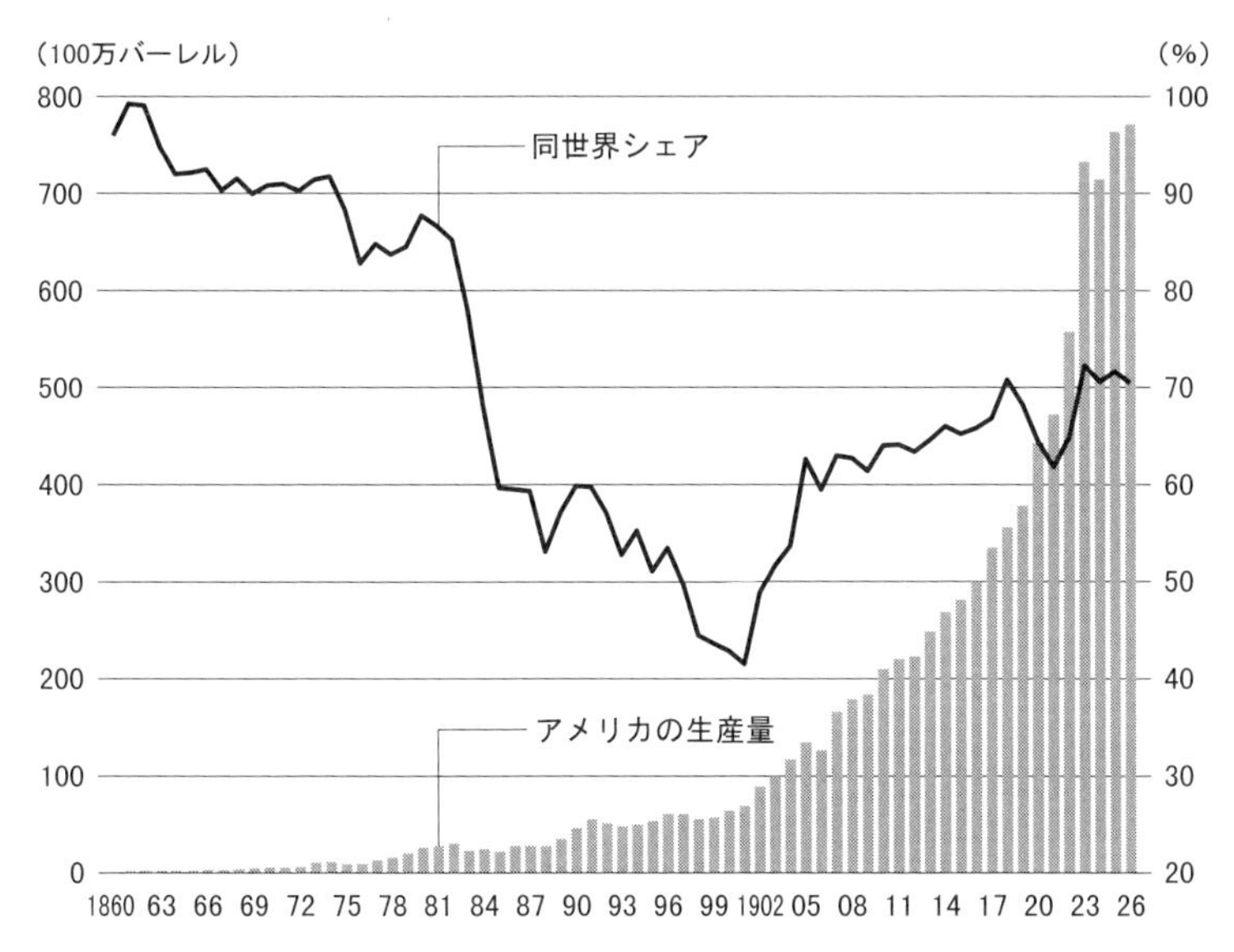

アメリカの原油生産量と対世界シェア（1860〜1926年）

ンシルベニアやテキサスのだだっ広い草原で、とにかく闇雲に穴を掘っていれば、そのうち当たるという程度で出てきたものしか、需要のあるところで出てくる油田がなかったわけだ。だからこそ、アメリカが世界の7割を生産して、そのほとんど全部を使っていたのだ。

この原油生産・消費量におけるアメリカの圧倒的な優位は何を意味するか。ガソリンエンジンが世界で初めて近代的な大エネルギー源を個人として持ち運んで、どこででも使えるようにした画期的な技術革新の成果を、アメリカ一国がほぼ独占していたということだ。

蒸気機関は、たしかに素晴らしい効率のエネルギー源利用法だった。だが、石炭をくべる焚き口とその上の水を沸騰させるための罐（ボイラー）をきちっと作って、焚き口に石炭をくべる人とエンジン技師の少なくとも二人がいないと使えない技術だという制約があった。そのため、基本的には業務用のエネルギー利用にとどまっていた。ガソリンエンジンは、クルマの中に入れてどこにでも持ち運びできたし、ガソリンタンクもべらぼうに大きなものは必要とせず、あらゆる科学技術の成果を個人として利用したいとするアメリカ人の志向にぴったり合ったエネルギー利用法だった。

あれがもし石炭だったとすると、いちいちくべるだけでも大変な作業が必要なのに、ガソリンを補給するポンプひとつあればやっていけることになった。石炭を使う蒸気エンジンに比べて、ガソリンを使うガソリンエンジンが圧倒的に優位を占めた最大の理由は、いかに近代科学技術の粋を個人で利用できるようにしたかというところにあった。

結局は、アメリカが享受した圧倒的な資源優位が没落のきっかけだった

簡単に言えば、それまでは近代的な科学技術を追求することは、ほとんど自動的に組織の大型化を意味していた。大きな組織の中で、どうやってみんながあっちを向いたりこっちを向いたりしている個人個人を調整していくかが大変だった。ところが、アメリカでガソリンエンジンの実用化が非常に進んで、たったひとりの人間が自分自身の意思どおりにクルマをどこへでも動かすことができるようになった。それによって、膨大な力を発揮するエネルギー源を、巨大組織ではなく個人が、どこにでも持って行ってそこで使えるという、非常に大きなエネルギー効率上のブレイクスルーをやってのけたわけだ。

しかも、そのブレイクスルーの実用的な成果は、世界中で使われているうちの7割を自分たちアメリカ人が一人占めして使っている。おまけに、そのころの石油は本当に闇雲に穴を掘って、たまたま当たったから噴き出してきたというようなものだったので、おそろしく安上がりに使えるエネルギー源でもあった。アメリカは結局、このガソリン内燃機関を個人が自由に持ち運んで使えるかたちで実用化することによって、世界最高のエネルギー効率の国になり、世界経済覇権も転がりこんできたわけだ。

だが、それは本当にアメリカ経済の強大化に貢献したのだろうか。大いに疑問のあるところだ。読者の皆さんは、最盛期の大英帝国と最盛期のアメリカでは、どちらが工業製品の世界シェアが大きかったかご存じだろうか。たいていの人は、アメリカのほうが大きかったとお思いだし、アメリカの工業生産高シェアのピークは第二次世界大戦後だとお思いではないだろうか。

どちらもまちがっている。２６９ページのグラフをご覧いただきたい。

大英帝国の工業生産高シェアがピークを打ったのは１８２０年以前で、シェアは少なくとも50パーセントだった。「以前」とか、「少なくとも」とか歯切れの悪い表現が多くて恐縮だが、信頼できる世界の工業生産高統計が入手できるのは１８２０年以降分だけで、その時点で大英帝国のシェアは50パーセントだった。だから、それ以前にもっと高かった可能性はあるわけだ。

一方、アメリカの工業生産高シェアがピークを打ったのは、意外にも１９２０年の47パーセントで、狂乱の20年代にはアメリカのシェアが徐々に低下していた。また、ヨーロッパも日本も工業生産の基盤が大きく損壊していた１９４８年でさえ、20年の水準を抜けずに45パーセントにとどまっている。なぜだろうか。

もともとガリバー型寡占となった企業は、利益が出るかぎり最大限の生産高を達成しようとしない傾向がある。少ない生産量で価格を高く保ったほうが、利益総額が多くなるからだ。２位以下とは経営規模が違い過ぎるので、同業他社が安値を武器に自社のシェアを取りに来る心配もほとんどない。

だが、似たような規模で数社、数十社が競合している自由競争状態の産業では、そんなことをしたら、他社にシェアを奪われてしまう。イギリスが最大の製造業大国だったころの主要産業は綿織物や製鉄業で、比較的自由競争市場に近い構造をしていた。だから、競合各社がいっせいに量産競争をしたので、世界全体の製造業に占めるイギリスのシェアも大きかった。

ところが、アメリカが製造業の覇権国になりつつあった19世紀末から20世紀初頭の花形業種は製鋼、石油精製、自動車製造で、どれもガリバー型寡占になりやすい産業構造だった。そして、実際にガリバーにのし上がった、ＵＳスチールも、スタンダード石油も、ＧＭも目いっぱいの大量生産をするより、最大の利益総額を得られる生産量に限定する傾向を示した。

中でも当時最大の成長分野だった自動車産業のガリバー、ＧＭが最大の生産台数より、最大利益の取れる生産台数を目指した。その結果、アメリカ製造業全体の世界シェアは意外に低いとこ

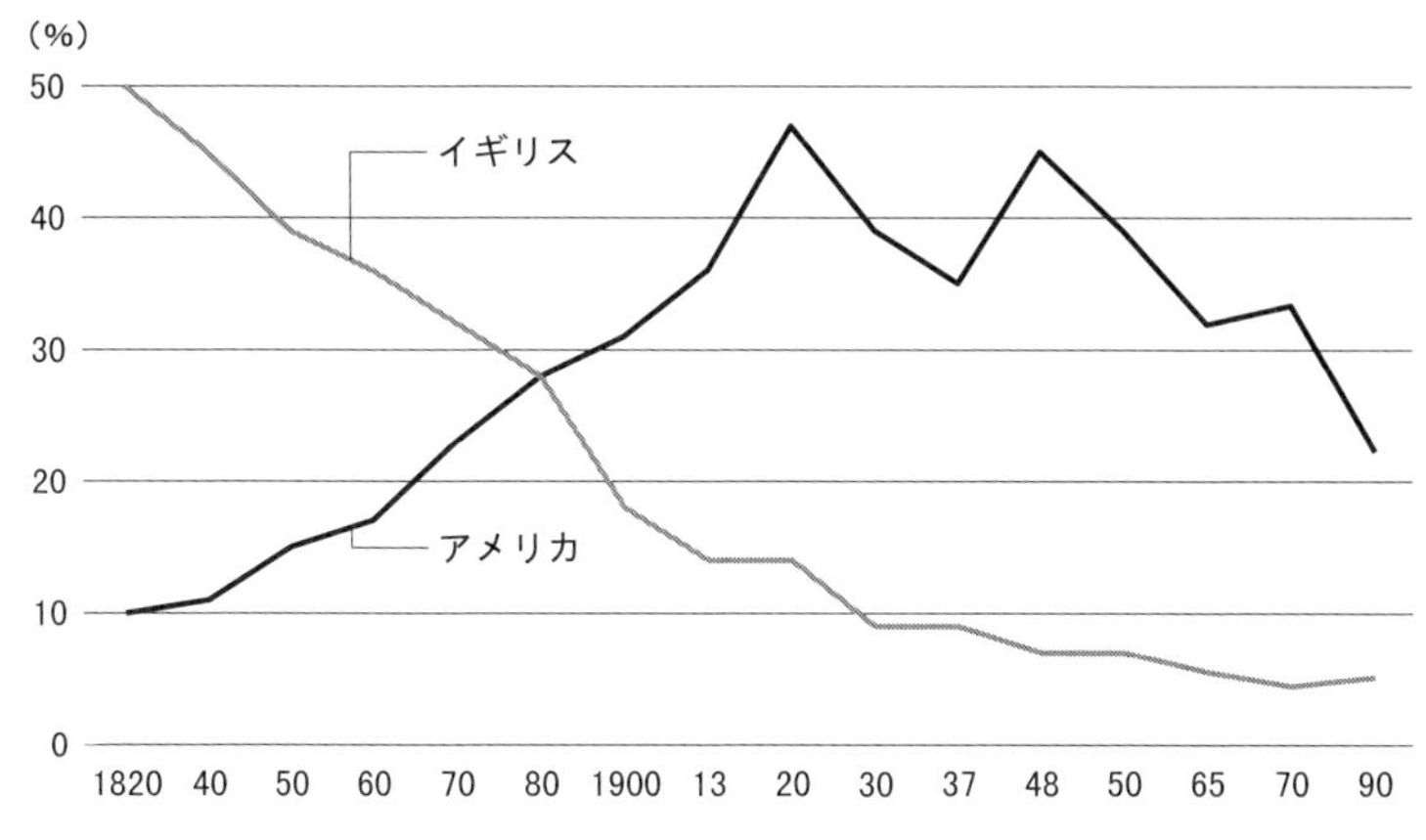

世界の工業生産に占めるイギリスとアメリカのシェア（1820〜1990年）

ろでピークアウトしてしまったのではないだろうか。

大都市から逃げ出した製造業は弱くなる

少し広い歴史的な視野に立ってみよう。近代市場経済が確立されてから、世界経済の覇権を握った国は、オランダ、イギリス、アメリカの3カ国しかない。そして、覇権を取るときのかたちはさまざまに違っていたが、覇権を失うときのかたちはほとんど全部同じだった。どんなパターンかというと、製造業が都市圏から郊外へ、地方へ、そして海外へと逃避していく中で競争力を失って、国民経済全体も弱くなっていったのだ。

まずオランダでは、1637年のチューリップバブルで散々苦労しながら覇権を握った。そして、1720年にイギリスで南海の泡沫事件が起きたときに、オランダからイギリスに覇権が移る。覇権が移る前段階として、まだ覇権がオランダにあったうちから、製造業がどんどん都市から農村とか郊外とかに逃げていくという過程があった。そして、オランダの富裕層はバブル崩壊のおかげで安く買えるようになったイギリス企業の経営権や、イギリス国債を買って、自国内での生産活動をおろそかにするようになった。

その次は、1929年のアメリカの大恐慌から30年代の大不況のときに、イギリスからアメリカに覇権が移る。このときも、イギリスの場合には都市から郊外へではないが、本国から植民地へと製造業が移って行った。今、アメリカでは製造業の海外移転による空洞化が進んでいる。

オランダは、家内工業だった毛織物工業を世界に先駆けて工場制手工業に転換した。自動機械と呼べるほどのものはほとんど使わずに、手動の機織機で織っていたが、その機織工を工場に集めることによって分業そのほかの効率改善が進み、世界覇権を握ったわけだ。

だが、その毛織物の工場が、1600年代の後半ぐらいから次第に都市から農村部に行ってしまう。なぜ移るかというと、これはもう非常に簡単なコスト比較の話だ。都会で工場労働者を雇うと賃金が高いが、農村部に行くと賃金が安いから同じことをやって同じ値段の織物を売っても儲かるというわけだ。

それがなぜ最終的にオランダが覇権を失うことにつながったかというと、短期的な効率本位の経営では、賃金が安いところで同じものが作れればそのほうが安上がりだから利益率が増えていいという結論になる。しかし、都市にいたときのオランダの毛織物工業では、毛織物工場の工場主が形成していたギルドの中で、たとえば新しい技術を教え合うというようなことがあって、技術革新が途絶えなかった。だから同じ手工業でも、初めのうちはへただった技術が、だんだん向上していくといった競争力の強化があった。

都市から農村部に工場が移ると、ふたつ問題が出てきた。ひとつは、だいたいにおいて移転をする工場主は、ギルドに加盟してない人たちが多い。加盟していても、ギルドの仲間とあまり頻繁につき合わないタイプだ。そうすると、技術革新が行われなくなるし、技術革新があったときに、それが伝播しなくなってしまう。それによって、オランダでは毛織物工業の技術進歩が途絶え、同時にフランスやイギリスで同じような毛織物がもう少し大きな規模で生産できるようになった。そして、その後、イギリスで綿工業が機械化されて蒸気機関によってものすごい量を一度に生産できるようになると、全然太刀打ちできないようになって消えてしまった。こうして、オランダの経済覇権はイギリスに移った。

イギリスでも最初のうちは、産業革命とともに大都市に育ったマンチェスターやバーミンガムで工場を経営していた人たちが、だんだん同じイギリスの国内でも田舎に工場を移すようになり、そのうち田舎でも労賃が高いので植民地で経営するようになった。大都市で情報が集中しているところから、あまり最新情報に触れることができないようなところに工場を移していくと、技術革新が途絶えて競争力がなくなって没落していく。

アメリカもまったく同じことで、アメリカ国内で徐々に大都市圏から郊外に、郊外から農村部に、そのうち国内での工場移転ではあまり労賃が節約できないので、海外のものすごく労賃の安いところに行くということになっていった。経営者にとって、短期的には労賃が安くなった分だけ利益率が高くなるので、会社としての利益は上がるし、自分の報酬は高くなるしで、万々歳だ。しかし、いつの間にか技術革新ができなくなっている。

アメリカの場合には、工場が都市から郊外へ、あるいは郊外から農村部へと移ってしまう理由は、労賃の安さ以外にもあった。貨物自動車が道路を自由に使えないので、都市圏では工場に原材料を搬入したり、あるいは工場で作ったものをトラックで出荷することが、最適な時間帯でできなくなったことが大きい。これも、はっきり統計的に分かっていることだ。

日本ではだいたい、路上を走っているクルマの7割が乗用車で、3割が貨物運送を中心とする商用車だ。ところが、ヨーロッパで路上を走っているクルマは9割が乗用車で、わずか1割が商用車だ。アメリカにいたっては、乗用車が95パーセントで、商用車はたった5パーセントというほど、商用車の比率が低い。

ようするに、通勤通学や暇つぶしにマイカーを使う人がそれだけ多い一方で、道路のスペースには限りがあるので、マイカーを使う人が増えればその分だけ貨物車がしわ寄せを食って使えなくなるというわけだ。工場は工場で、それぞれ原材料の納入スケジュールとか、製品の出荷スケジュールとかがあって、やはりちょうど通勤通学でラッシュになるようなときに、納入とか出荷とかをすると都合がいいケースが多い。

だが、そのときの路上のスペースは限定されていて、通勤通学のマイカーが多ければ、たとえ通れたとしても非常に時間がかかってしまう。生産工程にとってまったくあてにならないようなときにしか、配送ができないという不便が出てくる。

結局のところ、アメリカの製造業がこれだけ弱体化した最大の理由は、大都市圏で工場を維持できなくなったことだろう。技術革新も途絶えてしまうし、自分たちの作った製品に対して消費者がどういう反応をするかというフィードバックも、田舎に行けば行くほどできなくなる。たとえ技術開発陣は都会に留まっていたとしても、そこと現場との連絡もだんだん疎遠になっていく。

アメリカの技術開発力の衰退は異常だ

過去20〜30年間の日常生活でしみじみ感じたことがある。最後に「やっぱりアメリカの製造業はすごいな、日本とは全然違う」と感心したのは、スリーエムの作っているスコッチ・メンディングテープだったという、さびしい事実だ。日本のセロテープなどの類似品は、見た目は透明だが、貼るとテラテラ光ってしまい全然透明になっていない。それに比べるとスコッチ・メンディングテープは、使う前の見た目は乳白色で透明度が低いが、貼ると本当に透明になってコピーをしても全然邪魔にならない。

だが、スコッチ・メンディングテープが日本で自由に輸入できるようになったのは、今から40〜50年も前のことだろう。それ以来、アメリカの製造業が作ったものだから日本のものより画期的にいいと思ったためしがない。これはとんでもない話ではないだろうか。その間、日本でもアメリカでも一応技術革新競争は、製造業のそれぞれの分野でやっていたはずなのに。結果として、アメリカの製造業で本当にいいものを作っているなと感心したことは、それ以来全然なくなってしまった。

「パソコンや携帯は圧倒的にアメリカのほうが強いじゃないか」と反論される方が多いかもしれない。だが、ほとんど海外の部品メーカーに委託して生産させたものを、最後の組み立て段階だけアメリカでやるとか、そこもまた海外でやっているものが多い。アメリカが強いのは製品自体ではなく、運用ソフト、アプリだけと言ってもいい。

なぜすばらしいアメリカ製品に出会わなくなってしまったかと言うと、やはりアメリカでも都市から郊外へ、郊外から農村部へ、そして海外へとどんどん安い労賃を求めて企業が移転していくから技術開発が弱くなるという明白な因果関係がある。

GMの命運も尽きたかというころになって、ウィリアム・J・ホルスタイン著『GMの言い分——何が巨大組織を追いつめたのか』（PHP研究所、2009年）という本が出版された。「GMも最近なかなか頑張ってるよ」という応援歌のような内容の本だ。読んでいていちばん唖然としたのは、アメリカ大企業の技術革新力の凋落ぶりだ。

GMが開発したクルマに搭載するGPS機能付きマルチメディアツールという触れこみのオンスターという商品が、本格的にコマーシャルベースでちゃんとペイするようになったと書いてあった。日本の大企業なら、とりたてて宣伝するほどのことでもなさそうだが、アメリカではGMのような大企業が専門外の分野で自社開発商品の商業化に成功したというのは、特筆大書する価値のある大ニュースだというのだ。

「……中核事業以外の分野で商品を開発し成功した大手企業の例は片手で数えられる、ということだ」と（オンスター開発の立役者）フーバーは言う。

（同書、２５４頁）

これが、今や一般勤労者の平均年収の３００倍から５００倍という高給をふんだくってきたアメリカ大手企業の経営陣がやってきたこと、いや、やれないできたことなのだ。

日本の大企業を考えると、ありとあらゆる業界でひんぱんに主力商品が入れ替わっている。合繊の会社を例に取ると、合繊だけにしがみついていたらとっくの昔に潰れていただろうけれども、炭素繊維を作ったり、半導体で重要な部品を作ったりして、そういった新規分野で世界シェアがトップだとか、2位だとかという会社がぞろぞろ出てくる。

よくアメリカで、「きちっとした給料をやらないと優秀な人材が集まらないから、アメリカの大企業の経営トップの報酬が、給料とかオプションとか込みで高くなるのは仕方がない」とか「当然だ」とか言っている連中がいるが、あれは大ウソなのだ。日本の会社は、せいぜい平均的な勤労者の20倍から50倍程度の報酬で、経営者はどんどん時代の変遷に応じて、新しい製品を開拓する。本人がやるわけではなく、部下にやらせているわけだが、そういう権限委譲をして、きちっと新しい製品を主力製品にして、会社が生き延びる努力をずっと続けてきている。

アメリカの企業トップは、平均的な勤労者の300倍とか500倍という高給を取っていながら、「時代が変わったら潰れるのは自分のせいではない。時代が変わったのが悪い」と、平然と言ってのける。アメリカという国がいかに腐敗堕落しているかをよく表している。アメリカでも、1980年代の半ばぐらいまでは企業トップの報酬も、平均的な勤労者の30倍か40倍だった。それが過去30〜40年の間に、なんと300〜500倍に上がってしまったのだ。

ほとんどの業種で、アメリカの大企業が高い成長を持続したとか、画期的な業態転換に成功したとかいうケースは、皆無に近い。画期的な成長を達成したのは、たいていグーグルとか、フェイスブックとか、もうちょっと前のマイクロソフトとか、インテルとか、その当時としてはベンチャー企業だったところだけだ。大企業が画期的な発展をしたなどということは、IBMが落ち目になって以来、まったくない。

にもかかわらず、アメリカ大企業のトップは、平然として一般勤労者の300倍〜500倍の報酬をむさぼっている。なぜこれほど無能な連中がこんな高い給料を取るのかということを考えると、やはり世の中全体が階級社会で、大きな会社のいちばん偉い人は、それなりの給料を取らなければいけないものだという、社会通念があるということ以外にはなんの理由もない。

それどころか、同業者の吸収合併とか、未上場の有望そうな企業の買収とかで、自社の経営を危険にさらすマネーゲームにも手を出している。どうも現代アメリカの経営者たちが受け継いでいるのは、視野は狭いが確実に利益を上げるGM二代目社長アル・スローンの遺伝子ではなさそうだ。それより、見境もなく落ち目の同業他社を買いあさって経営を火の車にしてしまった初代社長ビリー・デュラントの遺伝子だったようだ。

製造業が大都市圏に踏みとどまったのは、先進国では日本だけ

世界中の大都市圏で、相当経済規模が大きくなってサービス業も繁栄しているのに、それでもなお製造業がきちっと留まっているところというと、じつは東京圏と大阪圏だけと言っても過言ではない。名古屋圏はまだサービス業が弱体で、だからこそ製造業が強いというところがある。

そして、日本の三大都市圏以外はもう、世界中どこに行っても大都市圏は、労賃が高い上に、小ロット高頻度輸送が可能なはずのクルマでの工場への資材搬入とか、製品の搬出とかが自由にできない。となると、今でも大都市圏内でしぶとく生き延びている日本の製造業の未来には洋々たるものがあるだろう。

おそらく製造業のありとあらゆる部門で、都市から田舎へ、田舎から外国へと生産拠点を移したところが脱落して行き、大都市圏で技術革新を続けながら生き延びる日本の製造業が先進諸国の中では一人勝ちとなるだろう。日本に対抗できるのは、発展途上国とか新興国の中で、大都市圏でまだ操業できている工場だけという感じに、徐々に絞りこまれて行くだろう。

ドイツでさえ、例外ではない。たとえばデュッセルドルフやフランクフルトでも、町中に製造業はない。町の郊外に細々とまだ生き延びている程度だ。東京の大田区や大阪の西淀川区のよう

な場所は、ドイツの大都市にもなくなってしまった。

日本としては、それを産業政策で維持していかなければいけないということは、あまり考えなくてもいい。自然体でやっていけば、自然に残っていくだろう。つい最近まで「日本も製造業の空洞化が始まった」とか大騒ぎをしていたが、製造業の海外生産比率がそれまでずっと5～6パーセントと先進諸国では異常に低かったものが、2000年代初頭に17～18パーセントまで上がり、直近では25～26パーセントとなった程度の変化だったのだ。

しかも、この数字はすでに海外生産をしている製造業の会社だけを抜き出して海外生産比率を算出したものだ。だが、まだまだ日本の製造業の会社は日本にしか拠点がなく、日本でしか生産活動をしていないところも多い。その製造業事業所を全部ひっくるめた統計で出せば、海外生産比率はまだ20パーセントに達していないだろう。

またその中身も、海外に企業機密の最新のコンポーネントを作る工程まで出してしまったら機密漏洩が起きて大損をしたといった経験に学んで、慎重に進めている。今では最先端の技術が工場労働者にわかってしまうような工程はなるべく日本国内に置き、単純な組み立てとか梱包とかのとにかく労賃が安ければ安いほど得だという工程は海外に送るといった対応をするようになっている。

企業の中で国際的な分業制を取り入れて、研究開発に直結したような部分はなるべく日本国内に置く、あまり研究開発の最先端とは関係ないところは海外でやるという棲み分けができつつある。ユニクロなどは非常に良い例だろう。全然問題なく海外で生産すれば安上がりだというものは海外で委託生産するし、自社開発の技術がからんだ製品は信頼できる日本企業に委託生産させるといった仕切り分けをしている。

大手電機、電子機器メーカーも、最新技術を使った基幹部品はあまり海外では作っていないだろう。海外でやっているのは、組み立て工程のフィニッシュ部分とか梱包、部品にしても機密があるようなものではなく、だれがどこで作っても同じような製品ができるものを海外で作っている。

ノウハウを出す出さないの問題だけではなく、まだ最適工程が固まっていないような製品や部品は、現場で何がベストかを試行錯誤しながら探していく工場運営ができなければ、画期的な新製品は作れないということもある。逆に、作れるようになると今度は盗まれる心配が出てくる。作れないのも問題だし、作れるようになって盗まれるのも問題だというわけだ。だから、自然に重要な先端技術を使った部材は日本で作るように棲み分けが進んでいるのだろう。

しかし、アメリカの製造業各社は、たとえばＧＭなどの例で言うと、エンジンそのものさえ海外企業に外注しているというように、基幹部品でも製造工程をどんどん海外や他企業に移転している。

連邦政府からの巨額の資金補填で国有企業となったＧＭは、なんとか再生できるだろうか。製造業自体もソフトコンテンツが増えて「サービス業化」していく中で、相変わらずラインとスタッフでは身分が違い、工場労働者たちのあいだには工場労働者特有の身分階層ができているという状態のまま、小手先の機構改革で乗り切ろうとしているところを見ると、非常にむずかしいと言わざるを得ない。

アメリカと日本では、ロボットを導入する理由も大違い

たとえば、アメリカと日本では、ロボットを導入する動機が、ほぼ正反対だ。日本の企業がロボットを導入するのは、どんどん人材が貴重になっていって、単純な手作業を機械に置き換えても全然問題なくできるようなところに人を張り付けておいたら損だからという理由による。単純な工程はロボットにやらせて、人間はもう少し頭を使うところに配置転換する。そういう必要に応えるために、ロボットを導入するわけだ。

アメリカで、とくに自動車産業でなぜロボットが導入されたかというと、アメリカは労働組合が強く、非常に細かく特定の職能に特化した労働者の権利を守っている。そうすると、だんだん技術革新が進むと、その特定の分野ではどうしてもやれないような仕事が出てくる。その特定の分野の人にもっと拡大した機能をになってもらおうなどと考えると、労働組合と交渉しなければならない。まったく知らない分野のことを新しく覚えるのだから、今までの時給の2倍よこせというような、べら棒な要求が出たりする。

こうしたべら棒な要求を避けるために、その特定の分野の労働者はあまり必要がなくなっても、

そのままの給与水準で雇っておく。しかもシニオリティ（年功）があるので、とんでもない高給で雇いつづけている場合も多い。代わりに、その特定の職能分野で後から来た新参者をバサッと切ることになる。そうしておいて、いままでの機能分担の中にはなかったような仕事を新しくやらせるために、ロボットを使うわけだ。

工場労働者の中でも、とくに年功序列で守られた勤続30年、40年という熟練工は、年収2000万円といった高給を取り、ぜいたくな年金パッケージについても、いっさい会社側と妥協しないというかたくなな姿勢を押し通してきた。

これが、よく働いて給料分は稼いでいるというならまったく文句はない。だが、実際には自動化の進んだ作業工程にはまったくついていけず、そうかといって今さら新しい工程を覚えようとするには、目の玉の飛び出るような割り増し労賃の支払いが必要になる。会社が「今の給料は退職まで保証する。頼むから、新しい職能を覚えようなんていうカネのかかることはしないでくれ」と悲鳴を上げるほど戦力になっていなかったのだ。

究極にして最大の皮肉は、息も絶え絶えの自動車産業

『GMの言い分』には、熟練工でトップクラスになると円換算で2000万円くらいの給料は軽く取っていたという記述がある。だから、おじいさんの代から代々、みんなGMの工場に勤めるのが家訓となっている工場労働者の家系がある。ただし、このアメリカの工場労働者にとっては非常に貴重なおいしい仕事も、今や完全に縮小再生産過程に入っている。従業員の総数を減らしていったからこそ、何とか維持してきた高給というわけだ。アメリカ全体では、自動車産業の雇用者数は、最盛期の300万人くらいから、現状では100万人弱となっている。

しかも、シニオリティの高い熟練工で給料も高い連中は残して、つい最近勤め始めた給料も安いし生産性と給料とのバランスで考えれば非常に会社にとってお得な連中はクビを切ってというようなことを、アメリカのビッグ・スリーは延々とやってきた。UAW（United Automobile Workers＝全米自動車労働組合）との協定があるので、どんなに自社に不利になるとわかっていても、シニオリティ・ルール通りの雇用と解雇をやり続けざるを得なかったのだ。

そのあげくの果てに、にっちもさっちもいかなくなったわけだ。ビッグ・スリー関係者以外のアメリカ国民の大半は、今となってはもう「自業自得だ。あんなものは早く潰れてくれてよかった」くらいに思っているだろう。

アメリカの製造業各社は、重要な先端技術を使った部材でも生産工程をどんどん海外に出していた。たとえば末期のGMは、エンジンそのものを外注していた。エンジンを外注する自動車会社とは、本当に何のために自動車会社をやっているのだろうと不思議になるが。エンジンはトヨタだという「GM車」もあった。

GMがトヨタのエンジンを搭載した自社製品を作っている分には、品質的には問題はないだろうと思っていたら、2009年にトヨタ車のブレーキについて大きなリコール騒動が持ち上がってしまった。それだけに、トヨタ車をはじめとする日本車の品質の良さに関する定評をなんとか貶めようとする、かなり政治的な思惑のからんだ動きだとは推理できるが。

だが、もっと得体の知れないような変な会社に外注していたりすると、それだけで欠陥車が出る危険が増えたりする。大量リコール程度ではすまずに、事故の多発につながるかもしれない。こういうことも平然としてやっていたからこそ、GMは当然のことのように潰れたわけだ。

他社製のエンジン搭載について、なんでもあり状態だった末期のGMとおなじくらい深刻な問題かもしれないのは、フォードから中国メーカーに売却されたボルボだ。ボルボ車には、安全性に関する神がかりと言ってもよさそうな神話や伝説がつきまとっていた。そういう神話や伝説まで込みで売却価格が決まったのだろう。

だが、実際にはボルボ車が搭載しているエンジンのかなりの部分は、マツダの供給したエンジンだった。マツダのエンジンになんの問題もないことは、ボルボがマツダからのエンジン供給に頼るようになってからも、事故もクレームもほとんど増えていないことからもわかる。だが、世界中の消費者のうち何人が、マツダのエンジンにもボルボがエンジンも作っていたころと同じ額の神話料、伝説料を払ってもいいと思っているのかは、興味のあるところだ。それ以上に深刻な問題がある。ボルボブランドを買収した中国車メーカーのエンジンを搭載した「ボルボ」車が出回るかもしれないということだ。

当然、アメリカ国内でも、今後も国産車ではなく外国車が溢れることになる。外国車のほうが性能ははるかにいいので、とくに燃費とかを考えれば、GMやフォードから日本車への乗り替えは、ますます進むだろう。オバマ政権による、燃費の悪いクルマを下取りに出して、燃費のいいクルマに買い替えると補助金がもらえるという制度も、実施前の下馬評ではアメリカ車に有利だろうと言われていた。

日本車にはそもそも、燃費の悪いクルマがなかったから、下取りに出すのは大抵アメリカ車だろう。そうすると、アメリカ車が好きな人が買い替えるわけだから、アメリカ車の中で燃費のいいものに乗り替えるだろうといったことを、日本では言っていたわけだ。蓋を開けてみると、圧倒的多数の消費者が、燃費の悪いアメリカ車を、日本車に買い替えていた。

アメリカ人もまったくのバカばかりではないから、当然のことだろう。それだけに、2009年に突然降って湧いたトヨタ車のブレーキ欠陥に関するリコール騒動には陰謀のにおいがある。また「二酸化炭素を排出しないので環境にやさしい電気自動車への全面切り替えを」と主張しているのは、いずれも内燃機関車の製造技術ではとうてい日本車に勝ち目のない中国、ドイツ、アメリカの自動車メーカー各社と、中国・ドイツの政府だ。この事実も、電気自動車ブームが大いに政治的思惑のからんだ話なのだと示唆している。

ということで、自動車産業の母国、アメリカではクルマ社会化が自動車産業を衰退させ、都市型製造業全般を壊滅状態に追いこむという皮肉な結果になっているわけだ。最大のライバル、鉄道を陰謀で蹴落とした自動車産業はその後一貫して消費者が欲しいものより、自分たちにとってしこたま超過利潤の取れるものばかり供給することで、救いようもなく衰退していった。

アメリカの自動車大手は、しばらく前から他の産業分野でやれば当然高利貸しとして指弾されるような所業をどうやって自動車という商品を媒介にしてやってのけるかだけに精力のほとんどを振り向ける社会の寄生虫のような存在になり果てていた。その上、一度破綻した上で改組されたGMの場合、アメリカ政府が最大株主になっていたのは約2年間だけだが、その後救済資金の大半を踏み倒したまま、再度民営化したことになっている。だが、そのやり口たるや、ドイツ経済がオペルの操業停止には耐えられないと見て取ると、オペルを存続するための資金をいかにドイツ政府から引き出すかに腐心する、ガバメント・ムーチャーズ（国家公認のたかり屋）としてのGMになってしまった。

とにかく、アメリカの国産車は、どんどん弱くなっていく。あれだけ大きな国で、しかも自動車で食って来たようなところがある国で、自動車産業がますます弱体化していくのは国民経済全体として非常に困るだろう。だが、あんなに長いこと世間からも批判されつづけ、問題点はずっと昔からわかっていたのだ。それをまったく直す気もなく、平然と幹部社員はべら棒な高給をむさぼってきた。そして、ビッグ・スリーの現在の惨状は決して経営陣だけの責任ではない。

アメリカはもう、完全な末世となっている。ほんとうに崩壊する寸前の秒読み段階に達した感じの社会だ。一般に流通しているドル紙幣のコカイン付着率が90パーセントだとか、人にもっと働いてもらうためにロボットを入れるのではなくて、働かないでもいい、いや働いてもらいたくない人間を高給で雇いつづけるためにロボットを雇うとか。およそ、常識では絶対に理解不能なことが、ざらに起きている社会なのだ。

それにひきかえ、大都市圏の勤労者の足を人質にとっているわけではない日本の自動車産業は、でたらめなものを供給していたのではだれも買ってくれないから、消費者の言うことを聞くまじめな巨大産業に成長した。電気自動車とか、水素燃料車とかの一時の流行に惑わされて、内燃機関自動車の開発で蓄積してきた技術を散逸させることがないように、流行を追わない堅実な経営姿勢を維持してほしい。

大罪その七　統制経済への大衆動員

そして、人はデフレを忌み嫌い、インフレを待望するようになる

クルマ社会化が国民経済に及ぼすさまざまな悪影響の中でも、勤労者の暮らしに関する被害の大きさという点で「統制経済化の促進」は罪が重い。ただ、統制経済化は自動車産業が独力でできることではなく、専制君主のようにふるまう政治指導者の存在も不可欠だった。つまり、自動車産業が本来的に持っているガリバー型寡占傾向と、強力な統率力をふるう政権の合作で、自由競争にもとづく市場経済が価格統制や生産調整の横行する世界に変えられてしまったわけだ。

19世紀のデフレはちっともこわくなかった

じつは、たいした根拠もなく信じこまれている「インフレは罪が軽く、本当に警戒すべきはデフレだ」という通説も、市場経済のふりをしながら実態は国家社会主義的な統制経済という二面性をもった経済社会の形成と密接に関連している。デフレによる期待収益の低下が生産調整を招き、経済規模が収縮し、勤労者の生活水準が低下し、さらなる生産調整を不可避とするという悪循環にいたる過程は、クルマ社会化したアメリカの１９３０年代大不況のときだけ見られた特異な現象だった。

もっと古い時代の話から説き起こしてもいいのだが、そうすると「データが不足している」と

か「データの信憑性が欠ける」とかの水かけ論になる。だから、1930年代大不況の先代に当たる1873年に始まり1895年に終わったと言われている19世紀後半の大不況を例にとって「デフレは必然的に経済規模を収縮させる」という議論がいかにとんでもないウソかを実証していこう。

まず、1873〜95年がまぎれもないデフレの時代だったことから確認しておく。原田泰『日本はなぜ貧しい人が多いのか』（新潮選書、2009年）を見ると、欧米主要国の1873〜96年の消費者物価下落率が要領よく次ページの表にまとめてある。フランスだけは年率マイナス0・1パーセントとこの期間を通じた累計でもたかだか3パーセントのマイナスにとどまった。だが、アメリカは1・6パーセント、イギリスは1・7パーセント、ドイツは0・5パーセント、イタリアは0・7パーセントのマイナスと、20年以上続けばそうとう深刻な物価低下だったことが分かる。

もちろん、物価の下落はあらゆる商品に均等に起きることではない。まったく値下がりしないものだってあったろうし、中には値上がりしたものもあるかもしれない。生活必需品で、しかも個々の生産者の「企業」規模が小さく、生産調整などやりたくてもできないというような商品の価格は、平均値では想像もつかないほど深刻な下落に見舞われた。その典型が農産物、とくに小麦のような基幹作物だった。

そもそも、産業革命の成果が価格下落によって一握りの特権階級や金持ちだけではなく、一

	1850〜1873	1873〜1896	1896〜1913
アメリカ			
消費者物価の変化率	1.6	−1.6	1.0
ベースマネーの変化率	6.0	2.0	5.4
実質GNPの変化率	3.7	4.5	4.6
イギリス			
消費者物価の変化率	1.0	−1.7	1.2
ベースマネーの変化率	1.2	0.9	1.6
実質GNPの変化率	2.4	1.9	1.8
フランス			
消費者物価の変化率	0.9	−0.1	0.4
ベースマネーの変化率	8.0	1.0	2.7
実質GNPの変化率	1.2	1.7	1.7
ドイツ			
消費者物価の変化率	3.1	−0.5	2.0
ベースマネーの変化率	11.8	0.9	3.7
実質GNPの変化率	2.9	2.2	2.7
イタリア			
消費者物価の変化率	N.A.	−0.7	0.7
ベースマネーの変化率	N.A.	0.3	3.4
実質GNPの変化率	N.A.	0.7	2.6

19世紀の世界デフレはマネーの不足で生じた（1850〜1913年）　イギリスの1869年以前のベースマネーはマクミラン統計の現金を1970年で接続したもの．ドイツのベースマネーは，1851〜73年，1896年〜1912年．イギリス以外のベースマネーは現金．

般勤労者のところまで波及するようになった19世紀は、全体的にデフレ圧力の高い時期だった。そして、食糧は、どんなに生活水準が上がっても今までより3倍食べるとか4倍食べるということがむずかしいので、生産性が向上して増産が続けば必然的に価格は低下する商品群だ。だからこそ、農業をやっていたのでは食っていけなくなった農民が、都市に移住して製造業やサービス業に職を求めるようになり、食うものだけではなく、着るもの、住むところ、文化や娯楽への需要に対応できる経済の多様化・多岐化も進んだわけだ。

というわけで、たとえばイングランド・ウェールズの年平均小麦価格は19世紀を通じてすさまじい値下がりをしていた。291ページのグラフをご覧いただきたい。

まず、19世紀の最高値は、早くも1812年に126シリング6ペンスで達成されてしまった。その後、1820～30年代の「プチ」大不況で1835年に39シリング4ペンスで底を打ったので、19世紀前半だけでも小麦価格はピークから約3分の1に下がっていたわけだ。1840～50年代はヨーロッパ各地で革命や戦争や内戦が絶えなかった時期で、国際貿易も途絶したり規模が縮小したりした。逆に、農民にとってはこうした不安定な国際情勢が農産物価格の下支え要因になっていた。

しかし、アメリカの南北戦争という非常に大きな内戦はあったが、ヨーロッパ大陸は比較的平穏だった1860年代以降、またぞろ農産物価格が低下する。19世紀後半の最高値を記録したのは1855年の74シリング8ペンスで、この水準でさえ1812年の最高値の半値より若干高い程度にとどまっていた。そこからの下落が深刻で、1894年に記録した19世紀最安値は、22シリング10ペンス、19世紀を通じた最高値に比べればたった18パーセントに過ぎなかった。1855年の高値との比較でも、30・6パーセントと3分の1以下だ。

さて、これだけ深刻な価格低下が続いた中で、欧米主要国の経済規模は縮小したのか。まったく、そんなことはない。むしろ、当時の世界経済覇権国だったイギリスに対して後発で追い上げていたアメリカは、高度成長期の日本にも似たすばらしい経済規模の拡大を経験していた。もう一度、原田泰の表に戻ると、1873～96年の実質GNP伸び率は、イギリスは年率1・9パー

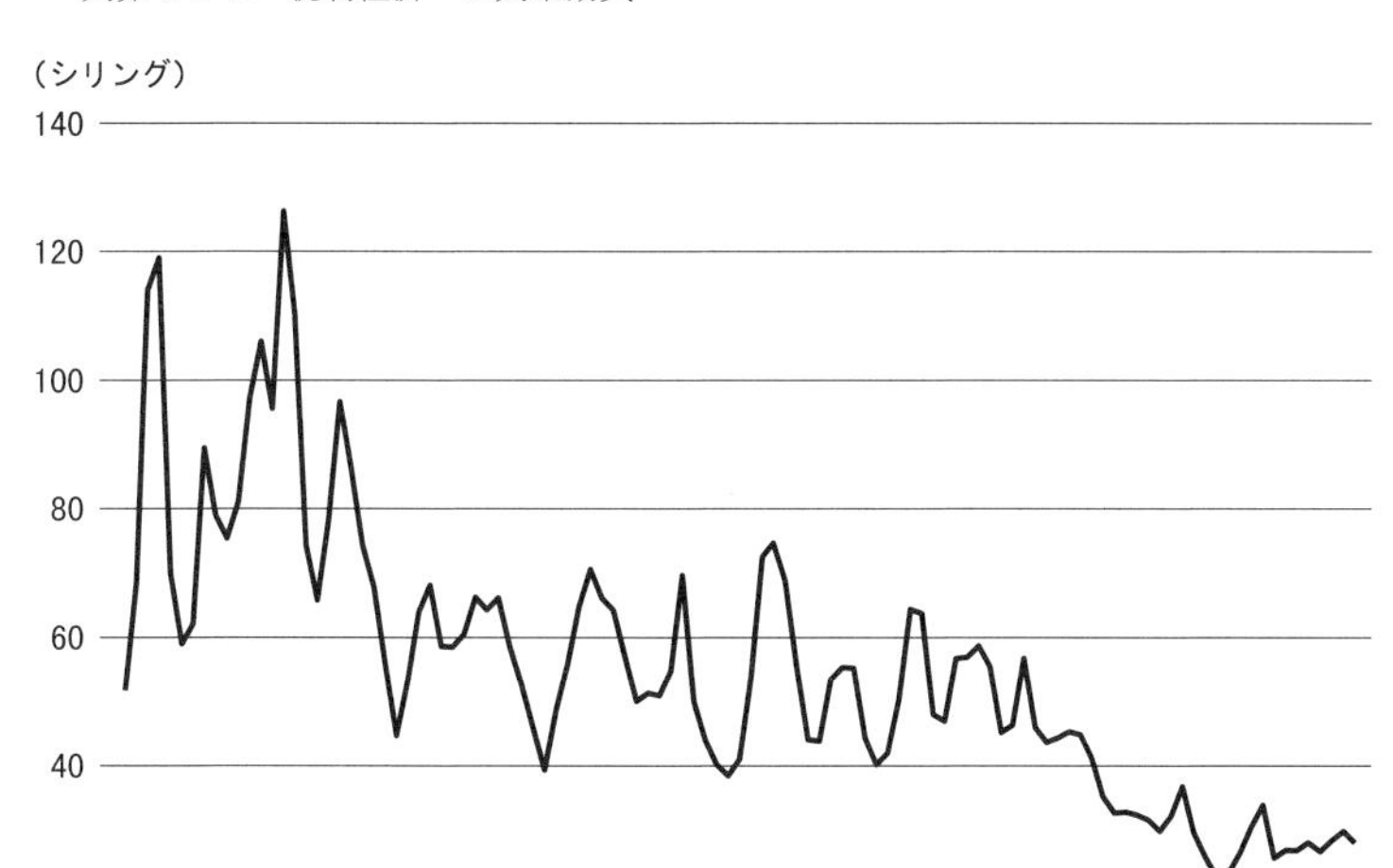

イングランドおよびウェールズのコーターあたり年平均小麦価格（1798～1906年）

セントと1850～73年の2・4パーセントから減速していた。だが、アメリカは年率4・5パーセントと1850～73年の3・7パーセントからさらに加速していたのだ。

ここでもまた、国民経済全体の物価の変化率とか、GNPの成長率だけをこねくり回していてもイメージがつかみにくい。特定の商品の生産規模がどれほど大きく伸びていたのかを見てみよう。取り上げる商品は鋼鉄。産業革命の心臓となった蒸気機関を始め、汽船、機関車、鉄道車両、線路と需要が急拡大していた当時の花形商品だ。その増産ぶりのものすごさは、293ページのグラフのとおりだ。

アメリカの鋼鉄生産量の激増ぶりはもう一目瞭然、くどくど解説する必要もないかもしれない。だが、1870年には年産わずか4

万トンだったものが、10年ごとに125万トン、428万トン、1019万トン、2609万トンと伸びていたのだから、やはり驚くべき急成長だ。この50年間のうち約半分は、世間的には大不況と呼ばれていた時期なのだ。これは大不況と呼ぶほうがおかしいのではないか。

もうひとつ、アメリカの伸びに比べれば地味なのはまちがいないが、イギリスでも鋼鉄生産量自体は伸びていた。しかも、1980〜90年の成長率が178パーセント、1890〜1900年が36・7パーセント、1900〜10年がちょうど30パーセントと10年ごとの伸び率としてはけっして悪くないペースだった。

なぜデフレ害毒論がまかり通ったのか

つまり、デフレだと企業が生産調整をするので経済規模が収縮するというのは、1873〜95年の「大不況」期に関するかぎり、根も葉もないデマだったのだ。たしかに、金融業界は大パニックに陥った。歴史のある金融機関が破綻したり、同業他社に吸収されたり、政府の支援を受けたりした。だが、実体経済の動向を見ているかぎり、経済は順調すぎるほど順調に拡大を続けていた。当時の鉄鋼生産量の経済全体に及ぼす影響たるや、「産業のコメ」などという月並みな表現では推し量れないほど大きかった。その鉄鋼生産が大躍進を遂げている中で経済規模が収縮するなどということは、実情とまったくかけ離れた暴論だった。

それではいったいなぜ、たとえばいまだに名著と賞賛する人の多いウォルター・バジョットの

『ロンバード街――ロンドンの金融市場』（1873年　邦訳1941年、岩波文庫）のように、まるでこの世の終わりが来たかのような悲鳴や絶叫を書き記した本が多いのだろうか。金融業界の大物たちや本を書くような知識人・文化人にとっては、実体経済は健全だが金融業界にはパニックが生じているという事態は、まさに死よりもむごい運命だったからだ。

　実体経済は健全な成長が続いているのに、金融業界はパニックで大暴落という時期には、ものの値段一般が下がるデフレが起きる。そして、デフレはインフレの時期に毀損しつづけてきた貨幣価値が回復することを意味する。インフレの時期には、人を出し抜いて人より速くずる賢く立ち回る人が儲ける。デフレの時期には、逆におっとり構えている人が結果的に得をする。つまり、デフレ期というのは、少なくとも19世紀末までは知的エリートと大衆との生活水準格差が縮む時期だったのだ。

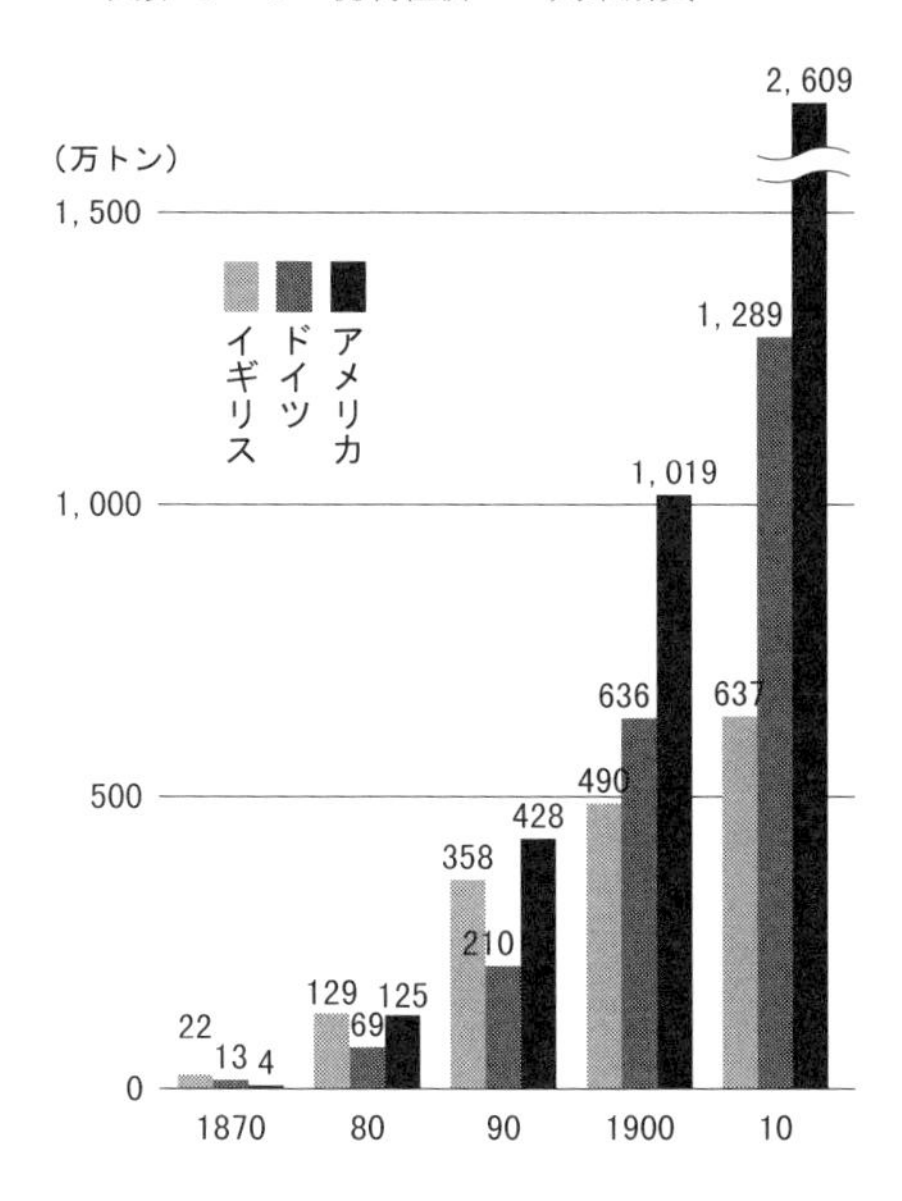

19世紀末のイギリス，ドイツ，アメリカにおける鋼鉄の生産の推移（1870〜1910年代）

　295ページのグラフをご覧いただきたい。

　1871年にジニ係数ベースで0・6

を上回る頂点に達したイギリス社会の不平等度は、その後まさに1873〜95年の「大不況」期を通じて低下する。低下といっても0・4よりは高いところにとどまったのだから、1990年代後半のアメリカのジニ係数のピークだった3・75と比べてもかなり高水準だった。だが、それでも、知的エリート連中には「この世の終わり」と思わせるほどの生活水準格差縮小だったわけだ。

知的能力の高いエリートは、政治権力も社会的地位も高い報酬の得られる職業も独占して、一般大衆とはかけ離れた「いい暮らし」をしていて当然だと思っている。その知的エリートにとって、生活水準格差の縮小はまさに死よりもむごい運命だ。だからこそ、19世紀末までは、実体経済は順調に伸びているのに、金融パニックが起きるたびに知的エリートの世界ではこの世の終わりを嘆き悲しむ議論が噴出したのだ。本を書き残さない大衆はデフレ大歓迎だったが。

なぜ30年代のデフレは深刻な被害を及ぼしたのか？

そろそろ、1930年代の大不況がなぜ19世紀末までの知的エリートにきつく、一般大衆にやさしいデフレではなく、生産力の毀損をともなう経済収縮の悪循環を招いてしまったのかに話題を移そう。ここで最初の大きなポイントとなるのが、19世紀の鉄鋼から20世紀に入って成長ドライバーの主役の座を奪った自動車産業が、非常にガリバー型寡占と親和性の高い業態だったことだ。

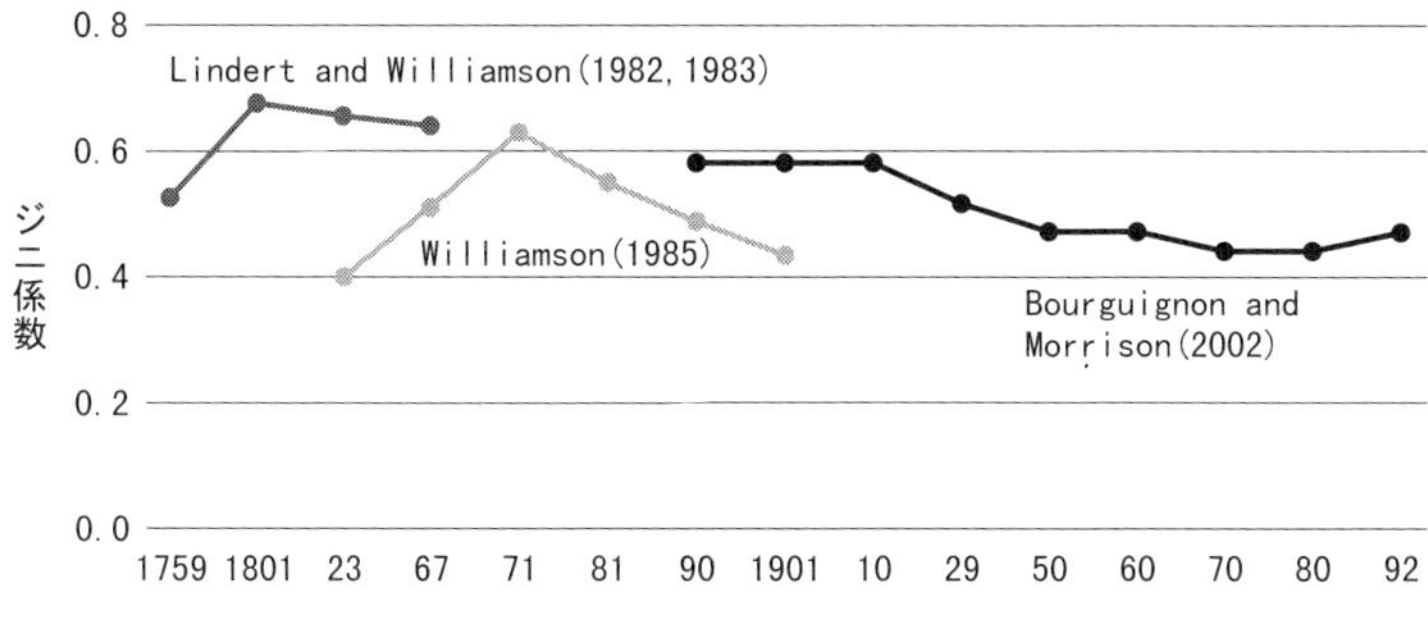

イギリスの不平等度の長期推移（1759〜1992年）

ガリバー型寡占とは、業界大手数社の中で、一社だけが突出して大きな規模を持ち、事実上価格支配力や生産調整力を持っている状態のことだ。英語に made for each other という慣用句がある。相思相愛の恋人同士とか、切っても切れない腐れ縁とか、いい意味にも悪い意味にも使う表現だ。自動車産業とガリバー型寡占の関係がまさにメイド・フォー・イーチ・アザーだった。主要自動車生産国では日本を唯一の例外としてという重要な注記事項を忘れてはいけないが。

次の見開き２ページにわたるグラフを見比べると、自動車産業では首位企業のシェアが突出する傾向がよくわかる。アメリカ国内でのいわゆるビッグ・スリーの販売シェアを、自動車産業創成期から黄金の60年代も終わりつつあった１９６８年まで追跡したものだ。

とくに注目していただきたいのは、フォードからＧＭへのガリバー型寡占の主役交代に１９２５〜27年のたった２〜３年しかかかっていないという事実だ。フォードとＧＭは、社風も、経営戦

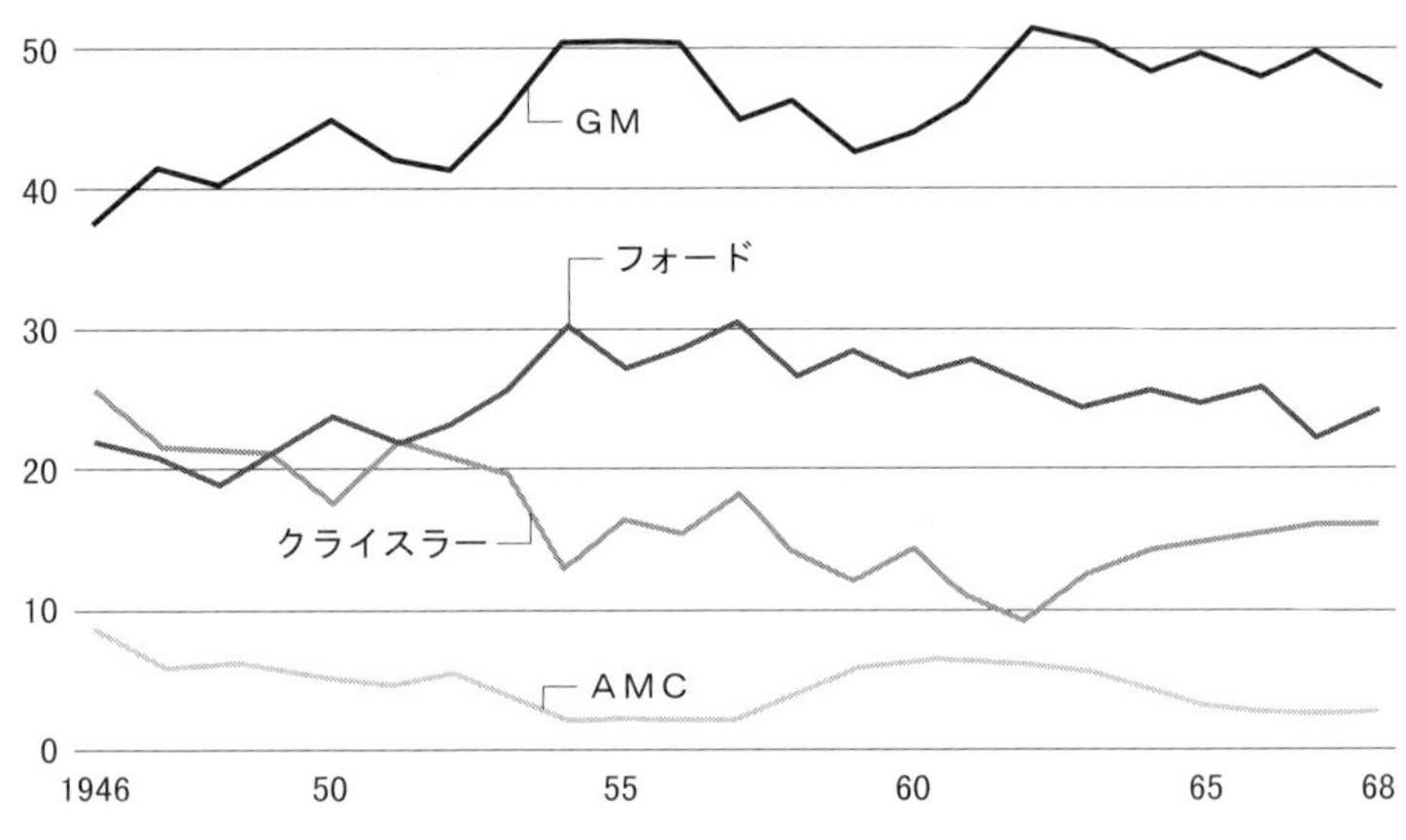

アメリカ自動車大手の売上シェアの変遷（第二次大戦後，1946〜68年）

略も、自動車が社会で果たすべき役割の認識も両極端と言えるほど違う会社だった。その2社のシェアを見ると、1925年以前はほぼ一貫してフォードが40パーセント超、そして27年以降はほぼ一貫してGMが40パーセント超という圧倒的なシェアを占めつづけている。1913年以後でガリバー型寡占企業が存在しなかったのは26年のたった一年間だけだった。

なお、この2枚のグラフのあいだには1942〜45年の4年間の空白がある。当時アメリカはまさに総力戦で第二次世界大戦を戦っており、アメリカ中の自動車工場が兵器工場、軍需物資工場に転用されていた。そして、自動車生産台数はほとんどゼロに落ちこんでいた。こういう芸当ができたのもガリバー型寡占業界だったからこそなのだが、とにかく第二次世界大戦のころの自動車業界は、最大手のGMが右を向けば2位以下の企業は一斉に「右へなら

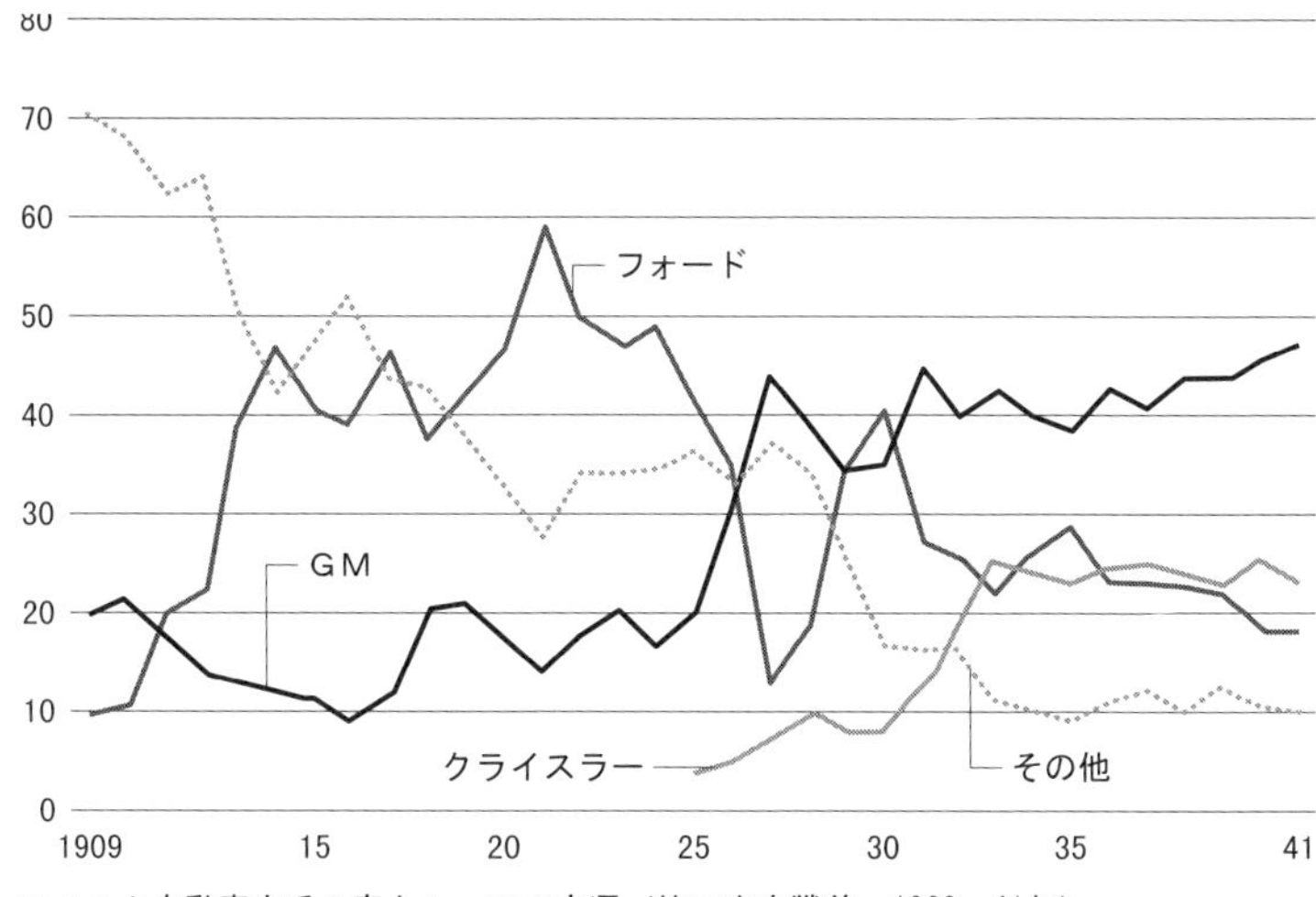

アメリカ自動車大手の売上シェアの変遷（第二次大戦前，1909〜41年）

え」で右を向く、そういう業態だった。

ガリバー型寡占こそ諸悪の根源だった

だからこそ、１９３０年代大不況下のアメリカでは、ＧＭによるすさまじい生産調整が可能だったのだ。先ほどちらっと書いたように、アメリカの自動車生産台数は、軍需産業への生産シフトで第二次世界大戦中にほとんどゼロまで落ちこむ。だが、その前に、景気低迷の中で１９３２年と38年の二度にわたって深刻な落ちこみを示す。２９９ページのグラフで見るとおりだ。

１９３０年代の落ちこみは自動車工場をほかの用途に転換したのではなく、生産活動そのものの削減だった。当然のことながら工場労働者も大量に解雇されたし、さまざまな原材料や中間財、資本財の発注も絞りこまれた。アメリカ経済全体への波及効果は、とうてい軍需物資生産への転換の比ではなかった。

　しかもこの生産調整は、業界のガリバーGMにとって、自社の花形部署になりつつあった経理マンの勝利と言うべき生産調整だった。コンピューターもなく、計量的な収益モデルも確立されていなかった時代に、「自社はプラスの利益を確保しながら、2位のフォード以下を赤字決算に陥れるにはどの程度の生産削減をすればいいのか」と、煩雑な手計算をくり返して導き出した解答どおりの生産調整だったからだ。

　短いが激烈だった1921年の第一次世界大戦後不況で、首位フォードを追う群小二番手グループの一社に過ぎなかったGMは、経営危機に陥った。そして、親会社であるデュポンによってクビにされた創業社長ビリー・デュラントを継いで、1923年に社長に就任したアルフレッド・スローンは、不況によって経営危機に陥ることだけはなんとしてでも避けようとしていた。

　あらゆる経済指標を注意深く観察していたスローンは、1928年夏、それまで万年好況を謳歌していたフロリダの不動産価格が突然下落に転じたという報道に接する。スローンはその時点で、翌1929年から32年までの4年間で生産台数を4分の1に絞りこむことを全社員に指令した。

　アメリカの乗用車の販売高は一九二九年には四四六万台という最高記録に達し、これはその後二〇年間破られなかった。しかし、一九三二年には一一〇万台と、四分の一に激減した。G

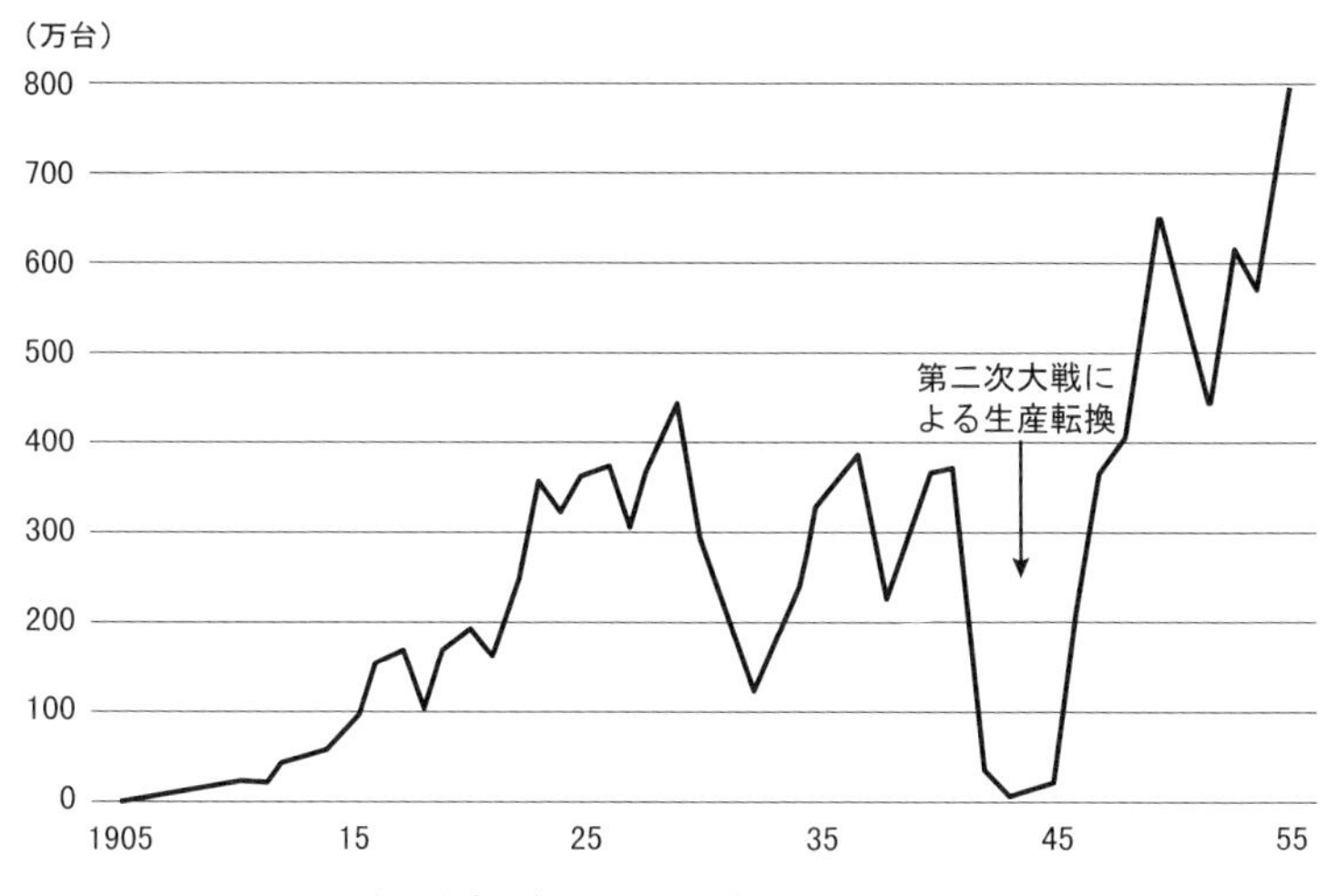

アメリカにおける乗用車の生産台数（1905〜55年）

Mももとより例外ではなかった。GMの売上げは一九一九年の最高一九〇万台（トラック及びカナダを含む）が一九三二年には五三万台に落ちた。

（山崎『GM』、113頁）

現代経済学による1930年代大不況の原因論争は、基本的にケインズ派の赤字覚悟の財政刺激策を取るべきだったのか、それともマネタリスト派の安定的なマネーサプライの増加を取るべきだったのかの論争に大枠を限定されてしまっている。だが、当初は株式市場の大暴落の影響が意外に大きい程度に見られていた大不況が、デフレをともなう経済活動の急収縮につながった最大の理由は、GMによる計画的な生産規模圧縮だった。

当時、世界最大の成長産業だった自動車製造業の首位企業が、4年間で生産台数を約4分の1にしたのだ。この減産の影響は、鉄鋼、ガラス、ゴムなど自動車部品の主要原材料を提供する企業にも波及した。1929年から32年まででアメリカ民間企業の投資額はほぼ10分の1に激減した。これだけすさまじい生産調整をやってのけながら、GMは利益を確保しつづけた。

GMは自己資本利益率で一九三一～三三年の大恐慌のドン底でも一〇・七パーセント、一・一パーセント、一一・二パーセントと収益をあげたのに、フォードは同じ間に五・二パーセント、一〇・九パーセント、一・三パーセントと欠損を出したのである。（同書、93頁）

重要なのは、フォードはこのとき赤字に追いこまれたが、GMはしぶとく利益を出していたということだ。もちろん、アメリカは自由競争にもとづく市場経済の国だから、「理屈」としてはフォードがGMの生産調整に逆らって、このチャンスにシェアを拡大しようと低価格で大増産をしかけることだってできたはずだ。

だが、現実問題としては、一社だけで40パーセント以上の市場シェアを持つガリバーに2位以下の企業がそんな無謀な戦いを挑めるわけがない。白社の人気モデルにそっくりな商品をもっと低価格で乱売されて、市場シェアの激減に追いこまれる。ひょっとしたら、潰れるまで許してもらえないかもしれない。管理職から関係会社の下請け工場労働者まで何十万人（フォードの場合、当時は100万人を超えていた可能性もある）という人間の生活をあずかる経営者としては、絶対にできないイチかバチかのギャンブルだった。

業界第2位のフォードがそういう境遇に追いこまれていたのだから、第3位のクライスラー以下は推して知るべし、GMに盾をつこうなど考えもしなかっただろう。1930〜60年代までのアメリカ自動車業界で、自社の思いどおりに生産台数を決められるのは、GMと、勘定に入らないほど小さな市場シェアしか持たない弱小企業だけだった。1970年代に入ると、輸入車の激増でGMの市場支配力はガタ落ちになるが。

そもそも「デフレで期待収益が下がったから、生産削減で利益率や利益の絶対額を守ろう」という発想は、正真正銘の独占企業かガリバー型寡占企業でなければ、実行に移すことがほとんど不可能な企業戦略なのだ。ふつうの寡占構造では、業界最大手数社が集まって生産調整を試みても、内部から抜け駆けでシェアを拡大しようとする裏切り者が現れたり、アウトサイダーとして見くびっていた企業が意外に大きな生産力を発揮してシェアを急増させたりして、なかなかうまく行かない。

こうして見ると、「デフレになると必ず生産規模が縮小する」という議論は、はるか高みから下々のものたちがうごめく様を見下ろすことになれた連中、つまりは知的エリートたちに特有の発想だということが分かる。彼らは、作ればそれなりに有用性のあるものをわざと作らないとか、作る能力自体を削減してしまうというような社会全体にとっていいことであるはずのないことを、ごく自然に受け入れる思考様式がしみついているのだ。つまり、「市況が悪いときに作りすぎたら、利益率が下がったり、赤字になったりする。それくらいなら作らないほうがずっといい」という経営者の発想をしてしまうのだ。

もちろん、経営者がどういう環境であろうと利益最大化を目指すこと自体は、まったく悪いことではない。経営者の利益拡大化衝動に駆られた企業が、他社のシェアを奪うために新製品や新技術や新工程を開拓して、世の中全体を豊かにするのだから。ただ、業界全体が独占やガリバー型寡占になってしまって競争がなくなった市場では、この利益最大化衝動は非常に悪い影響を及ぼす。独占やガリバー型寡占が生産削減に踏み切ったときに、そのシェアを奪うアウトサイダーが登場しないので、作れるものを作らないことの損失が社会全体に及ぶからだ。

当時、世界中が戦時統制経済に傾斜していた

だが、それにしてもなぜ、たとえば規制当局はこうした社会全体に害を及ぼす生産削減を唯々諾々と受け入れてしまったのだろうか。ここでクルマ社会のデフレが一般大衆を19世紀までとは比較にならないほど悲惨な境遇に追いやることの二番目の理由、政治体制の「国家社会主義化」あるいは「統制経済化」が問題となる。

19世紀末までのデフレは、政治権力の弱体化とともにやってきた。インフレでずる賢く立ち回っておいしい思いをしてきた連中の権威が失墜して、経済学者や新聞雑誌が懸命にあおり立てても、大衆がそれまでほどひんぱんにカネを使わなくなることが、デフレの根本原因であり、本質

だったからだ。

デフレは、それまでは信用して額面どおりに受け入れてきた旧来の政治家たち、官僚たち、金融機関の大立者たちの権威への不信感をともなう、インフレで毀損した貨幣価値の回復過程だった。経済で独占やガリバー型寡占が成立しておらず、政治で権力や権威が弱体化する世相のもとでは、どこか特定の企業の経営者が生産削減による利益防衛などという戦略を思いついたところで、まず成功しない。だからこそ、デフレ期は大手金融機関や政権担当者にはきついが大衆にはやさしい、実質所得が平準化する時代だったわけだ。

ところが、1930年代は、この点で従来のデフレとは正反対の世の中になってしまった。連合国、枢軸国を問わず、第二次世界大戦直前から戦時中の主要参戦国のリーダーたちを思い出していただきたい。アメリカで、あたかも終身大統領という身分が新設されたかのように振る舞ったフランクリン・デラノ・ローズヴェルト大統領を筆頭に、まるで専制君主か独裁国家のリーダーのような連中ばかりだったことにお気づきになるだろう。

ソ連のスターリンしかり、ドイツのヒトラーしかり、イタリアのムッソリーニしかり、ちょっと遅れて優柔不断なチェンバレンを追い落として首相になったイギリスのチャーチルしかり、中国の蔣介石しかり、おなじく毛沢東しかり。フランスのドゴールにいたっては、自由フランスというまったく実体のない仮想国家のリーダーを勝手に名乗って、ドイツに従って枢軸国側で戦った正統フランス共和国は一握りのナチ盲従者たちがでっち上げた傀儡政権で、こっちが正統のフランスだという大ウソをつきとおして、とうとう真実にしてしまった独裁者だった。

　皮肉なのは、この軒並み専制君主ばかりで戦った第二次世界大戦当事国の中で、唯一立憲君主制の矩(のり)をこえまいとした元首が日本の昭和天皇だったことだ。昭和天皇は、二・二六事件のときには、重臣たちに「汝らが大量殺人を犯した反逆者たちをかばうなら、朕自ら捕縛に向かう。馬を引け」とおっしゃったのを最後に、第二次大戦直前から終戦までの混迷をきわめた政治社会状況にもかかわらず、絶対にご自分が立憲君主として許された範囲を逸脱しないように行動された。

　そのためもあって、重臣、政治家、軍部、官僚のだれひとりとして本気でやりたくはなかったアメリカとの全面戦争にずるずる引きこまれてしまった。戦争終結の決断も遅れに遅れて、広島ばかりか、長崎にも原爆を落とされてしまった。晩年は相撲をこよなく愛する良きおじいちゃんという風貌になられたが、元々は果断なご性格だったと言われる昭和天皇としては、さぞ歯がゆい思いでご覧になっていただろう。だが、多大な戦争被害という高い授業料を払いながら、戦後大衆の知的エリートからの自立を準備していただいたとも言える。

　そんなデリカシーとは無縁で、自信満々「他人の生活をコントロールしたいという神のごとき衝動」に突き動かされるままに政策を決定してきたのが、その他の第二次大戦参戦国の指導者たちだった。そして、その典型はヒトラーでもムッソリーニでもスターリンでもなく、ＦＤＲというかしら文字だけでだれにでも通用する呼び名となっていたローズヴェルトだった。

他人の生活をコントロールしようという神のごとき衝動に駆られた人たち

ＦＤＲは自分を神とあがめる人たちに囲まれた生活を、当然のこととして受け入れる人間だった。ふつうの人間なら、どんな才能があったところで、他人から神のように崇め奉られたら、居心地の悪い思いをするだろう。だが、ローズヴェルトは、「よろしい。あなたには私を神として崇拝する権利がある」と言い切って平然としていられる人間だった。

その経済政策は支離滅裂でおそらく１９３０年代大不況の悲惨さをさらに拡大する以外の機能は何ひとつ果たさなかったのに、いまだに神格化されているこの怪人物について、最近良い研究書が出てきた。アミティ・シュレーズの『アメリカ大恐慌──「忘れられた人々」の物語』（ＮＴＴ出版、２００８年）はその典型だ。だが、こうした経済史家や経済学者が描くＦＤＲ像には、共通の欠陥がある。自分たちが経済の重要性をよく知っているだけに、他人の性格や志向まで、経済政策の節穴から見てしまうことだ。

たしかにローズヴェルトは、積極的な赤字財政から古風な緊縮財政まで、そのときどきの世論動向次第で極端に揺れ動いて、大不況の傷口に塩をなすりつけるような愚行を何度もやっている。だが、「だからＦＤＲは定見のない日和見（ひよりみ）主義者だった」と結論するのはまちがいだ。

「経済政策など、そのときの風向き次第でどうにでもできることだ。肝腎なのは、大衆は自分のような知的エリートが教え導いてやらなければ自分たちだけの力では生きていけない無能力者の群れだということを忘れずに、大衆を指導し統制することだ」という信念に関するかぎり、彼は一生ぶれていない。

だからこそ、FDRはイギリスのブルームズベリー・グループという知的エリート集団に属し、「自分たちは選民、大衆は賤民」というハーヴェイロードの前提を平然と公言するジョン・メイナード・ケインズとは、言わず語らずの親近感があったはずだ。ケインズの経済学はちんぷんかんぷんでも、まったく同じ傲慢なエリート主義の信奉者同士だったからだ。

ハーヴェイロードの前提とは何かをご説明しよう。「無知で凡庸な大衆が押し合いへし合いしながら市場で形成する価格や生産量で経済を運営していたら、理想状態にたどり着くはずがない。だから、経済を理想状態に近づけるには上から賢明な政策を押し付けてやらなければならない。だが、その政策を推進するのは、抜群の知的能力と大衆に自分の生活の糧を依存せずにすむだけの独自の資産を併せ持つ、プラトン的な賢人でなければならない」という徹頭徹尾エリート主義的な前提のことだ。

ローズヴェルトの人物像を描いた著作は数え切れない。だが、いちばん印象的なのは経済学者や経済史家のFDR像ではなく、古風な人文「科学」としての歴史学に慣れ親しんできた反面、あまり経済学に堪能とは思えない歴史家による以下の描写だ。

彼は、どのような人びとの集まりでも目立つ男であった。彼には、合衆国内での政治的成功に必要な資質が豊富に備わっていた。すなわち、人をひきつける魅力、知性、肉体的・精神的な強健さ、すばらしい話し声、芝居がかったことをやる才能である。彼の個性でいちばん際立った面は、おそらく、自信があるということだった。

（デイヴィッド・A・シャノン『アメリカ』、189頁）

そして、FDRによる統制のもとで、アメリカ経済は確実に国家社会主義的に公的部門が肥大化して行った。具体的な数字をお見せしよう。左のグラフをご覧いただきたい。

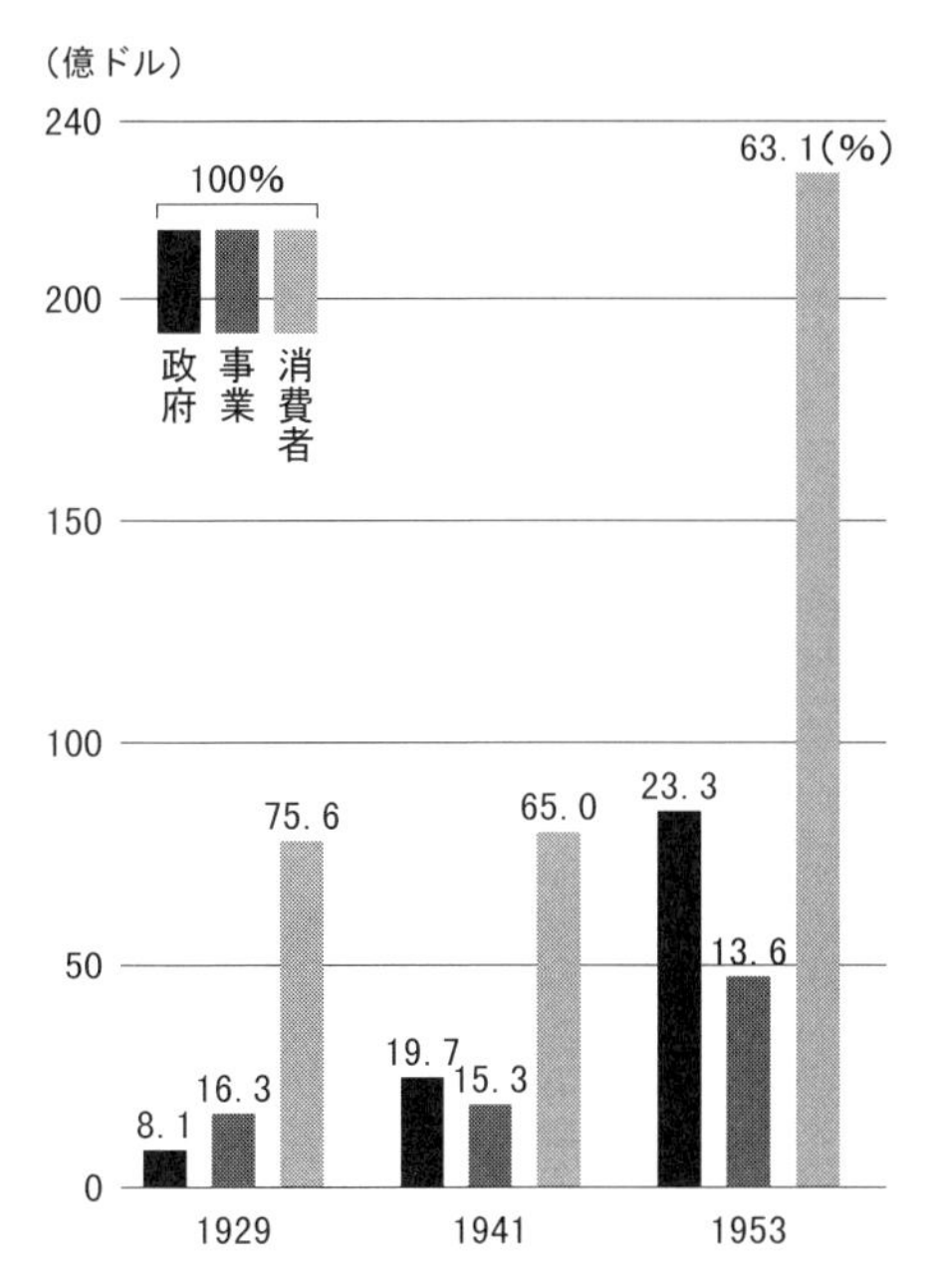

財貨とサービスに対するアメリカの総需要のうち政府の占める比重の推移（1929～53年）

1929年には企業部門（グラフ中では「事業」と表記）の半分以下だった政府のシェアは、41年には企業部門を抜き、53年には企業部門の2倍近くにまで膨張していた。これだけ大きな財布のヒモを握れば、政府はまちがいなく、特定の分野や階層を助け、特定の分野や階層を冷遇することができる。

FDR型国家社会主義体制最大の受益者は大富豪・超富豪だった

1930年代大不況期に国家社会主義的に変質したアメリカ経済は、いったいだれの「生活と権利」を守る国家社会主義になったのだろうか。スターリンからゴルバチョフまでのソ連や現在にいたる中華人民共和国政権を見るまでもなく、社会主義を名乗る政権が守るのは一般大衆の生活と権利とは限らない。むしろ、自由競争にもとづく市場経済よりはるかに露骨に、特権階級の生活と権利を守るケースのほうが多い。

もちろん、アメリカ経済史で定説となっているのは「1920年代の野放図な資本主義の弊害を緩和・除去して、一般大衆にとって暮らしやすい社会への転換を始めた」という肯定的な評価だ。だが、そういうFDRに好意的な解釈をサポートする証拠はほとんどない。平等化に貢献した証拠とされることが多いのは、次ページに紹介するアメリカ国民の収入階層別に計算した全収入に占めるシェアの推移を示す2段組の表だ。

すなわち、アメリカ国民を収入順に上から5分割した場合、いちばん上の20パーセントのグループの全収入に占めるシェアが1929年の54・4パーセントから44年の45・8パーセントまで下がっているという事実だ。だが、このシェアの大部分を食ったのは、すぐ下の上から20パーセント目から40パーセント目までのグループと、まん中の40パーセント目から60パーセント目までのグループだった。

(1929〜1944)

	最下層の20%	最下層から2番目の20%	中間の20%	最上層から2番目の20%	最上層の20%
1929	12.5%		13.8%	19.3%	54.4%
1935-1936	4.1%	9.2%	14.1%	20.9%	51.7%
1941	4.1%	9.5%	15.3%	22.3%	48.8%
1944	4.9%	10.9%	16.2%	22.2%	45.8%

(1947〜1970)

	最下層の20%	最下層から2番目の20%	中間の20%	最上層から2番目の20%	最上層の20%
1947	3.5%	10.6%	16.7%	23.6%	45.6%
1950	3.1%	10.5%	17.3%	24.1%	45.0%
1960	3.2%	10.6%	17.6%	24.7%	44.0%
1970	3.6%	10.3%	17.2%	24.7%	44.1%

アメリカの所得階層別家族収入分布状況（1929〜70年） 上：家族収入には現金と現金以外の収入が含まれる．下：家族収入には現金のみ含まれる．

下から40パーセントに当たる2グループはほんのわずかなおこぼれしか頂戴していない。しかも、最下位グループが1944年の戦時景気のまっただ中で得た4・1パーセントから4・9パーセントへの収入シェア増加は、平和の到来とともにすっかり吐き出してお釣りまで取られてしまい、3・5パーセントという低水準に下落している。こんなちゃちな「恩恵」が、FDR治下のアメリカ経済の国家社会主義化の成果だったというのだろうか？

じつは、アメリカ経済の国家社会主義化から最大の恩恵を得ていたグループは、5分割された所得階層ではあぶり出されてこない。もっと細かい階層分類が必要だったのだ。それも下に細かく分けるのではなく、上に細かく分ける階層分類だ。311ページのグラフが、FDR国家社会主義政権最大の受益者たちを浮き彫りにしてくれる。

これもまた、ごちゃごちゃことばを費やす必要がないほど雄弁なグラフだ。まず、所得で最上位10パーセントグループも、最上位5パーセントグループも1930年代大不況を通じて、20年代末に到達した高いシェアをまったく失わずに高水準横ばいで通している。公式統計でも労働力人口の4分の1が失業し、就職活動を続ける意欲を失ってしまった人たちをふくめると、3人にひとり以上が失業状態だった世相の中で、よくもまぁ強欲に狂乱の1920年代末期の高い所得シェアを守り抜いたものだ。

さらに、所得階層で最上位1パーセント、同じく0・5パーセントのグループとなると、大富豪どころか超富豪と言っていいが、まったく同じ時期に所得シェアの小さなピークを経験しているのにお気づきになるだろう。1934〜35年にかけて、20年代末の熱狂的な金融ブームの時期に迫るような超富豪グループのシェア上昇があったのだ。

金融が超の字がつくほど緩和されていた中で、事業機会は相変わらず少なかった。だから、信用力の高い超富豪たちは低金利で借りたカネ（それは往々にして連邦政府の支援を得た金融機関が貸したカネでもあった）をリスクも金利も高い外国債や低格付け社債で運用して、所得が急増していたのだ。

つまりは、今もてはやされているキャリー・トレードの元祖のようなものだ。もちろん、こん

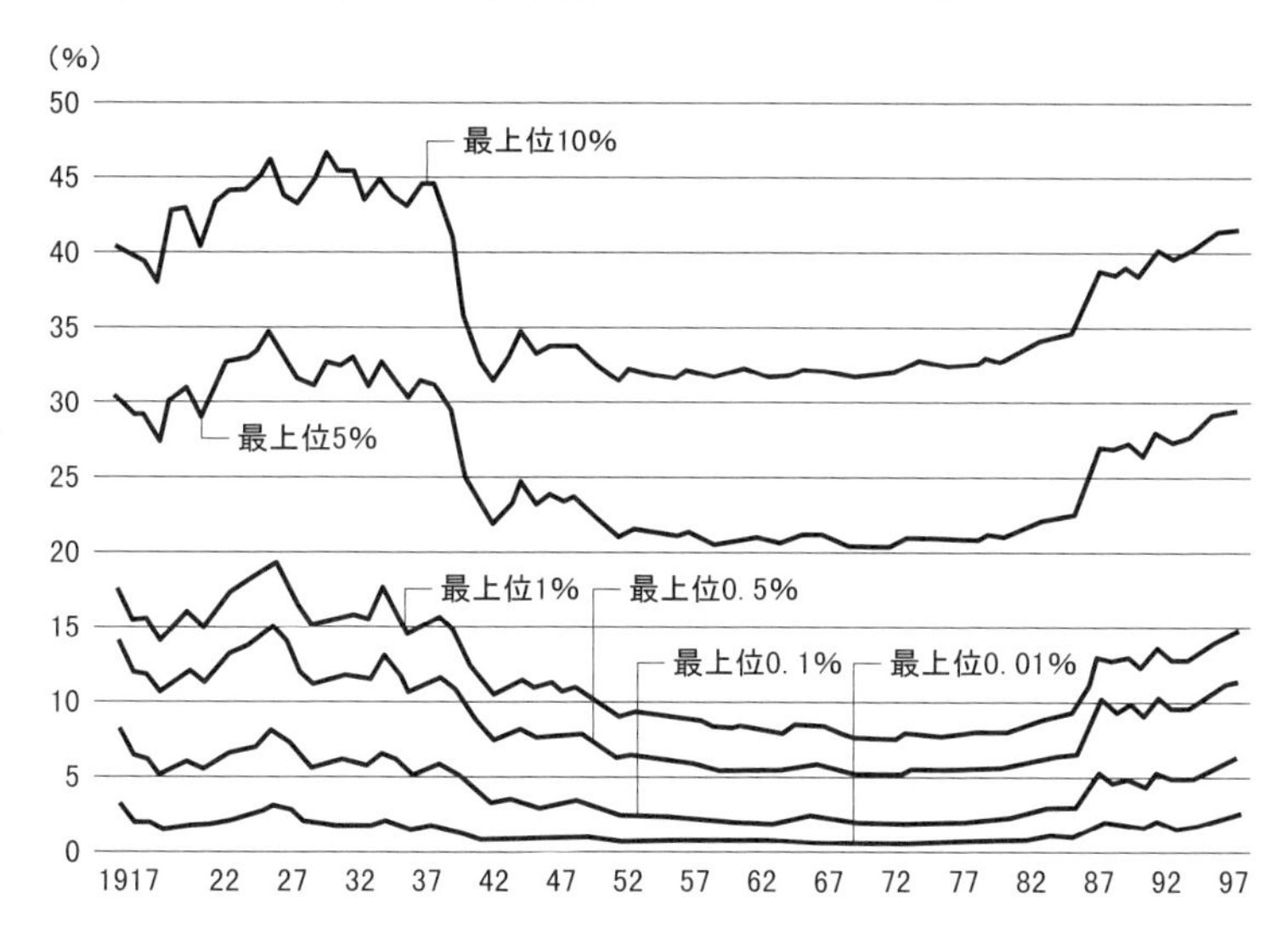

アメリカの最上位所得層の所得シェア（1917〜98年） 積み上げ式で表示.

な不健全な儲け口がいつまでも続くはずがない。1937年に破綻して、そこからが30年代大不況でいちばんつらい時期だったと言われる第二次世界大戦直前の恐怖の二番底へ向けてずるずる経済収縮が続くことになる。

もちろん、実業界でも基幹産業の首位企業が、自社にとって都合よく2位以下企業には過酷な生産調整を押し付けたことも、富豪と大富豪・超富豪とのあいだで所得格差が広がる傾向を助長した。もともとエリート主義のFDRにとって、市場の売り買いで経済活動の水準が決まるのはもってのほかだが、数社の企業グループの駆け引きで決まることとさえうさんくさく見えたので、それぞれの産業の首位企業が先頭に立って他社に押し付ける生産調整のほうが「健全で理性的な経済運営」と思えたからだ。

もうお分かりいただけたろう。FDRがアメリカ経済を国家社会主義的に再編して守ってやったのは、自分の同類である貴族的な大富豪・超富豪の生活と権利だった。そして、彼らの生活と権利を守るために犠牲にされたのが、あまりにも長い失業期間と、それに付随する生活水準低下を耐え忍んできた勤労大衆だった。

そして大衆は、デフレこそ諸悪の根源だと思いこまされた

この1930年代の体験があまりにも悲惨で強烈だったために、勤労大衆にはデフレを過酷な経済収縮と結びつけ、「とにかく何がなんでもデフレだけは避けなければならない。そのためなら、他人を出し抜いてうまい汁を吸う、ずる賢くすばしこい人間だけが得をするインフレさえ歓迎すべきだ」という固定観念が刷りこまれてしまった。19世紀末までの勤労大衆の実質所得と生活水準向上にいちばん貢献したのはデフレ期だったというのに。

それにしても、アメリカの勤労大衆は、なぜ知的エリートと超富豪・大富豪が結託して作り上げたFDR国家社会主義による悲惨な統制経済をおめおめと受け入れてしまったばかりか、「FDRは貧しい人びとの生活を守るために孤軍奮闘した聖者のような偉い人だ」という荒唐無稽な伝説を信じつづけているのだろうか。

ふたつの理由が考えられる。ひとつ目は、労働組合運動に内在する人種差別問題だ。1910年代に本格化し始めた黒人が南部の農村から北部・西部の都会に出て工場労働者になることによる競争激化を食い止めるために、企業経営者とアメリカ生まれの白人労働者が結託して差別的な

労働慣行や、これまた明らかに差別的な人種ベースの指名解雇をしていた。だが、伝統的にどこでも労働組合に好意的な知識人・文化人は、こうした労働組合運動の恥部を暴露しなかった。

したがって、1935年に制定されたワグナー法によって労働者たちに団結権、団体交渉権、争議権が認められ、30年代を通じて工場労働者の組合組織化率が急上昇したというような表面的な事情だけを見て、労働者の生活が良くなっていたとか、良くなるための基盤が築かれたといった評価が定着している。実際には、1910年代に始まって20年代の好景気でさらに拡大した黒人労働者の南部での農業労働から北部・西部での工場労働への転換は、30年代大不況によってすさまじい逆境に追いこまれてしまった。

猿谷要が総合編集した1970年代までのアメリカ研究の金字塔的なシリーズ『総合研究アメリカ』（全7巻）の第1巻『人口と人種』（研究社、1976年）に収録された猿谷要の論文「黒人人口の移動とその衝撃」から引用しておこう。

一九三一年の調査によれば、黒人の失業率はどの民族集団の移民一世たちよりも、はるかに高いものであった。同年シカゴでは、移民一世の白人男性の失業率は二四・六%、同じ白人女性の場合は一二・〇%であるのに対し、黒人男性の失業率は四〇・三%、黒人女性の場合は五五・四%という高率を示していた。黒人たちが憧れた町の一つピッツバーグでも、一九三四年に白人労働者の失業率三一・一%に対し、黒人は四八%であった。

そればかりではない。職を失わないですんだ幸運な黒人たちも、収入はひどく減少している。ハーレムでの調査によると、熟練労働者の一九二九年の中間（メディアン）年収は一九五五ドルであったのに、一九三二年にはわずか一〇〇三ドルとなり、四八・七％も減少しているのである。

（同書、１３３〜１３４頁）

同じ白人でも、移民第一世代労働者はアメリカ生まれの白人労働者よりかなり失業率が高かったはずだ。となると、アメリカ生まれの白人労働者の職は、雇われるのは後回しでクビを切られるのは真っ先という移民と黒人労働者という「二重のクッション」で守られていたことになる。つまり、１９３０年代大不況のどん底でさえ、アメリカ生まれの白人労働者にとっては、失業も、賃金低下も、生活環境の劣化も全体の統計が示すほど過酷なものではなかった可能性が高いのだ。

その一方で、たかだか過去10〜20年間のうちに南部から北部や西部に移住してきたばかりで、まだ地縁社会による相互扶助の仕組みも整っていなかったはずの黒人にとっては、１９３０年代不況は悲惨そのものだった。だが、ある意味で工場に勤めることのできていた黒人労働者の境遇は、マシなほうだった。

１９３０年にいたっても、黒人男性の約3割、黒人女性の約6割は労働組合による権利の擁護とはほとんど無縁で、四六時中経営者や旦那様の顔色をうかがっていなければ勤まらない飲食店のウェイター・ウェイトレスや家内使用人からなる「サーバント階級」を形成していた。３１７

ページの2組のグラフは、どちらも目に焼き付けておく価値があるだろう。

現代アメリカでこういうグラフを出版したら、「陳腐なステレオタイプで黒人を描くのは人種差別だ」という理由で発禁になるか、出版社による自主回収に追いこまれるだろう。もちろん、これらのグラフには歴然と人種差別が描かれている。しかも、黒人労働者の姿を紋切り型の類型で描くことより、ずっと深刻な差別がある。それは、１９３０年代のシカゴという文化的・社会的に最先端をいっていた都市でさえ、黒人労働者だけに限って見ると、全体のたった9パーセントが事務労働、54パーセントが肉体労働、そして37パーセントがサーバント労働をしていたという歴史的事実にあるのだ。

なぜ黒人や第一世代移民の抗議はかき消されてしまったのか？

なぜこの時代の勤労大衆の悲惨な生活に対する抗議の声が、それほど大きくならなかったのかという疑問に対する二番目の答えに移ろう。ＦＤＲ政権の特徴として森林資源の保全とか、アメリカの民俗歌謡の保存とか、演劇や演奏などの舞台芸術の支援とか、いかにも「文化人」受けのする政策を推進していた。これは、決して政権奪取当初から、大富豪・超富豪の権利擁護の本質を見破られないようにという深慮遠謀があったわけではなかったと思う。

たぶん、フランス革命直前に「パンが食べられなければ、お菓子をたべればいいじゃない」と言ってフランス国民の憤激を買ったルイ十六世のお妃マリー・アントワネットの無邪気な発言同様、貴族的な家系に生まれたＦＤＲには貧乏文士や貧乏芸術家ぐらいしか、働く意欲はあるのに食うにも困る生活をしている人たちの存在を思い浮かべることができなかったというだけのことなのだろう。

だが、効果は絶大だった。１９２０年代の繁栄に完全に取り残されてひもじい思いをしていた文士や芸術家で、ＦＤＲ政権の気前のいい補助金によって生まれて初めて安定した生活ができるようになった人たちは、熱狂的にＦＤＲを支持した。だから、都会に出てきてまっとうな賃金を稼げる大工場に勤められたと思ったとたんにクビになって路頭に迷った黒人たちがいくら不満を言っても、ふだんなら彼らの味方になってくれるはずの進歩的文化人、知識人たちは、完全にＦＤＲに手なずけられていた。

この効果は今でも持続している。慎重に史料を確認してできるかぎり公平なＦＤＲ批判を展開しようとしたアミティ・シュレーズの著書に対する書評の中には、まったく書評とはいえない悪口雑言も多い。「１９２０年代に食い詰めていたおれの親父は、ＦＤＲがつくってくれた仕事のおかげで生活も安定し、家族を持てるようになった。こんなにすばらしい人の悪口を言うようなやつは著述家とは言えない。お前は知的売春婦だ」というようなことを、知識も教養もある職業的なもの書きらしい人が、たとえ匿名とは言え、ワシントンポスト紙のホームページに投稿してしまったりするのだ。

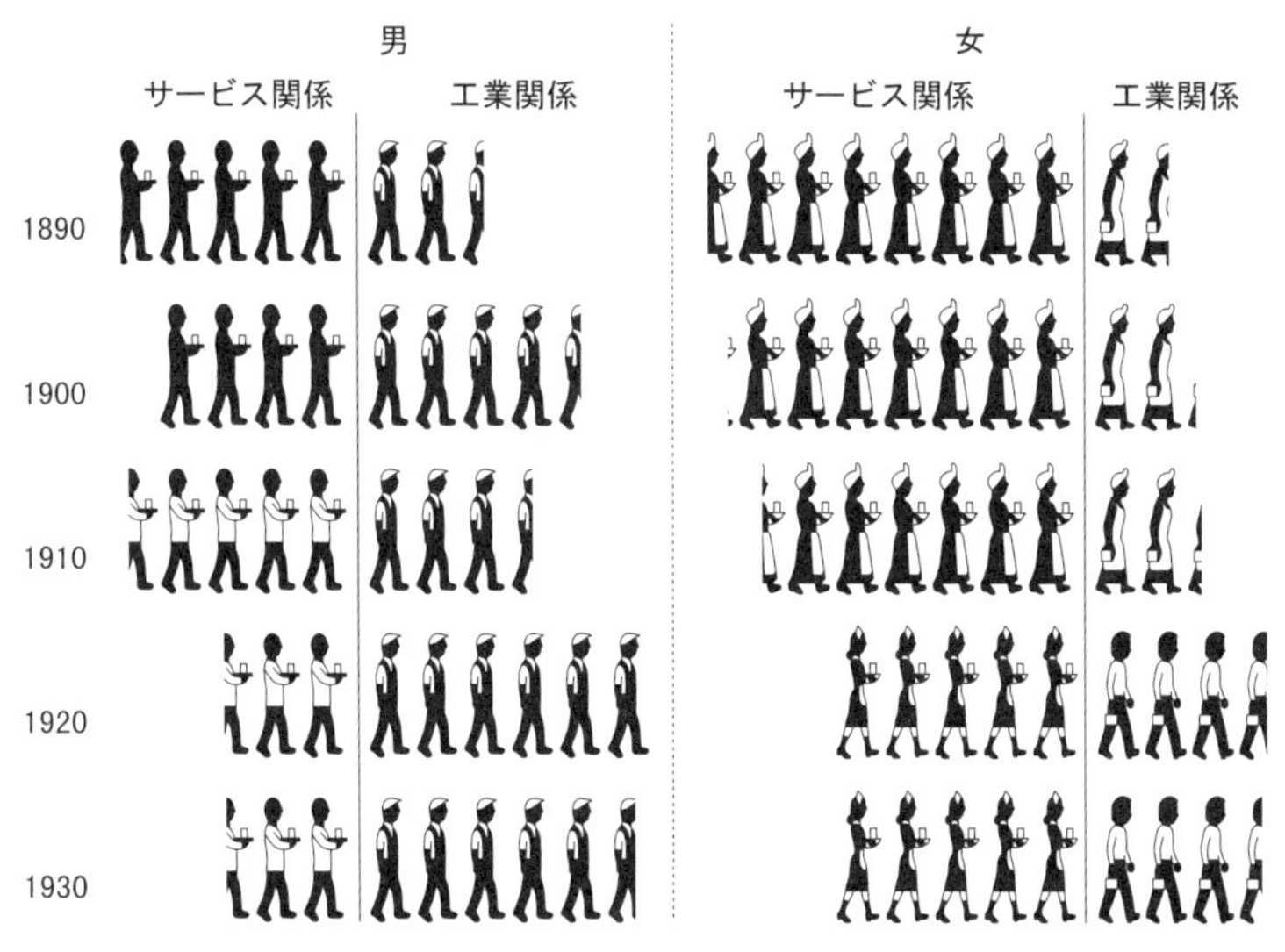

黒人就職内容の変化（1890〜1930年）

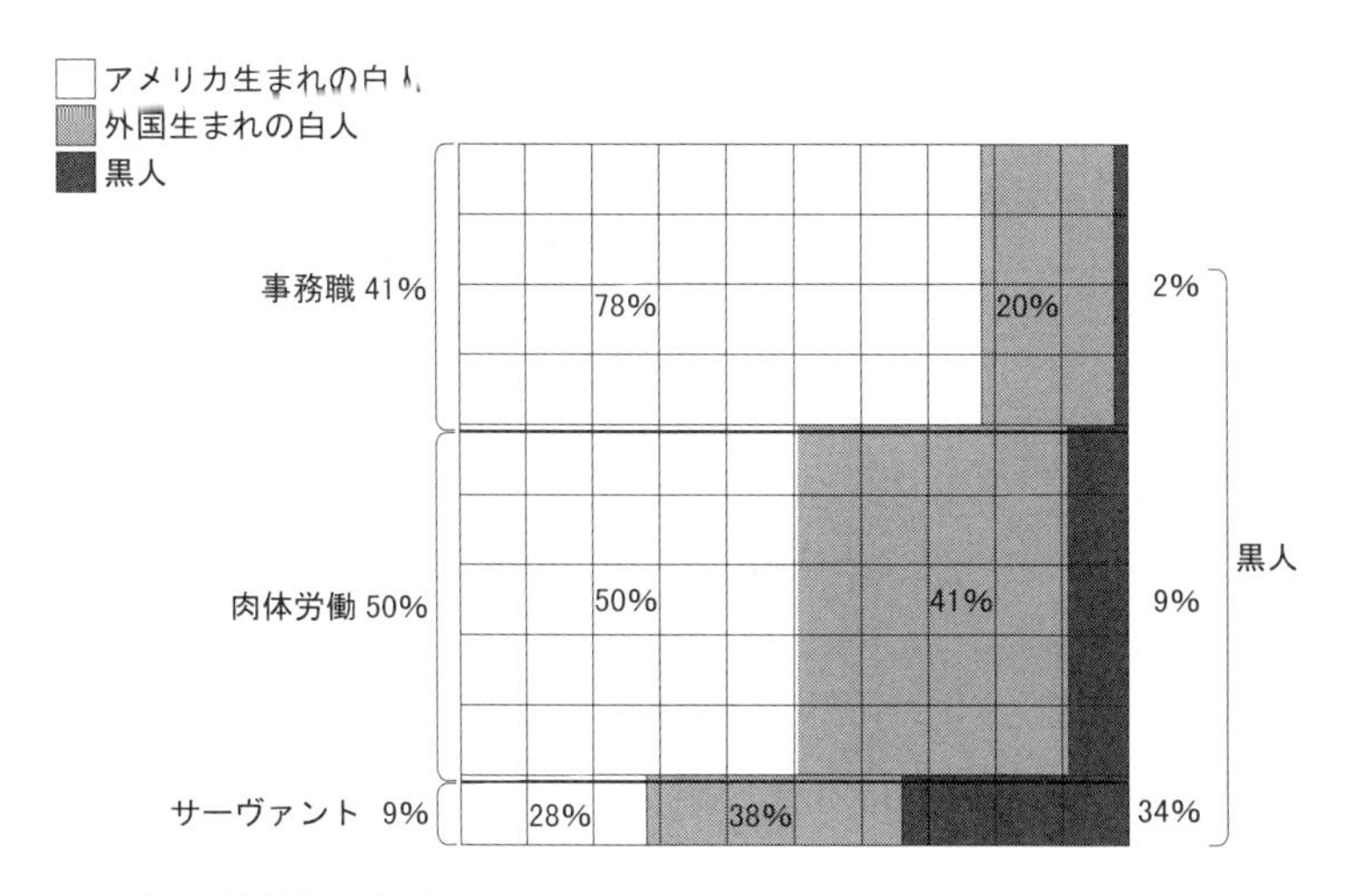

シカゴ市の就職状況（1930年）

というわけで、フルシチョフのおとなの分別がなければ、人類を核戦争に追いこむところだったＪＦＫ、ジョン・フィッツジェラルド・ケネディとともに、ＦＤＲは今もなお異常に過大評価されたアメリカ大統領の首位争いをしている。だが、ＦＤＲの悪行の中でいちばん世に知られていないのは、彼がアメリカ経済を大富豪・超富豪のための国家社会主義体制に移行させてしまったことだ。アメリカは、今もその後遺症に悩んでいる。

１９９７年には全所得の２・５パーセント前後にとどまっていた最上位０・01パーセントの所得階層のシェアは、サブプライムローン・バブル満開の２００５年には、ついに５パーセントに到達していた。その時点でおそらく20世紀以降では貧富の格差が最高に開いた年だったろう。だが、そこで驚いていてはいけない。世間が不況にあえいでいた２００９年に金融業界のボーナスは史上最高額になったことからもご想像いただけるように、その後も最上位０・01パーセントの所得シェアは急上昇を続けた。２０１２年には、なんと11パーセントに達しているのだ。

第八の大罪？　電気自動車、水素燃料車批判

一般大衆が、それぞれ自家用車に乗って通勤・通学するという交通のあり方は、エネルギー制約・スペース制約の双方で絶対に維持不可能だ。アメリカのビッグ・スリーの没落は、必然的に世界中の先進国の交通網を自家用車依存型から、公共交通機関依存型に変える第一歩となる。

電車、バスが多用されるようになるのは当然だが、自動車の本流を占めつづけてきた乗用車とその他の自動車のあいだにどんな勢力地図の変化が起きるのだろうか？

現時点で確信を持って言えるのは、地球温暖化を阻止すると称して電気自動車や水素燃料車を主要な陸上交通機関に育てる試みは完全な失敗に終わることだ。

「地球が温暖化したのは、人類が化石燃料を燃やし過ぎて、大気中の二酸化炭素濃度が上昇したためだ。だから、世界各国が協力して、石油・石炭・天然ガスを使わずに電力を供給し、自動車もガソリン・ディーゼル・天然ガスを燃やすエンジンではなく、電気や水素で動かさなければならない」という議論は、あちこちでボロが出ている。最大の問題は、「再生可能エネルギー源」による発電も、電気・水素を動力源とした自動車も、化石燃料よりはるかにエネルギーを浪費することだ。

できるかぎり大々的な実用化に踏み切らないうちに世界各国が、クリーンとかグリーンとか

称している発電法や自動車の環境破壊と資源浪費に気づいてほしい。だが、残念ながら本格的にこの愚行に踏み切ってしまったとしても、あまりの高コストに悲鳴を上げて、世界一クリーンで安上がりなエネルギー源である天然ガスの積極利用に戻ることだろう。もちろん、その過程では歩くことのできる人間の移動を自動車というエネルギー効率もスペース効率も悪い交通機関に全世帯の8割以上が依存する欧米諸国の資源浪費体質も、抜本的に改善する必要が出てくるはずだ。

人類の英知は「地球温暖化＝化石燃料元凶論」や「電気自動車・水素燃料車歓迎論」を一時の気の迷いにとどめて、ほんとうにエネルギーを節約しながら豊かな生活をするにはどうすればいいかをきっと探り当てるにちがいない。そして、その結果実現する社会は、たぶん現代日本の大都市圏がそのまま世界中に広がったすがたに似ているだろう。

「地球温暖化＝二酸化炭素元凶」説は、初めからウソで固めた「学説」だった

地球温暖化が世界的な危機として取りざたされるようになったのは、それほど昔のことではない。1980年代ごろからぽつぽつと語られはじめた程度だ。なんと言っても、寒冷化は農作物の不作、凶作というだれが考えても深刻な弊害があるからわかりやすい。それに比べて、温暖化していったいどんな弊害があるのか、きわめてわかりにくい。

「地球温暖化は人類が石油・石炭・天然ガスなどの化石燃料を燃やし過ぎたために、大気中の二酸化炭素濃度が上昇したことが原因だ。そして、近い将来、温暖化によって世界中で低海抜地帯

の水没、異常気象の頻発などの大きな被害が出る。だから人類は、化石燃料の使用を絞りこみ、二酸化炭素排出量をできるかぎりゼロに近づけなければならない」といった主張なのだが、大気中の二酸化炭素濃度の上昇が主因だとなると、さらにいったいなぜそれが危機なのか、理解に苦しむことになる。

すべての植物は大気中の二酸化炭素を光合成で取りこんで育ち、その過程で酸素を吐き出して、動物の呼吸を助けてくれる。二酸化炭素は植物が生育するための貴重な原材料なのだ。実際、もしほんとうに大気の二酸化炭素含有量が増えているとすれば、それによって農作物の実りが良くなる地域のほうが、それによって海面下に没したり、河川の氾濫や洪水が頻発したりなどの被害を受ける地域より、ずっと多いと推計されている。また、1980年代から折に触れて発表されてきた「人為的地球温暖化」説信奉者たちの唱える「あと20〜30年もすれば、地球はこんなに棲みにくい星になる」という予言は、ひとつとして当たっていない。

太古の昔から現代にいたるまで、地球は何度も温暖化と寒冷化をくり返してきた。現代よりずっと暑い時期も、ずっと寒い時期もあった。現在地球上に生きている動植物は、すべてこうした試練を乗り越えてきた動植物種の子孫なのだ。ましてや、人間の科学知識や農業、工業、防災など様々な分野の技術は、前回地球が温暖期を迎えた11〜13世紀（中世温暖期）よりはるかに進歩している。ほんとうに温暖化によって被害が出そうなところがあるなら、なぜそこの防災体制を強化して、それ以外の経済活動にはあまり大きな負担が及ばないようにしないのか、まったく説得力のある説明をした人がいない。

それどころか、人為的地球温暖化説の根城となっている気候変動に関する政府間パネル（IPCC）では、真剣な学究生活をする科学者なら絶対にやらないようなデータの改ざん、自分たちの主張とは整合性のない事実の無視といったスキャンダルが頻発している。２００１年に発表した第三次報告書では、西暦１０００年から19世紀末まで一貫して大気温は下がりつづけていたが、20世紀以降急上昇しているというグラフが人為的地球温暖化の動かぬ証拠として持ち出された。だが、渡辺正著『「地球温暖化」神話――終わりの始まり』（丸善出版、２０１２年）が詳述しているように、このグラフは古気候学者、マイケル・マンが自説につごうがいいようにデータを捏造したものだということが、２０１１年までに疑問の余地なく立証されている。

気候学者の圧倒的多数が認めている中世温暖期を抹消してしまったグラフだったのだから、当然ごうごうたる批判の的となった。もし、二酸化炭素排出量の最小化を柱とする「緑の革命」を推進しようとする人たちに、ほんの少しでも自然科学研究が積み上げてきた知見を尊重する意思があれば、この時点で人為的地球温暖化説は歴史の屑籠の中に投げ捨てられていたことだろう。

ところが、この「学説」の信奉者たちは違っていた。ほとぼりが冷めるのを待っていただけで、以前とまったく同じ主張をくり返しているのだ。まあ、中世温暖期の抹消といった気候学者の大半が異議を唱える「データ」を持ちだすことはしなくなった。だが、それに代わる説得力のある論拠で「地球温暖化が進んでいる最大の理由は大気中の二酸化炭素濃度の上昇であり、今後どんどん温暖化が進むのを防ぐためには化石燃料の利用を極限まで絞りこまなければならない」という主張をバックアップしているわけではない。

現代人の大半は毎年暑さがきびしくなっていると感じているだろうし、地上1・2〜1・5メートルの所に設置された気温観測装置は、とくに北半球の人口密集地帯や、幹線道路沿いで顕著に上昇している。だが、それは個人家庭に冷房が普及し、さらにほとんどの自動車にも冷房が標準装備されたことだけで説明できる。温度を上げる技術はいろいろあるが、下げる技術は存在しない。温気を冷媒で固めて別の場所に置き換えるだけだ。当然、冷房が普及するほど、エアコンの室外機や自動車が吐き出す廃熱で地表の薄皮一枚程度の気温は上がる。

しかしながら、地上9〜17キロメートルに及ぶ対流圏全体や海水温が、地表の温度同様に温まりつづけている兆候はない。現代人も、夏でも天気が良ければ窓を開け放って自然の風に涼を求めるようにすれば、地球温暖化などという問題は雲散霧消するはずだ。ただ、まわりの家や自動車が窓を閉め切って冷房をかけている状態で、ほんの一握りの家庭や自動車がこれをやっても、周囲の家や自動車の冷房による廃熱の集中攻撃を受けるだけだ。

ヨーロッパの知的エリートたちには、人為的地球温暖化説を信奉し、グリーン革命を推進しようとしている人が多い。これは結局のところ、自分は一年中冷暖房の効いた空間で快適に生活しながら、それでいて「自分は環境を守ることに貢献しています」と言いたがる偽善的な人たちが多いというだけのことなのではないだろうか。アメリカでも民主党リベラル派の知識人たちは、ほぼ全面的にこういう思考回路の持ち主だ。それでは、共和党保守本流はどうだろうか。

ちょっと考えただけだと、エネルギー関連の大手企業を大スポンサーに持つ彼らは、化石燃料廃絶を目標とするグリーン革命派には真っ向から対決するはずだ。ところが、実際には彼らもまた、グリーン革命の風潮に乗ったほうが得だとソロバンを弾いている。こういう問題は、ああでもない、こうでもないと議論を重ねるより、金融市場の動向を見たほうがわかりやすい。

2020年の疑惑に満ちたアメリカ大統領選でトランプが負け、バイデンが勝ってから、もっとも堅実に上昇基調を維持している商品と株のセクターは何か、ご存じだろうか。商品は原油であり、株のセクターはエネルギー関連株なのだ。「地球温暖化問題など存在しない」と明言して、パリ協定からも離脱したトランプが負け、再生可能エネルギー源による発電と電気自動車の普及を公約の柱にしていたバイデンが勝ったとき、商品市場は原油値上がりを読み、株式市場は低迷続きだったエネルギー関連銘柄の復活を読んだのだ。

いったいなぜだろうか。再生可能エネルギー源による発電も、電気自動車・水素自動車も恐ろしくエネルギー効率が悪いので、大々的に導入すればたちまち馬脚を現すからだ。とくに、発電量は絶対に毎日の需要を満たすことができない。そうなってから、世界中の政権担当者が泣きついてきたら、「よろしい。悪者扱いされた過去はきれいさっぱり水に流して、供給してやろう。ただし、今まで白眼視されて設備投資も研究開発もろくにできなかったから、お値段は高くつきますぜ」という筋書きだ。

もちろん、政権担当者のほうも、再生可能エネルギー源だけで電力需要が満たせるなどという白昼夢を本気で信じているわけではない。世界一エネルギー効率が良く、有害廃棄物も少ない天然ガスの供給量がどんどん拡大し、延々と値下がりつづきという状況だ。この環境で、世界中どこでも政権の大スポンサーになっているエネルギー産業に大儲けさせてやるためには、大芝居を打つしかないとわかった上での、息の合った共演なのだ。

「再生可能」発電は、すさまじいエネルギー浪費と環境破壊

同じように再生可能エネルギー源による発電と言っても、ダムから落ちる水の高低差エネルギーを利用した水力発電や、マグマ熱を利用した地熱発電は、設備能力の大半を活用できるという点で、大きなエネルギーロスにはならない。だが、太陽光発電や風力発電は、日中の空が晴れているときだけとか、強すぎない程度に適度の風が吹いているときだけとかの自然条件に恵まれないと、設備能力に近い発電量は得られない。

これがどんなに大きな制約条件か、３２７ページの表がみごとに示しているので、ご覧いただきたい。

この表でもおわかりいただけるとおり、設備能力をフルに生かせると仮定すれば、太陽光発電や風力発電は安上がりだ。２０１３年のドイツの実績で見ると、太陽光は同じ電力を生み出すた

め の発電装置設置費用が原子力の約44パーセント、風力は25パーセントで済むことになる。だが、原子力発電所の稼動率は90パーセント、太陽光発電の稼動率は9・5パーセント、風力発電の稼動率は16・6パーセントと大きな差がついている。よく、太陽光発電や風力発電のコストが下がったという報道を見かけるが、たまたま稼働しているときの直接コストだけを比較しているので、エネルギー源自体はタダである太陽光や風力は非常に安く見えているだけだ。

どのくらいの期間稼働して、どの程度の電力需要を満たせるかということになると、稼動率1ケタとか、10パーセント台半ばではお話にならない。太陽光なら同じ設備能力の原発に比べて4・16倍、風力でも1・36倍のコストをかけて発電設備を建てておかなければ、平均的な需要をまかなうことができないのだ。しかも、相手は天候という自然現象だから、突然国中で曇りや雨ばかりだとか、無風状態が続くというようなことだってありうる。そうすると、平均的に需要を満たせるかどうかではなくて、異常気象の時にも需要を満たせるかということになって、建てておかねばならない設備能力は、さらに大きくなってしまう。

発電所建設業者は大喜びだろう。だが、あまりにも莫大な資源浪費となる。2013年から現在までのあいだに技術進歩があったはずだという人も多い。だが、それは太陽が照っているときに取りこめるエネルギー量を増やすとか、同じ風力でも羽を回転させる力として取りこむことがうまくなったという話だ。照っていない太陽を光り輝かすとか、吹いていない風を吹かすという能力を人間は持っていない。実際に2020年末から21年初頭のドイツは厳寒で、太陽光による

	キロワット時当たり設置費用	稼働率	稼働率調整済み費用	想定稼働年数	稼働年数調整済み費用($)/KW時
原子力	7,976	0.9	8,862	50	177
太陽光	3,500	0.095	36,842	20	1,842
風力	2,000	0.166	12,048	20	602

再生可能エネルギー源の稼働率は唖然とするほど低い　想定稼働率は2013年ドイツの実績による.

発電量はほぼゼロにまで縮小してしまった。

ドイツでは、発電は中止したが取り壊していなかった通常火力発電所が残っていたので、厳寒の中、電力供給が途絶するという最悪の事態は避けられた。だが、アメリカ中でもっとも意欲的に再生可能エネルギー発電を推進しているカリフォルニア州の場合、まだ耐用年数を残している発電所を取り壊してしまったケースが多いので、２０２０年夏以降、延々と郡ごとに計画停電をしてなんとか電力需要をまかなっている。しかも、件数はむしろ平年より少ない山火事が、大規模に燃え広がることが多い。電力不足で消防ポンプ車が能力一杯に放水できないのも一因だ。

自然相手の技術進歩には限界があるのとまったく同じ理由で、もっと普及すれば規模の経済でコストが下がるという話もない。むしろ正反対だ。自然が相手の発電だから、なるべく日照時間の長いところとか、なるべく安定した風力・風向で風が吹くところとかから選んで建てていく。その次からはだんだん条件の悪いところに建てていかざるを得ない。規模の経済どころか、どんどん立地条件の悪いところにも建てなければならないので、コストは上がるだろう。

それに加えて、耐用年数以内に設備投資額を償却しなければいけないことまで勘案すると、太陽光なら原発の10・4倍、風力でも原発の3・4倍の設置費用を必要とする。どう考えても、実用性の乏しい発電法だとわかる。いかに膨大な設備能力がムダになっているかの具体例として、前ページでご紹介した表の下には、アメリカの運輸業界の電力需要をまかなうだけで、太陽光発電装置は、現状の33倍に拡大しなければならないことが紹介されている。なお、この表は太陽光、風力、原子力の三者について発電装置の設置費用を比較しただけだった。次ページにご紹介するグラフは、風力、太陽光、水力、原子力、天然ガスという五つの発電法を石炭火力発電と比べた場合の、総合的な費用便益分析だ。

なお、天然ガス発電は、現在存在するあらゆる発電法の中で、いちばん一次エネルギー源から電力への変換効率が高い（約65～66パーセント）と言われている複合（コンバインド）サイクル発電を採用した場合だ。コンバインドサイクル発電とは、ガスタービンを回すときの廃熱を水を沸騰させて蒸気タービンを回すために使って、発電量を増やす方法のことだ。

太陽光発電も風力発電も二酸化炭素排出量、エネルギーコスト節減量、そして設備設置費で少しずつ石炭より有利になっている。ただ、これは他の発電法と比べた場合の設備稼働率の異常な低さを勘定に入れた数字ではない。一方、損失のほうにも、便益の三者の合計額を超える数字が出ている。こちらの数字の大部分は、発電所1カ所当たりの規模が小さいので水力、原子力天然ガスでは必要としないような発電インフラの整備にかかる費用のことだ。

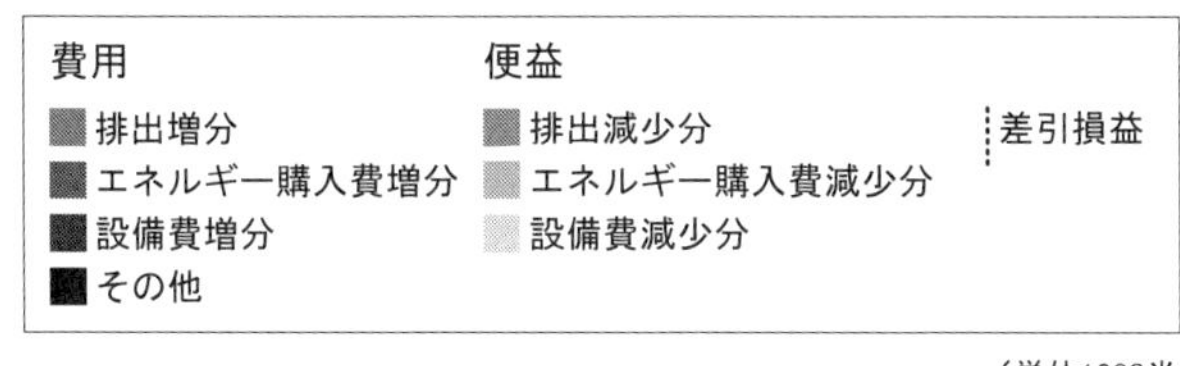

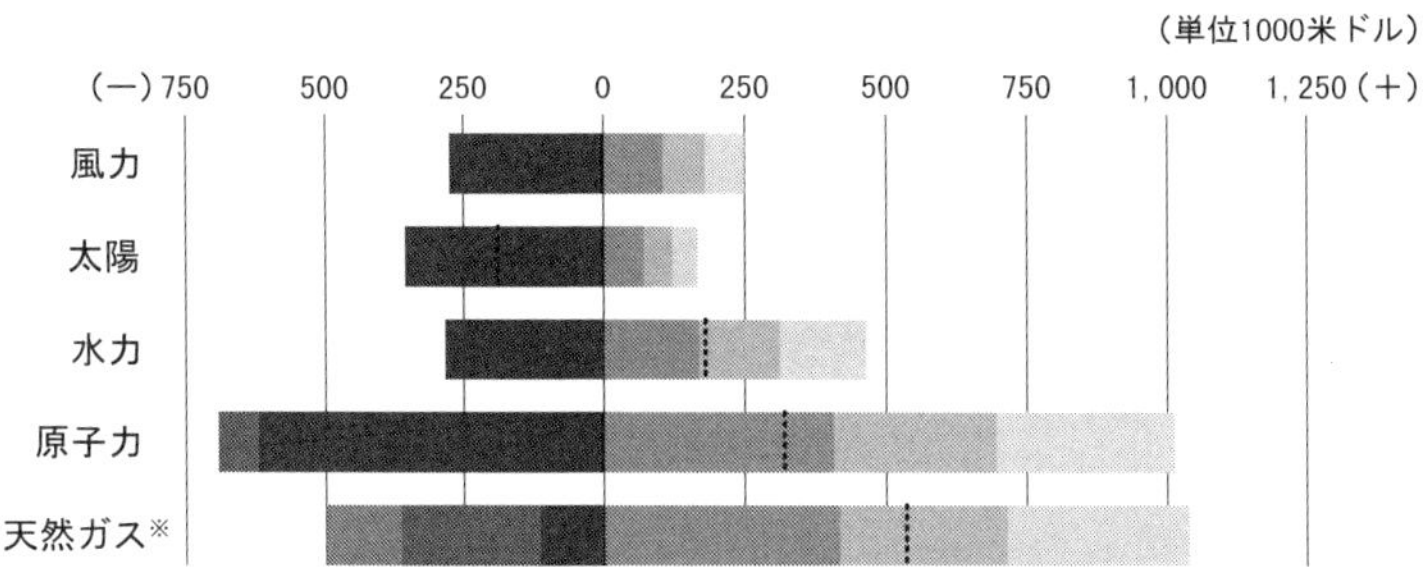

太陽光でも風力でもなく天然ガスこそ解決策　石炭火力発電と比較した費用便益分析.
※印はコンバインドサイクル.

たとえば、太陽光発電パネル１枚、風力発電装置１基当たりの発電量は小さいので、あちこちで発電した電力を集めて長距離送電でも電力ロスが少ない高圧電力にするための変電所に送りこむ集電ネットワークが必要になる。その結果、消費者のもとに電力を送り届けるまでの送電線網設置に必要なコンクリートや鋼材の量が、太陽光・風力発電では天然ガス・原子力・石炭発電よりケタ違いに大きい。

天然ガス・原子力・石炭の順に材料の量は多くなるが、全部コンクリート２００立方メートル、鋼材10万トン以内に収まっている。それに比べて、風力はコンクリート９００立方メートル近く、鋼材も約45万トン必要になる。太陽光発電に至ってはコンクリートこそ１００立方メートル程度で済むが、鋼材はなんと１６０万トンも必要になる。

また、太陽光発電は比較的平坦な土地に発電パネルを敷き詰め、下には膨大な面積の太陽光が届かない地表ができてしまい、近隣の動植物の生態系に深刻な影響を及ぼす危険がある。さらに、野鳥、水鳥はきらきら光りながら旋回するもの目がけて突進する性質があるため、陸上でも洋上でも風力発電装置は鳥の大量虐殺装置ともなっている。

どちらも、大々的に実用化されたら、おそらく10年と保たずにコストの高さに消費者が悲鳴を上げて、元どおり化石燃料中心の発電に戻っているはずだ。ちょうどそのころには、太陽の黒点活動もかなり緩慢になり、二酸化炭素濃度の上昇による地球温暖化より、太陽からの輻射熱の減少と、それにともなう雲に覆われる地表面積の増大によって、地球寒冷化のほうがずっと深刻な問題になっているだろう。

電気・水素自動車は再生可能エネルギー発電に輪をかけた資源浪費

そもそも自動車は、人間だけを積んで走るには非常にエネルギー効率の悪い乗りものだ。人間ひとりかふたり、平均的な体重で言えば60〜120キロを乗せて走るのに、軽自動車や小型トラックでも700キロ前後、普通乗用車ならだいたい1トン以上の自重を引きずり回さなければならない。こんなに重いものを動かすわけだから、動力源はなるべく効率的に使いたい。

その点から考えると、一次エネルギー源から電力に変換する時点で、熱量の約6割を廃熱などの有効利用できないものに取られてしまったあとの電気を動力源に使うのは、あまりにも非効率だ。電気は光や音、遠くのものを見たり聴いたりすることなどの、単純な力わざではできないことに使い、力さえあればできることはなるべく一次エネルギー源のままで使ったほうが効率はいいはずだ。一次エネルギー源を電力に変換した時点でどの程度のエネルギーロスが出ているかは、333ページの表に出ている。

これは2018年のアメリカのエネルギー収支表だ。なんと言っても目を惹くのは、さまざまなエネルギー源を合わせて3京8300兆英国熱量単位（BTU）が電力セクターに投入されたが、そのうち最終消費者に届いたのは、わずか1京3000兆BTU、つまり34パーセントだけで、残る66パーセントはシステム内ロスとして消えていることだ。

電力でものを動かすときにはモーターを使う。だから、動力源から車輪を回す車軸へのエネルギー伝達だけは、モーター軸の回転をそのまま車軸の回転につなげればいい電気自動車のほうが、エンジンのピストン運動を車軸の回転運動に変換する必要がある内燃機関車(エンジン)より効率がいい。ドライブ好きのあいだでは、電気自動車のほうがエンジン車より加減速がスムーズだという人が多い。エンジン車は往復運動から回転運動への変換でどうしてもぎくしゃくするから当然だろう。

回転運動する内燃機関、ロータリーエンジンの実用化は旧東洋工業（現マツダ）が数十年かけて取り組み、結局断念した課題だった。電気自動車も急加速、急減速のなめらかさに大きな価値を認めるドライブ愛好家のあいだでカルト的な人気は維持するかもしれない。だが、クルマ自体の価格も、燃費も、維持費も、故障時の修理費もエンジン車よりはるかに高いままのはずだから、あくまでもニッチ的な人気にとどまるだろう。

だが、それ以外のあらゆる局面で、エネルギー源はガソリンであれ、軽油であれ、天然ガスであれ、一次エネルギーのまま使ったほうが、一度電気に変換するよりはるかに効率がいい。エネルギー供給システムの中で生じたロスのうち、じつに99・6パーセントが一次エネルギーを電力に変換したことによるロスだったという事実が雄弁に物語るとおりだ。

発電された瞬間から電気は時々刻々と散逸していく。変電で散逸し、送電で散逸し、電池への充電で散逸し、電池に入れたまま放置しておけばそこでも散逸する。これはもう、電気が起きている状態自体が自然の中では不自然に整理整頓された状態であり、自然はありとあらゆるものをランダムに散逸させる傾向を持っている以上避けようがない、熱力学の根本にあるエントロピー増大の法則なのだ。昔はエントロピーには熱死というよくわからない訳語が充てられていたが、今では無秩序の度合いというふうに訳しているようだ。

電気自動車最大のメーカーであるテスラもまた、電気自動車という分野自体の非効率性を象徴するような、不採算企業だ。もう創業13年目になるから、決して新興企業とは言えない。だが、いまだに電気自動車の製造販売で営業黒字を出した年度がない。最近当期損益で黒字になっているのは、電気自動車を1台売るたびにエンジン車を1台売る権利をもらっているが、その権利を他の自動車会社に売っているからだ。

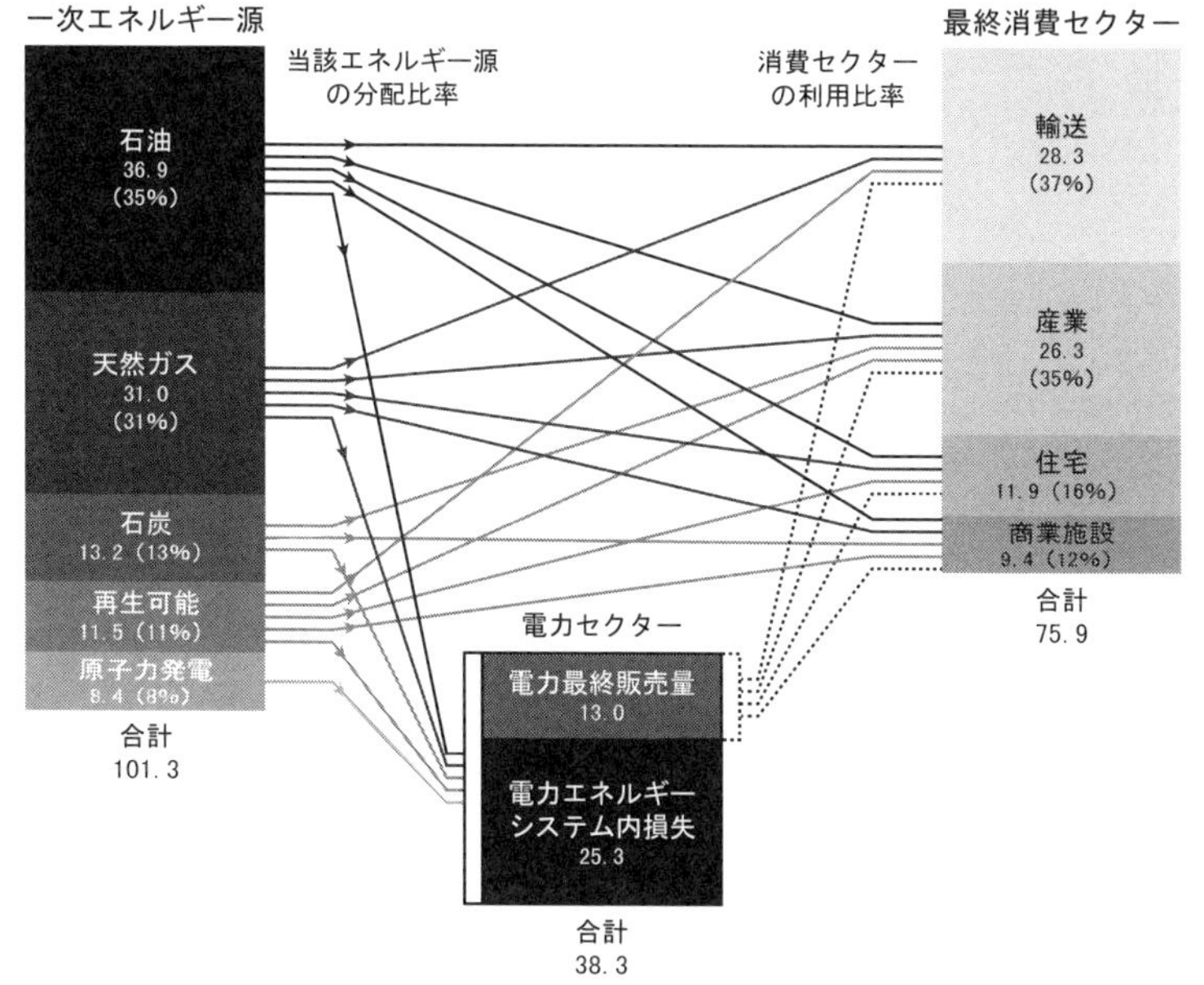

電気への転換自体がすさまじい浪費（2018年現在）　再生可能エネルギーの56%が，システム内ロスの大きな電力に変換されてから最終消費者に送られる．一次エネルギー投入総量，10京1300兆BTU（英国熱量単位）のうち，最終消費者に届くのは7京5900兆BTUだけ．つまり，2京5400兆BTUはエネルギー供給業者によるロスとなっている．このうち，一次エネルギーを電力に変換することのロスは2京5300兆BTUで，全体の99.6%にのぼる．

　なぜ本業が振るわないかと言えば、価格が高く、1回の充電での走行距離などについて明らかに誇大宣伝をしていて、しかも事故が起きたときの人体へのダメージが大きいからだ。とにかく重い電池を大量に搭載しているので、本来なら堅牢な金属にしなければならない部品でもペラペラのプラスティックにして、総重量を抑えこんでいる。だから軽傷で済むはずの事故が重傷に、重傷で済むはずの事故が死亡につながりやすい。

そのテスラ一社の時価総額が、テスラよりはるかに年間販売台数の多い自動車業界大手7～8社の時価総額の合計を上回っている。もうどうがんばってもエンジン車では日本車メーカーが蓄積してきた技術に勝てない。だから、せめて主戦場を電気自動車に移してしまえば、ひょっとしたら勝てるかもしれないという米中独3カ国の自動車メーカーによる日本車メーカー包囲網の旗頭として期待しているのだろう。

エネルギー効率の悪さでは電気自動車よりはるかにひどいのが、水素燃料車だ。日本ではセルという単語の誤訳で燃料電池車と呼ばれていることが多いが、電気自動車のように電池を搭載しているわけではない。太陽光発電や風力発電では需要と無関係に発電してしまうから、ムダな電力が発生しやすい。そのムダな電力を水の電気分解に使い、そこで造った水素を圧縮したり低温で液化したりしてボンベに詰めて自動車に搭載し、その水素が酸素と爆発的に化合するときの力を直接ピストン運動に変換したり、そこでまた発電した電力を車軸の回転に使おうという仕組みだ。

こうして書いているだけでもいったい何回エネルギーロスが起きるのか、めまいがしそうな自動車駆動方式だ。一次エネルギーを電力に変換した時点で熱量の約3分の2を失う電気自動車に比べて、エネルギー効率は20～30パーセントにとどまるそうだ。エンジン車のたった10パーセント前後しかエネルギーを有効利用できないわけだ。

19世紀末から20世紀前半に活躍した偉大な科学者、ニコラ・テスラの姓を取って社名にしたテスラが電気自動車界の首位企業なら、いかにも二番煎じ臭ふんぷんたるファーストネームを取ってニコラと名乗った企業が水素燃料車の第一人者になるはずだった。ところが、実物大の実験用水素燃料トラックが自力で走行している映像と称して流した動画が、じつは緩やかな斜面を人間が押して「走行」していたところだったとすっぱ抜かれて、本格的な商業生産に入る前にこけている。だが、こんなペテン師が創業した企業でさえ、この不正がバレてCEOの座を追われたトレヴァー・ミルトンは、持っていた発行済み株式総数の約6割のうち筆頭株主の地位を失わないで済む持ち株を処分しただけで大富豪になり上がっている。

こうした自動車業界の百鬼夜行状態は、再生可能エネルギーによる発電への過剰投資が維持されるかぎり続くかもしれない。だが、この根拠なき熱狂の二重奏が終わったとき、生き残っているのは天然ガス発電であり、階級性のない日本車メーカーだろう。

交通戦争に全面軍縮の時代がやってくる

従来のイメージでの高級車は生き残れないが、物流に不可欠なトラック、スペース制約への適合度が高い軽自動車、オートバイは残る。むしろ、膨大な数の自家用車が減れば、死傷事故の深刻さで大型・中型の自家用車に比べてはるかに不利だったオートバイの市場シェアは復活する。

また、中型車・大型車から軽自動車への乗り替えは、いったんはずみがつけば加速度的な変化になる。日本が誇る、近距離・少量・高頻度輸送に最適な乗りもの、「ママチャリ」も世界中に普及するかもしれない。

まわり中が中型車・大型車ばかりの時には、とくに高速道路の走行などでどうしても軽自動車は怖い思いをすることが多いからなかなか普及しない。ところが、まわりでどんどん軽に乗り替える人が増えれば増えるほど、一般道でも高速道路でも怖い思いをすることが少なくなる。そうなると、無駄な燃費を使い、無駄なスペースを占有する中型車・大型車に乗らなければならない理由はほとんど存在しなくなる。

今、東アジアや東南アジアを中心に、一世代前なら自家用車を持つことなど「夢のまた夢」という境遇だった膨大な人数の人たちが、クルマを持てる生活水準に達しつつある。たとえば、中国という国は約5億6000万人の都市戸籍を持った人間が、残る約8億4000万人の農村戸籍を持つ人間を搾取し、収奪することで「繁栄」している国だ。それでも、都市戸籍をもった5億人超の人たちの多くが自家用車の持てる生活水準に達しつつあるというのは、すさまじいインパクトのある事実だ。19世紀後半のアメリカの高度成長期や、20世紀半ばの日本の高度成長期に比べると、約3倍の人口が一挙に経済的離陸を遂げようとしているからだ。

そこで、絶対に明言できることがある。今、中国やインドやインドネシアで経済的離陸期に入っている人たち全員がアメリカ的にエネルギーと空間を浪費する生活ができるほど、地球は大きくない。石油枯渇論はウソだとしても、原子力発電によって電力供給が画期的に拡大したとしても、何十億人という人間が全員マイカー通勤をするほど潤沢にはエネルギー源も空間も存在しない。

だから、どこに行くにも4〜5人分乗れるスペースのある自家用車にたったひとりで乗って行くという行動様式は、経済階層で「中の下」までの国民ならだれでも行使できる「基本的人権」から、金持ちの特権へと変わる。つまり、クルマ社会は確実に衰退していく。

クルマ社会死後の世界では、アウトバーンを時速200〜300キロで飛ばしていて事故を起こしたとしても、相手のクルマはめちゃめちゃに大破させるけれども、自分の側はクルマも乗っている人間も生き延びる確率が高いという利己主義丸出しの設計思想にもとづくベンツやBMWのような高級車は、落ちぶれていく。

ただ、クルマ社会が死滅するからといって、自動車という輸送機器のあり方全体が衰退するわけではない。「クルマ社会」死後の世界になっても衰退するどころか、シェアを拡大し続ける分野もある。軽自動車、トラック、オートバイ・スクーターといった、平和国家として再生した第二次大戦後の日本の平等な大衆社会が守り育てた分野であり、クルマの持つステータス・シンボル性をできるかぎりはぎ取って、実用性を重視した分野だ。

いちばん大きく衰退するのは、自家用大型乗用車、つまりはアメリカのビッグ・スリーがもっとも得意とし、また自動車メーカーにとって利益率がもっとも大きかった分野だろう。

伸びそうな自動車メーカー、縮みそうな自動車メーカー

自家用車が稼ぎ頭という自動車会社は、きついだろう。それが意味するところは、けっこうおもしろい。日本で言うと、やはりトヨタ、日産の2社がいちばん多くの懸念要因を抱えている。ホンダ、スズキあたりは、順当に生き延びるだろう。初版の時点でいちばん大きな見込み違いをしていたのが三菱自動車だった。トヨタや日産より生き延びる確率が高いかもしれないとさえ思っていたのだが、なんと25年以上も組織的に燃費データの改ざんをおこなっていたことがバレてからは急坂を転げ落ちるような転落ぶりだった。

三菱のトラック部門、三菱ふそうはダイムラー社の連結子会社になってしまった。本体も日産の経営支援を受け、日産が筆頭株主になっている。軽も少し自前で作っていたがスズキやダイハツに技術の蓄積で差をつけられている。二輪車は、オートバイ製造の経験がないが、スクーターではラビットという戦後最初のヒットブランドの最大のライバルだったシルバーピジョンを世に出している。だが、電気自動車の実用化競争で功を焦ったころから、本格的に社運が傾いていたのかもしれない。

日本の二番手グループ企業にありがちな、小さいながらも網羅的な品ぞろえという経営戦略は、どこかに無理が溜まってしまうのだろうか。まあ、スポンサーとなっていた日本随一の人気サッカーチーム、浦和レッズが横浜Fマリノス浦和支部にならなかったのは、不幸中の幸いと言うべきだろう。

トラック、二輪車、軽自動車部門を始めから持っていなかった企業や、系列下の他企業に移管してしまったり、部門丸ごと他の自動車メーカーに売り渡してしまったりした企業が今後の自動車産業に占める地位は低下するだろう。具体的には、トヨタと日産の将来はきびしいということになる。トヨタは、トラックも軽も二輪もまったくやっていないに近い。トラックが少しあるが、日野からの技術導入だろう。トヨタ・ハイエースという、オート三輪市場を壊滅に追いこんだ軽トラックの名車を造っていた。だが、今ではたとえ製品ラインとしては残っていたとしても、日野のOEM商品に近いのではないだろうか。

日産も、日産ディーゼルをボルボに売ってしまい、今は社名もUDトラックスと変わっている。日産の軽はだいぶ前からほとんど全部OEMにしてほかの会社から入れるようになっていたし、今はもうマーチより小さなクルマはプロダクト・ラインにないようだ。二輪もない。

そもそもトヨタという会社は、かなり運の良さに助けられた会社なのに、世間ではそうとう過大評価されている。たとえば、かんばん方式がなぜ成立したかというと、東京圏でも大阪圏でも工場を新築したり増設したりすることが全然できなかった時代に、名古屋の自動車会社だったからこそ、工場の新増設にまったく制約がなくて、しかも名古屋周辺のあのだだっ広い道路を使って資材の搬入とか製品の搬出とかが自由にできたという要因が大きい。

かんばん方式は東京や大阪のまん中では、やろうとしてもできるはずのない話なのだ。しかし、トヨタはできた。トヨタができただけではなく、浜松に本社のあったホンダも、スズキも似たような極度に圧縮した在庫管理ができたのだ。やはり、名古屋圏に本社があって、工場の新増設にまったく制約がなく、よく地理もわかっているし、協力業者のネットワークもきちっと確立しているところでどんどん工場の新増設ができていた企業が、うまくいっている。

現在の日本の自動車産業の中で見ると、トヨタは世界最大の自動車会社になったし、ホンダは戦後創業したありとあらゆる製造業の会社の中で、いちばん大きく成長した企業だろう。スズキは軽自動車では世界一強い会社になった。

これだけ名古屋東海圏に本拠を置く自動車会社ばかりが成功しているという事実のかなりの部分は、東京でも大阪でも自動車産業が自由に設備投資をできなかったときに、名古屋圏で出発したという幸運に負うところが、非常に大きい。和田一夫は大著『ものづくりの寓話』（名古屋大学出版会、２００９年）も締めくくりに近いところで、こう書いている。

トヨタと日産を時おり比較することはあっても全面的な比較研究はしてこなかった。本書の観点からすれば、トヨタと日産とでは基礎的条件が違いすぎ、二社を比較するのはためらわれたからである。トヨタは創業初期に挙母工場という広大な工場敷地を確保し、工場設備をそこに配置して、資材や仕掛品の流れを確保できる体制を整えた。……だが、日産の場合は創業期からトヨタとは大きな差があっただけでなく、米軍による接収などにより戦後も広大な敷地に合理的な工場配置を実現することは一九五〇年代中頃でも実現していなかった。

（同書、496～497頁）

1950年代半ばで、すでにトヨタと日産のあいだで工場網建設の計画性に雲泥の差が付いていた。トヨタは地元で自由に主力工場の増設や下請け工場の結集ができたが、日産はできなかった。その時点では、数年の遅れで済むはずの差だった。だが、1959年には東京圏で工業等制限法、64年には大阪圏で工場等制限法が施行されて、この二大都市圏で工場や大学の新増設がいっさい禁止されてしまった。もう日産は主力、追浜工場周辺では大規模工場の新増設がまったくできない境遇に置かれてしまったのだ。

こうして日産は、生産ラインの拡充に大きなハンデを追ってしまった。ただ、日産だけではなく、プロダクト・ラインが自家用乗用車に傾斜しすぎたトヨタも、今後はむずかしい時期が続くだろう。その点で、FIA世界ラリー選手権への再参戦を決めたとき、御大豊田章男自身が出演したテレビCMでのコメントは象徴的だった。

「第一次世界大戦前後に、軍馬も、農耕馬も、運搬馬も需要が大収縮したとき、馬匹生産を支えたのは、より速く走る馬を育てる競走馬需要でした。だから、トヨタはカーレースに本格的に取り組むのです」といった趣旨だった。おそらく「どんだけ乗用車市場が収縮すると言ってることになるのか、わかっているのか」的なクレームが殺到したのだろう。このCM自体はすぐ放映されなくなった。だが、豊田章男の危機意識も、打開の方向性も正しかったのではないだろうか。

もしクルマ社会死後の世界になっても乗用車一本で勝負するつもりなら、レーシングカー製造に特化するくらいの覚悟は必要だろう。

少なくとも、今さらＮＴＴ都市開発と組んで富士の裾野に広大な敷地を取ったスマートシティを開発するという構想よりはずっとマシだ。自動運転乗用車と携帯の組み合わせで「サービスとしての移動（Mobility as a Service、ＭａａＳ）」を提供するなどという構想は、日本の大都市圏の機能性抜群の鉄道ネットワークが何十年も前にやってのけたことの後追い企画でしかない。

軽・二輪・トラックの展望は明るい

これから経済的離陸が本格化する社会では、自家用大型乗用車を乗り回せる人口は、欧米型クルマ社会ほど大きくならない。その一方で、自力では一歩も動けない商品を搬送するには、小ロット高頻度でドア・ツー・ドア輸送を担うことができる自動車への依存度は高まることはあっても、低下することはありえない。乗用車と商用車（トラック・バス）では商用車のシェアが高まり、乗用車の中でも自家用車と業務用車では業務用車のシェアが高まるわけだ。

乗用車一般、とくにアメリカ車のガタイの大きさがなぜ要求されたかというと、自動車事故に遭ったときに大きいのと小さいのがぶつかった場合、大きいほうがその中に乗っている人は安全で済む。だから、交通事故が多いところほど、大型車に乗りたい人が多かったわけだ。

ビッグ・スリーの衰退は、自動車事故の際の生き残り確率を高めたいという切実な理由から、とにかく堅牢なボディで事故に遭っても自分は最小の被害で相手のクルマを大破させるような大型車を持たなければいけないと思いこんでいる層を画期的に小さくする。だからこそ、トラックばかりではなく、軽自動車やオートバイ・スクーターの需要も大きく伸びるのだ。そういう意味では、交通戦争に「軍縮の時代」がやってくると表現してもいい。そして、この交通戦争の軍縮というのは、たんなることばの綾ではない。

戦前の日本が、国産車は商用車ばかりで、乗用車はほとんど輸入車か、国内のノックダウン工場で組み立てられたアメリカ車だったことは、すでに説明した。だが、日本には戦前から軽自動車というアメリカではまったく作っていない自動車で安定したニッチを築く技術的な基盤はあった。戦前の小型車の分類には戦後飛躍的に発展する二輪車、三輪車もふくまれていて、一時は大流行し、市場規模も大きく伸びる気配を示した。ところが、萌芽状態だった「小型」車市場は、三つの理由で発育不全のまま萎縮してしまう。

戦後東京マツダ販売を創設した石塚秀男の伝記『小型自動車とともに――石塚秀男の足跡』（交文社、２００４年）によれば、その理由は以下の通りだった。ひとつ目は、当時今で言えば総務省と経産省と警察庁の権限を併せ持つ巨大官庁だった内務省は小型自動車を試験に合格しなくても申請だけで取れる免許で運転可能としたために、交通事故が激増したことだった。

ふたつ目は、当時から日本の産業界に脈々と流れていた上級志向あるいは向上心による企業間競争で、「小型」車がどんどん排気量や車体の大きさで大型化してしまったことだ。そして、三つ目が、いかにも時代を感じさせる以下の理由だった。

第二次大戦の前哨戦と言うか、支那事変の勃発である。「小型自動車」は、「普通自動車」言いかえると軍用自動車補助法でのサイズの大きい方のくるまとの比較で軍事上の価値が低い――と見なされ、自動車工業発達の主流から外れていくことになるからである。（同書、21頁）

これは決して近代総力戦に関する過剰な思い入れではなかった。現に堅牢で小回りが利くロンドン・キャブというタクシー専用車は、第二次世界大戦中に装甲車代わりに戦場に投入されていた。つまり、大型車志向と（交通戦争をふくむ）戦時に乗員の身を守る堅牢性への選好度の高さは、それほど密接に関連していたのだ。

交通戦争における全面軍縮の時代は、当然のことながら日本車メーカーの独壇場になる。オートバイの後輪を二輪にすることによって車体の安定性も積載荷物量も画期的に改善したオート三輪に始まって、スクーターの名車ラビット、オートバイ軽量化の頂点、カブやスーパーカブを生み、スバル360以降つぎつぎに軽自動車の名車を生んできた日本の自動車業界には、事故における生存確率の向上より、少しでも軽く、少しでも操作性を良くするというデザイン思想が、文字どおりDNAとして受け継がれている。

戦後生まれの自動車製造会社としてはまちがいなく世界最大に成長したホンダを徒手空拳で創業した本田宗一郎の原点も、この利己主義的な安全性より実用的な操作性を尊ぶ設計思想だった。戦争中に中島飛行機という軍需産業の花形企業で軍用機のエンジン設計を担当したあと、オート三輪の名門くろがね工業を経てホンダに入社し、創業社長の本田宗一郎と壮烈な論戦をくり広げながらＦ１制覇の立役者となった中村良夫は、こう回想している。

宗一郎オヤジさんも、毎日設計室でトグロを巻かれて、ソバ屋さんの小僧が片手運転で、片手にソバを積んで走れるようなオートバイであるべきことを力説されていた。

（中村良夫『クルマよ、何処へ行き給ふや』、95頁）

そして、ホンダのアメリカ進出直後には、輸出仕様として開発したハーレーダビッドソン風の重厚なオートバイも、軽四輪車もほとんど売れなかった。爆発的に売れたのは、営業マンが都心部での客回り用に持ちこんで乗り回していた、「ソバ屋の出前がしやすいように設計された」スーパーカブだった。

自家用車全体の市場シェアがどんどん下がり、全体としてクルマの渋滞も路上を走行する自家用車自体の数も少なくなれば、安全性のためにどうしても大型乗用車に乗りたいという人は減っていく。そうすると、燃費とかスペース効率から言えば、軽とか二輪とかにシフトしていく。アメリカでは、軽は日本に圧倒的に技術的にリードされていたので、初めから作ることをあきらめていた傾向がある。しかし、どこか、たぶんビッグ・スリーとは全然関係ないもっと革新的な技術や発想を持った中小企業が、いきなり画期的な性能の軽を作るというようなことはあるかもしれない。

アメリカのビッグ・スリーにとって最後の掻き入れどきの主役となったのは、レクリエーション・ビークル（RV）やスポーツ・ユーティリティ・ビークル（SUV）だった。RVには多少ジープの影響が入っているが、SUVで売れた車種はすべて、日本車メーカーの作る軽トラックの居住性、操作性があまりにもいいので、「この基本設計をそっくりいただいて、荷台だけをオーナー・ドライバー向けに豪華にして価格を吊り上げたら大儲けができる」というアイデアが図に当たったものだということは、業界人のみならずアメリカの消費者でさえ認めているところだ。

そもそもアメリカでも、ビッグ・スリーは、乗用車よりトラックのほうが強かった。トラックは、絶対に生き延びる。どでかいトラックではなくてもいい。軽トラでもいい。商品は絶対に自分で歩くことができない。だれかが輸送機械を使って運んでやる必要がある。もちろん鉄道も使うだろうし、船も使うだろう。しかし、アメリカのようにだだっ広い大陸で、必ずしも鉄道路線を網の目のように張り巡らすことが効率的ではないところで、内陸輸送で何を使うかといえば、トラックしかない。

トラックは生き延びるし、ひょっとすると日本に比べて貨物を運ぶ距離も長くなるので堅牢で、

上：マツダのオート三輪 GB 型（1949年），下：初期のダイハツ・ミゼット（59年）

実用性の高いトラックで、ビッグ・スリーとその後継企業が巻き返すという可能性はかなりある。

ホンダとかスズキとかヤマハとかが作っている二輪に比べて、長距離性能がいいというバイクを作る新興企業も出てくるかもしれない。だが、乗用車を主体とした商品構成のアメリカの自動車会社は、たぶん全滅するだろう。まあ、フォードが残るにしても、国産車ひとつぐらいはなければ困るというような、絶滅危惧種的な理由で残る程度だろう。これから先のアメリカの自動車産業には、トラック、軽自動車、二輪車で復活するか、まったく新しい会社が出てきて成長する余地はまだかなりあるが、ビッグ・スリー復活の目はないと思う。

ガリバー型寡占の成立を許さなかった日本国民は偉かった

伝統的に乗用車に比べて商用車に強かったこととともに、日本の自動車産業が持つもうひとつの優位は、世界中の主要な自動車製造国で唯一ガリバー型寡占の成立を許さない市場構造を維持してきたことだ。これには企業同士の競争心の高さと、大衆の賢い車種選択が貢献している。

たとえば、オート三輪の御三家を形成したのは、東洋工業（のちのマツダ）、ダイハツ、くろがね工業だった。スクーター市場の先陣争いで火花を散らしたのは、ラビットの富士重工とシルバーピジョンの三菱重工（のちに三菱自動車として分社独立）だった。トラック御三家は、日産ディーゼル（のちに日産系列を離れてUDトラックスと社名変更）、日野自動車、いすゞだった。そして、日本で最初に中型乗用車としてのブランドイメージを確立したグロリアやスカイラインを擁したプリンス自動車も忘れられない。

日本の自動車業界は決して乗用車三大メーカー、トヨタ、日産、ホンダと軽の王者スズキだけではなく、多士済々の業界だったことが分かる。このうちで、自動車製造会社としては消滅してしまったのは、紆余曲折を経て今は日産の下請けでエンジンを作っていて社名も日産工機と変わったくろがね工業と、日産に吸収されたプリンス自動車の2社だけだ。

ガリバー型寡占が牛耳る業界では、どうしても消費者の欲求や願望に聞く耳を持たず、自社にとって儲かる車種を押し付ける営業が横行し、どんなに強大なガリバーもGMのように滅びて行く。それに比べると、日産がトヨタのライバルとしては格が落ちるようになると、ホンダに肩入れしてトヨタのガリバーへの変質をはばんだ日本の消費者は、本当に賢い選択をしている。二輪車メーカーから四輪乗用車メーカーへの脱皮に際してホンダが払った膨大な技術開発や機械設備への投資ももちろん功を奏したわけだが。

だからこそ、大衆向けの実用性を忘れたら新車のコンセプト開発も商品化も始まらない日本企業は、今後のクルマ社会死後の世界で本領を発揮するだろう。

天才同盟は衰退し、凡人連合が伸びる

企業の社風を、大ざっぱに「天才同盟」型と「凡人連合」型に分けるとしよう。アメリカのガリバー型寡占企業は軒並み、天才同盟の典型だ。あらゆる場面で非常に知的能力の高いエリートが決断を下し、部下は上司に設定された目標を達成するために努力する。短期的パフォーマンスはいいが、長期的には資産の切り売り、人材の切り売り、研究開発能力の枯渇を招く。

日本的寡占企業の大半は、凡人連合だ。トップの役割は決断を独占することではなく、下から上がってきた相互に矛盾することもあるさまざまな目標を調整することだ。短期的には非常に決断が遅くまだるっこいパフォーマンスしかできないが、中長期的には新製品、新工程、新素材、新市場の開拓で天才同盟型企業よりははるかに高い実績を残す。

その中で、多くの新興企業が二代目社長、三代目社長の時代に危機を迎える最大の理由は、後

継者が創業者より凡庸だという事実にあるわけではない。まったく反対に、創業者が神格化されすぎて、二代目、三代目も周囲に「何かしら神秘的な能力がなければできないような離れ技をやってのけろ」という非現実的に高い目標を設定されてしまうから失敗するのだ。

浜松に本拠を置いていたという幸運にも助けられたが、ホンダは天才同盟型企業から凡人連合型企業への脱皮でも、すごく努力をしている。もとがバイク屋なのに、本当に滑りこみセーフのタイミングで強引に自動車製造に割りこんで、きちっとした自動車を作れるようになったというのも大変なことだった。

そして、戦後の日本を象徴する二大企業、ソニーとホンダを比べると、創業間もないころにはホンダのほうが本田宗一郎が製造面を担当し、藤沢武夫に財務は全部任せてという、たったふたりの天才で築いた会社という印象が強かった。だが、ホンダは日本の風土では天才同盟では絶対やっていけないと悟って、徐々に体質転換を進めて、ふつうの日本の大企業に変身した。

経済評論家などのあいだでは「ソニーは今も独創性のある人をきちっと集めて立派だが、ホンダはいつの間にか、ふつうの日本の大企業になってしまい、堕落した」というふうにホンダをけなす人が多かった。だが、ふつうの日本の大企業はすばらしい組織だ。とにかく持続力がある。自社の本業としてのプロダクト・ラインが時代の変遷でやっていけないようになると、きちっと新しいビジネスチャンスを見つけてそっちに転換することで、とにかく従業員を路頭に迷わせずに、成長を続けるという持続力は、世界中、ほかの国の大企業にはない強さだ。

１９９０年代末から21世紀初頭にかけての合従連衡ブームに超然と背を向けて独自路線を貫いたホンダは、当時は時流に乗り遅れるとか、生き残りのために不可欠の規模を確保できないとか批判された。だが、今や世界中の大手自動車会社の中でいちばん問題の少ない優良企業と目されている。これも、しがない二輪車メーカーとして出発したころの初心を忘れず、知的能力の高いリーダーが引きずり回すのではなく、町工場がそのまま大きくなってしまったような集団主義的経営を貫いてきたからこそだろう。

本田宗一郎自身も、マスコミによる自分の神格化に抗して、執拗にふつうの大衆の一員という立場を貫こうとしていた。佐藤正明の『ホンダ神話〈２〉――合従連衡の狭間で』（文春文庫、２００７年）は偉大な創業者亡きあとのホンダの苦闘を描いているが、そのエピローグはこんなことばの引用で始まっている。

「現代の偉人は大衆の偉人であるべきです。昔のように犠牲によって成り立った偉人は、断固として排撃するべきです。ナポレオンしかり、豊臣秀吉しかり。人の犠牲によって成り立っている偉人を崇拝するという風潮は怖い」本田宗一郎

（同書、３５７頁）

その意味で、本田宗一郎、藤沢武夫というあまりにもカラフルな創業者コンビが引退したあとのホンダは、深刻な岐路に立たされていた。外部からはいかにも天才同盟的な社風が似合う企業

に見えていたし、社内にも本田・藤沢コンビの経営を天才的なひらめきの問題とした上で、そのままひらめきと決断の経営を継承しようとする勢力もあったからだ。

だが、ホンダはみごとにふつうの日本の大企業への進化をなし遂げた。『Ｖｏｉｃｅ』誌２００９年５月号に掲載された本田技研社長（当時）福井威夫のインタビュー記事は、まさにこの成長のあとを示している。


むろん、営業の最前線などでは、数値目標は非常に重要です。しかし、トップがコミットメントにしてはいけない。組織というものは、トップが数値目標を掲げた途端、それを達成するためだけに突き進むようになってしまうものなんです。短期的には効果があるかもしれませんが、続くわけがない。息が切れて落ちていきます。数字をクリアすることに集中してしまうと、結局、お客さまの信頼を損なうことになってしまいます。（同誌、34頁）

ホンダは苦労して、初めは天才同盟でやっていた組織を、凡人連合型の日本の企業に体質改善することができた。ソニーはそれができなかったから、21世紀初頭には低迷していた。

同じ戦後派花形企業として出発したが、創業者コンビの神格化に企業ぐるみで乗ってしまって、時がたつほどグロテスクになっていったのがソニーだ。高い報酬を得ていたイギリス人ＣＥＯのやっていたことといったら、高い技術蓄積を築いてきた虎の子の研究部門を売り渡し、新製品の企画はいずれも他社の二番煎じ、三番煎じ、経営再建のための収益増はほとんど労賃の高い立地から安い立地への生産拠点移転でひねり出す予定というていたらくだった。

中でも、この社長兼会長兼ＣＥＯがどこまで日本人をバカにしていたかが分かるのが、ソニーグループ全体のキャッチコピーとしてmake.believeというフレーズを採用したことだ。もちろん、本人が考えたコピーではなく、社内のだれか、あるいは広告代理店が提案したことを受け入れただけなのだろう。だが、make believeというフレーズは、「〜のつもり」とか、「〜のふりをする」という意味の熟語なのだ。

ビッグバンド・ジャズ華やかなりし１９３０年代のヒット曲のひとつに、「Make Believe Ball Room」という歌がある。「貧乏暮らしでとても舞踏会にいくカネはないけど、ラジオから聞こえてくるビッグバンドの演奏に乗って、自分の部屋が舞踏会の会場になったつもりで踊りましょう」という歌だ。あいだに「.」（ドット）を入れれば「創る」・「信じる」と受け止めてもらえるというような甘い話ではない。make believeというのは、英語国民ならだれでも、「ソニーは経営再建をしているつもりになっただけ」、「経営再建のふりをしているだけ」と思うこと請け合いのコーポレート・キャッチコピーなのだ。

こういうまじめに働いている自社の従業員の努力を無にするような標語を、ニュアンスまで分かっていながら平然と使い続けているＣＥＯを、なぜいつまでも留任させているのだろうかと真剣に憂慮していた。だが、このＣＥＯが辞任してからのソニーは、画期的に良くなった。早い話が、今アメリカのミレニアム世代のあいだで、ブランド認知度トップ10に入る日本企業は、「しがない京都の花札屋」だった任天堂とソニーだけだ。往年の日本電機・電子機器業界の華やかさを知っている人たちにはわびしい話かもしれない。

だが今や、世界中見渡しても一流の電機・電子機器メーカーなど存在しない。製品そのものの良さより、製品につくりこんだソフトがどれだけおもしろい体験、楽しい体験をさせてくれるかで勝負する業界になっているのだ。

日本の大企業では、少なくとも製造業に関する限り、だれが社長になったか分からないような、トップの影の薄い企業が強い。そして、大企業になっても自己革新を続ける能力では、日本の製造業が世界でいちばん強い。製造業の社長が英雄になるような国は、絶対ダメだ。

日本の製造業労働生産性は大丈夫なのか？

さて、戦後の混乱期に始まった平和日本の民生需要に依存した成長の原点を忘れないかぎり日本の自動車産業は安泰だとしても、最近の日本経済の成長性の低さや労働生産性の低さは心配の種ではないのだろうか。

結論から言うと、日本の労働生産性に関する議論には三つの問題が混在している。そして、そのうちふたつは必ずしも日本経済にとってマイナスではなく、むしろプラスなのだ。最後のひとつだけは、明らかに克服すべきマイナスだが、解決策ははっきりしている。この問題は、日本国

（%）

国名	1960−90年	1960−73年	1973−79年	1979−90年	1990−93年
アメリカ	2.9	3.3	1.4	3.1	2.5
日本	6.9	10.2	5.0	4.1	1.8
ドイツ	4.0	5.6	4.2	2.1	1.2
イギリス	3.7	4.2	1.2	4.4	4.5
フランス	4.9	6.4	4.6	3.2	1.2
イタリア	5.3	6.4	5.7	3.9	4.6
カナダ	2.9	4.5	2.1	1.5	2.4

工業における労働生産性上昇率（1960〜93年）

民全体が日本経済の良さを生かしながらもっと成長性の高い社会を目指すのか、今までどおりの平和で豊かだが緩やかな縮小を続ける社会でもいいと考えるのか、自分たちで選ぶべき性質のことだ。

まず、自動車をふくむ製造業の労働生産性から見ていこう。工業製品というのは、ほとんど世界中どこへでも輸出できて、それぞれの国の市場でこの性能でこの値段ならお買い得とか、割高とかの比較ができるので、いちばん国際比較のやりやすい部分だ。この分野を見ているかぎり、日本の労働生産性には何ひとつ問題はない。１９９０年以降長いあいだ世界中が繁栄している中で一国型のバブル崩壊不況に苦しんだ国という背景を考えれば、驚異的にすばらしいパフォーマンスをしたと言ってもいい。

上に引用した表をご覧いただきたい。１９６０〜93年の主要先進国の工業における労働生産性成長率を比較したものだ。

バブルが崩壊した直後に当たる１９９０〜93年でさえ、日本は最下位ではない。同率最下位のドイツ、フランスの年率１・２パーセントに比べればかなりマシな年率１・８パーセントで下から３番目というポジションだ。当時の国内経済の情況をドイツやフランスの国内事情と比較すれば、非常に健闘したと言える。

「この時期はまだ本格的に落ちこんでいなかった。問題はこのあとの1990年代を通じた実績だ。たぶん惨憺たる状態だったろう」とお考えの向きも多いかもしれない。だが、日本における製造業労働生産性は、10年以上続いた長期不況の中でも決して欧米先進国の平均値より大きく落ちこむことはなかった。そのへんの事情は、次ページの表で読み取ることができる。

1990年代でも、さすがに前半は先進国グループで低いほうになってしまったが、それでも年率換算でノルウェーの0・5パーセントとか、イタリアの2・2パーセントとかに比べるとはるかに高い3・3パーセント成長をたもっていた。

さらに、90年代後半となると韓国の10・8パーセント、スウェーデンの7・2パーセント、アメリカの5・7パーセント、台湾の5・5パーセント、フランスの4・5パーセントに次ぐ4・1パーセントとこの表で取り上げた15カ国中で第6位とまん中よりは上だ。

また2000年代に入って最初の4年間では、韓国の6・9パーセント、スウェーデンの6・2パーセント、アメリカの5・9パーセント、台湾の5・4パーセントに次ぐ5・0パーセントで第5位と堂々たる成績だった。

しかも、2002～03年の一年だけの成長率では、なんとノルウェーの8・6パーセント、ス

（%）

国名	1979—04年	1979—90年	1990—95年	1995—2000年	2000—04年	2002—03年	2003—04年
日本	4.0	3.8	3.3	4.1	5.0	11.0	6.9
アメリカ	4.1	2.8	3.7	5.7	5.9	7.1	5.2
カナダ	2.6	2.0	3.8	3.2	1.8	2.3	2.9
イギリス	3.6	4.1	3.3	2.6	3.8	4.1	5.6
ドイツ※	2.7	2.1	2.9	3.7	3.1	3.9	4.7
フランス	4.2	4.2	4.6	5.1	2.5	0.3	3.5
イタリア	1.5	2.2	2.2	1.0	−0.7	−0.9	−0.6
オランダ	3.1	3.5	3.5	2.5	2.3	1.1	5.3
ベルギー	3.5	4.2	3.2	2.7	3.0	2.9	3.2
デンマーク	2.2	2.1	2.7	1.8	2.0	5.0	0.9
スウェーデン	4.7	2.5	5.8	7.2	6.2	7.2	9.8
ノルウェー	1.9	2.0	0.5	1.1	4.2	8.6	2.3
台湾	5.7	6.2	5.2	5.5	5.4	3.6	4.7
韓国	−	−	9.6	10.8	6.9	7.0	12.1
オーストラリア	2.9	2.8	2.9	3.8	2.4	3.9	−0.6

時間あたり労働生産性上昇率：製造業（1979〜2004年）　※1990年以前は，旧西ドイツ地域.

ウェーデンの7・2パーセント、アメリカの7・1パーセントをしのぐ11・0パーセントで、唯一2ケタのトップだった。2003〜04年の一年間でも、韓国の12・1パーセントに次ぐ6・9パーセントで2位となっている。

おそらく、2002年に工業（場）等制限法が撤廃されて東京湾岸沿い、大阪湾岸沿いの好立地で大型工場の新増設が解禁されたことの好影響がほぼ即座に反映されたのだろう。

というわけで、製造業の生産性に関するかぎり、心配することは何もない。それでは、日本経済全体が「輸出依存型」で内需産業がおそろしく非効率的だということに、日本の労働生産性問題の核心があるのだろうか？

それでは、サービス業の労働生産性はどうか？

一般論として言えば、日本の内需産業は決してひ弱な内弁慶ではない。たとえば、小売業で世界首位のウォルマートはいまだに中堅スーパー西友の再建に苦労しているし、できることなら手を引きたがっている。世界第2位のカルフールは鳴り物入りで日本市場に乗りこんで直営店舗網を築こうとしたが、まったく不振で撤退してしまった。

一方、本家であるアメリカのセブン‐イレブン・チェーンの再建を託された日本のセブン‐イレブンは、この難事業にみごと成功した。相手国の市場に乗りこんだときにどちらが競争力を発揮するかで比較すれば、明らかに欧米の小売ガリバーたちより、激しい競争にさらされている日本の寡占企業群のほうが競争力はあるのだ。

とくにアメリカとの比較でその感は強い。アメリカでは、たとえば半径50マイル以内に競合業者が一軒も出店していないというような地域独占を形成しやすいし、世界最大の小売業者にのし上がったウォルマートだけではなく、文具のオフィスデポとかおもちゃのトイザらスとか、さまざまな分野でカテゴリー・キラーと呼ばれるガリバー型寡占が、２０１０年代初めごろまでのさばっていた。

たとえば、オフィスデポのＰＢ商品などを見ると、その粗悪さたるやひどいものだ。コクヨのプリットとかたちだけは瓜二つのスティック糊は、何度塗ってもまったく接着機能を果たさない。ボックス入りのティシューも、かたちはクリネックスやスコッティにそっくりだが、箱一杯に入っているうちは引っ張るとビリビリ破けながら出てくる。こういう、日本では１００円均一ショップにも置かないような粗悪品ばかり置いていたから、要求水準の高い日本の消費者には受け入れられず、華々しく日本進出をしてから13年で尻尾を巻いて撤退したのだ。

というわけで、小売業のほとんどの分野で日本のほうが欧米の同業態の企業より、安くていいものを良心的な価格で売っている。だが、労働生産性を測るときには、このいい商品を安く売ることは、マイナスに出てくる。欧米の同業者より同じ労働力の投入量から得る売上高が小さいことになるからだ。

日本だって、小売店員が同僚とのおしゃべりの片手間に客に注意を向けてくれることもあるといった態度で接客をするとか、柔らかいもの、軽いものの上に平然と重いもの、固いものをぶちこむというサービスをするようになっても今までどおりの賃金を払い、逆に日本の消費者が当然のこととして割り増しを払わずにすんできた質の高いサービスには割

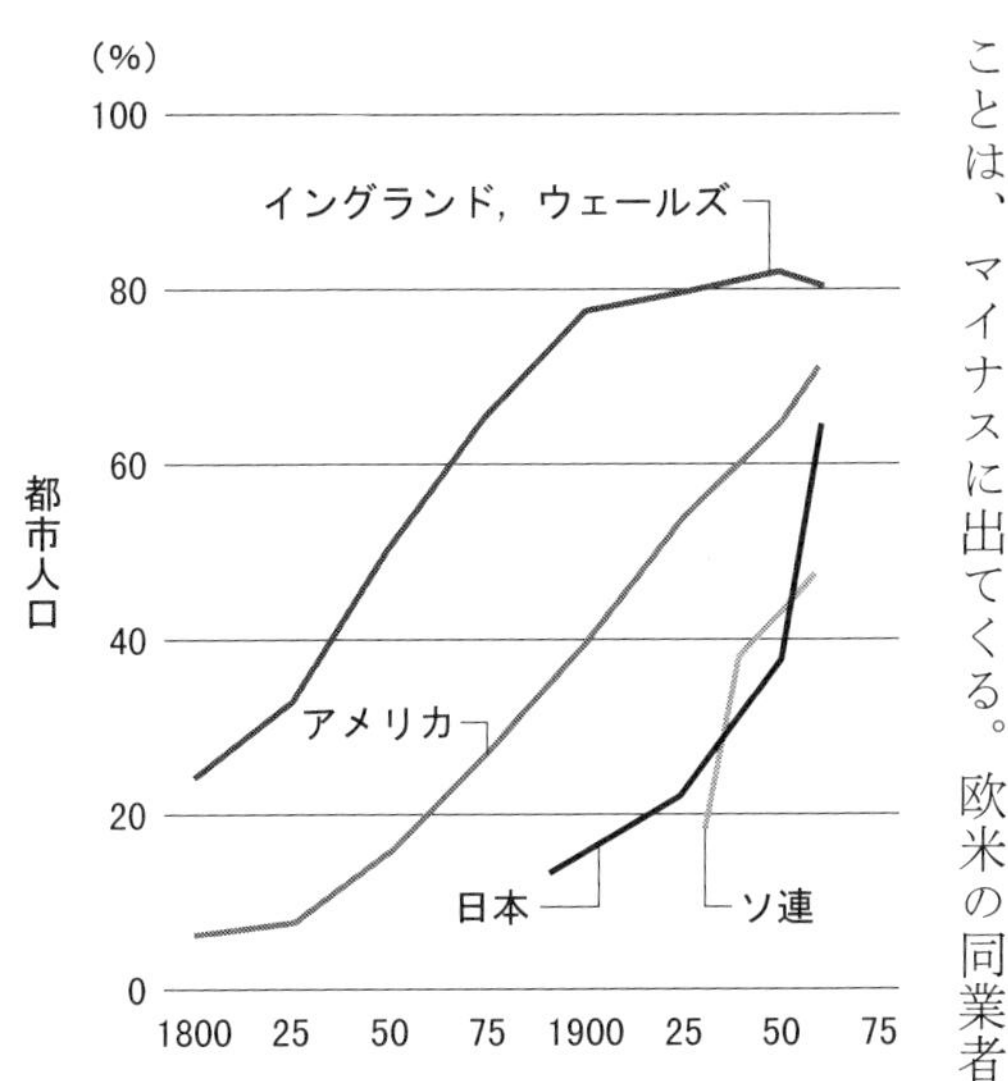

工業国が経てきた典型的な都市化の過程（1800〜1960年）が，この図の４カ国の曲線で示されている．この過程は経済発展にも密接に関連している．1950年と60年の数字は，都市化区域の周辺居住者を都市に住む者とみなす分類にもとづいている．それ以前の都市については，この分類は用いられていない．

り増し料金を要求するようにすれば、たちどころに小売業の労働生産性は急上昇する。

問題の核心は、日本の消費者にとってどちらが有利かとか、どちらが快適な生活を保証するかというところにある。庶民の日常とまったく無縁の生活を送っているとしか考えられない「経済学者」の進言どおりに、小売業の雇用を今以上に不安定にして、低賃金労働ですむことは全部低賃金でやらせるなどという世迷い言にまどわされないことだ。そうなったら、日本の買いもの風景はまちがなく欧米や中国と同じように殺伐としたものになる。

水準はともかく、なぜ成長しなくなってしまったのか？

さて、それでも労働生産性に関して問題は残る。たとえば、日本の内需産業の競争が激しいので、欧米に比べて市場経済で形成される価格体系のもとで生産者余剰になる部分より消費者余剰になる部分が大きいというのは、高度経済成長期から一貫して日本経済が持ちつづけている特徴だ。

だから、金銭に換算したときに労働生産性として計測される水準が低いことの説明にはなっても、成長性が低いことの説明にはならない。「水準としては低いところから出発しても、成長性を高めることはできるのではないか。現に、1970年代初頭までの高度成長期には、そうやって国内総生産全体も大きく伸ばしてきたのではないか」という疑問が出てきて当然だ。

その疑問は正しい。そして、なぜ高度成長期までは急成長を続けた日本経済が、その後安定成

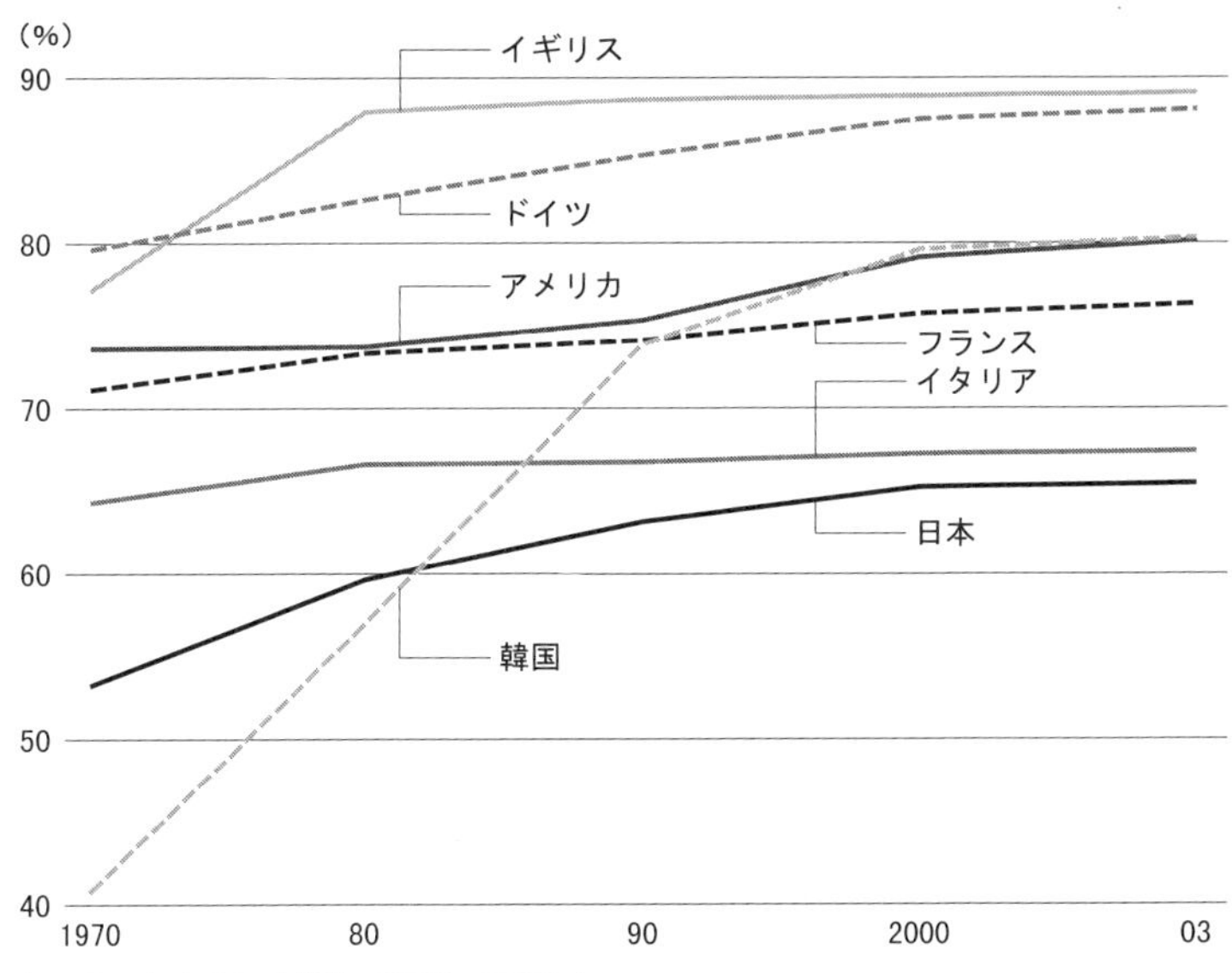

主要国の都市化比率推移（1970〜2003年）

長へ、低成長へ、ゼロ成長へ、そしてマイナス成長へと落ちこみ続けたのかと言えば、理由ははっきりしている。田中角栄が自民党の実権を握って以来、経済成長の原動力とも言うべき都市化がストップしてしまったからだ。

１９７０年代初めまでの日本経済は、最低の失業率と最高の経済成長率を兼ねそなえたぶっちぎりの高いパフォーマンスを続けていたが、同時に人口の都市化も世界最高のスピードで進んでいた。３５９ページのグラフにあるように、日本は国内総生産成長率の高さ、失業率の低さ、人口の都市化率の上昇ぶりで三冠王だったのだ。このグラフは、１９６０年代初頭までの代表的な高成長国家の都市化率の推移を示したものだ。

ところが、１９７０年代以降、この都市化

率の上昇に急ブレーキがかかる。そのドラマチックな転換は、前ページのグラフにはっきり表れている。

1990年代まで急速な都市化を維持した韓国と違い、80年代以降の日本は完全に都市化が頭打ちになってしまったのだ。ただ、このグラフで都市化地域としているのは、「1平方キロ当たり400人以上の人口密度を擁する2ヘクタール以上のひとつながりの行政区画」ではなく、三大都市圏居住人口だ。しかし、日本の経済成長率を減速させた犯人探しには、都市化の一般的な定義を用いるより、三大都市圏への流入人口の激減を示したほうが適切だろう。三大都市圏への流入が頭打ちになったのは、日本の経済成長にはすさまじいハンデキャップだった。

都道府県別の労働生産性推移を見ると、明らかに三大都市圏に属する都府県の生産性が高く、その他地方の道県の生産性は低い。しかも、その差は年を追って拡大している。次ページの表をご覧いただきたい。

未完の都市化を再度推進することこそ、生産性向上の決め手だ!

2000年までは調査年次ごとに1~2県、三大都市圏以外の県でも全国平均を上回る労働生産性を達成していた。だが、2003年の調査では、全国平均を上回る労働生産性を達成した7県はすべて三大都市圏に属していた。つまり、本当に日本経済の労働生産性を高めたかったら、人を生産性の低いその他地方に押しとどめるような政策は取るべきではなく、人口移動奨励策と

順位	1990			1995		
	都府県	都市圏・地方	労働生産性	都府県	都市圏・地方	労働生産性
1	東京都	東京圏	8, 981	東京都	東京圏	9, 200
2	神奈川県	東京圏	8, 868	滋賀県	大阪圏	8, 985
3	滋賀県	大阪圏	8, 805	神奈川県	東京圏	8, 748
4	大阪府	大阪圏	8, 150	兵庫県	大阪圏	8, 505
5	千葉県	東京圏	7, 962	大阪府	大阪圏	8, 267
6	兵庫県	大阪圏	7, 917	愛知県	名古屋圏	8, 214
7	愛知県	名古屋圏	7, 850	千葉県	東京圏	8, 041
8	茨城県	北関東	7, 469	茨城県	北関東	7, 741
9	栃木県	北関東	7, 380	富山県	北陸	7, 628
10	埼玉県	東京圏	7, 340			
11	広島県	中国	7, 300			
12	奈良県	大阪圏	7, 266			
13	富山県	北陸	7, 258			
全国平均			7, 255			7, 624

順位	2000			2003		
	都府県	都市圏・地方	労働生産性	都府県	都市圏・地方	労働生産性
1	東京都	東京圏	9, 897	東京都	東京圏	10, 007
2	滋賀県	大阪圏	9, 134	大阪府	大阪圏	9, 008
3	神奈川県	東京圏	8, 876	滋賀県	大阪圏	8, 777
4	大阪府	大阪圏	8, 612	神奈川県	東京圏	8, 675
5	千葉県	東京圏	8, 471	愛知県	名古屋圏	8, 431
6	愛知県	名古屋圏	8, 398	千葉県	東京圏	8, 325
7	兵庫県	大阪圏	8, 107	三重県	名古屋圏	8, 283
8	茨城県	北関東	8, 021			
全国平均			7, 966			7, 906

労働生産性が全国平均を上回っている都道府県（1990～2003年度）

までは行かなくとも、地方から三大都市圏への人口移動の邪魔をしない政策を取るべきなのだ。

また、クルマ社会化した欧米では、道路渋滞がボトルネックになって90パーセントを超える人口都市化は非現実的なのに比べて、東京圏・大阪圏の二大都市圏に発達した鉄道網がある日本では通勤通学にボトルネックがなく、90パーセントを超える都市化にも十分対応できるはずだ。くり返しになるが、問題は日本国民がそこまで切実に労働生産性の向上を望んでいるのか、それとも今までどおりの都市化率を維持したままゆるやかな経済規模収縮に身を任せてもいいと思っているのかだ。

今後ますます所得格差が拡大してクルマ社会が維持できなくなったとき、完全に移動の手段を奪われて生活水準が劇的に落ちる人が大勢出てきそうな欧米社会に比べれば、ぜいたくな悩みだ。いや、欧米の大都市を取り巻く環境は、コロナ禍を口実としたロックダウンの実施などによって、ますます悪化している。アメリカでは数少ない歩ける場所で大都市の多種多様な楽しさを満喫させてくれる都市、サンフランシスコ、ニューヨーク市マンハッタン区、ボストン旧市街などで、豪邸が売りに出ているケースが多い。都心部に豪邸を構えていた大富豪たちが、大都市だけが提供できるサービスの多様性の魅力が薄れたために、郊外や他州の中小都市に移住しているのだ。

今でもアメリカの中小都市には、一人の入居者もないまま、荒れ放題になっているオフィスビル、店舗ビル、集合住宅が点在している。今後は、サンフランシスコやマンハッタンやボストンでも、街の賑わいが廃墟と化した高層ビルによって分断され、街ごと死滅していく光景が展開されるかもしれない。だが、賢明な日本の大衆は平和で安全で歩いて楽しい大都会をどう守るかというぜいたくな悩みにも、きっと本当に自分たちにとって有益な解決策を見出すにちがいない。

おわりに

クルマをたったひとつの道具としたアメリカの一刀彫、お楽しみいただけただろうか。トクヴィルが予言したとおり、そして文明の興亡史が教える教訓にも忠実に従って、アメリカはその弱さではなく、強さによって没落の足を速めつつある。そして、西欧諸国もアメリカの後を追っている。

ほぼ80年間にわたって自動車・石油エネルギー依存型文明の旗手として世界経済の覇権を握っていたアメリカは、GMがゼネラル・モーターズから国家公認(ガバメント)のタカリ屋(ムーチャーズ)に転落するとともに、覇権を手放そうとしている。

かつて大衆娯楽の王者として君臨したハリウッド映画もアメリカン・ポピュラー・ミュージックも、いまや間口の狭いブティックばかりが乱立して、本当に大衆的(ポピュラー)な娯楽を提供するコツを忘れてしまった。国民全体が、同じ地域に住み、同じ道路を自動車に乗ってすれちがっていても、所得階層が違えばまったく違うコミュニティに属していて、偶然交じり合う機会はほとんどないのだから、当然だろう。

2000~02年のハイテク・バブル崩壊以降、実体経済は本格回復していないのに、金融機関のスタープレイヤーたちは史上最高額のボーナスを謳歌し、大企業の経営トップは一般勤労者の

300〜500倍の報酬が微減になったことを、耐えられないほどの犠牲を払ってでもいるかのように触れ回る。刑務所に服役している人口が、あらゆる世帯の中でもっとも伸び率の高い世帯人口だと言われるほど、犯罪市場は隆盛を極めている。いや、犯罪が激増しているわけでもないのに、民営化した刑務所運営業者を儲けさせるために受刑者の服役期間がどんどん長期化している。

ジャマイカからの移民を父に持ち、インドからの移民を母に持つカマラ・ハリスは、この「マイノリティ特権」をフル活用して、カリフォルニア州検事総長時代にマイノリティ受刑者の刑期延長に辣腕を振るった実績を持つ。そのカマラ・ハリスが、とうとうアメリカ副大統領になってしまった。

アメリカ文明のたそがれに立ち会っていていちばんこわいのは、これはだれに強制されたわけでもなく、アメリカ人たちがあくまでも自由意志にもとづいて選び取った社会だということだ。

この本の初版は、日本唯一の金山運営専業企業ジパング在籍中に、その姉妹会社である牛之宮の主宰するブログサイト『松藤民輔の部屋』に週1回連載のペースで走り書きした原稿を大幅に加筆修正したものだった。約10年のときを隔てて読み返してみると、「なかなかいいところを見ているじゃないか」と肩を叩いてやりたくなる部分もある半面、明らかに間違ったことも書いていた。日本経済のエネルギー効率の良さが再評価されるのは、石油などの化石燃料が枯渇して、エネルギー価格が高騰したときだろうなどという予測は、その最たるものだ。
日本文明の省エネ性は、「エネルギー資源はもっと買いたいけど、高くて買えないから節約する」などというけちけちした文脈で評価すべきではない。ほんとうに豊かな生活をするためにはムダなものを捨てる消費スタイルがとくに若い世代のあいだで徐々に浸透してきた傾向の中で前向きの選択として評価すべきものだ。そして、これは江戸時代の町人文化の再現であるとともに、世界的なモノからサービスへの消費者需要の移行をも反映している。この点については、いずれ一書にまとめたいと思う。

他社からの増補改訂版刊行をご快諾いただいたPHP研究所編集部と、これが増補改訂版を出す価値のある本だと認めていただいた土曜社の豊田剛さんに感謝をささげる。

USスチール創設の1901年から120年、
ワシントンで失業者たちが飢餓行進を敢行した1931年から90年、
アメリカの貿易収支が1894年以来で初めて赤字となった1971年から50年、

2021年6月中旬の吉き日に

増田悦佐

増田　悦佐〈ますだ・えつすけ〉一九四九年十二月生まれ。射手座。一橋大学経済学部修士課程終了。米国ジョンズ・ホプキンズ大学（経済学部＝歴史学部）博士課程単位取得退学後、日本に帰り約二十年間外資系証券会社で建設・住宅・不動産業界の株式アナリストを務めたあと、著述業に専念し現在に至る。代表作に『奇跡の日本史』（PHP研究所）、『内向の世界帝国　日本の時代がやってくる』（NTT出版）、『夢の国から悪夢の国へ』（東洋経済新報社）、『新型コロナウイルスは世界をどう変えたか』（ビジネス社）、『日本人が知らないトランプ後の世界を本当に動かす人たち』（徳間書店）、『お江戸日本は世界最高のワンダーランド』（講談社プラスα新書）などがある。ポピュラーミュージック、ポピュラーカルチャー関連では、著書に『アイドルなき世界経済』（ビジネス社）、『日本型ヒーローが世界を救う』（宝島社）、訳書にポール・オリヴァー『ブルースの歴史』（土曜社）があり、村尾陸男著・訳『ジャズ詩大全』一〜十二巻と別巻『クリスマスソング特集』では校閲を務めた。

増田悦佐　クルマ社会・七つの大罪
増補改訂 自動車が都市を滅ぼす
二〇二一年八月三十日初版印刷
二〇二一年九月二十日初版発行
土曜社　渋谷区猿楽町一一―二〇
日本ハイコム・加藤製本　製造

参考文献

アイスT＝ハイディ・シーグマンド『オレの色は死だ――アイスTの語るLAジャングルの掟』，ブルース・インターアクションズ，1994年
秋元英一『世界大恐慌――1929年に何がおこったか』，講談社学術文庫，2009年
浅羽良昌『アメリカ経済200年の興亡』，東洋経済新報社，1996年
朝日新聞社出版局年鑑事典編集部編『戦後半世紀1945～1995〈現代日本の歩み〉』，朝日新聞社，1995年
天野光三編著『都市交通のはなし〈Ⅰ〉』，技報堂出版，1985年
アメリカ連邦交通省道路局編『アメリカ道路史』，原書房，1981年
綾部恒雄『アメリカの秘密結社』，中公新書，1970年
阿利莫二ほか『都市政策――その課題とフロンティア』，総合労働研究所，1982年
フィリップ・アリエス『〈子供〉の誕生――アンシァン・レジーム期の子供と家族生活』，みすず書房，1980年
石山四郎『横眼で見たアメリカ』，ダイヤモンド社，1955年
石渡邦和『自動車デザインの語るもの』，NHKブックス，1998年
井上章一『愛の空間』，角川選書，1999年
上杉忍『新書アメリカ合衆国史〈3〉パクス・アメリカーナの光と陰』，講談社現代新書，1989年
ソースティン・ヴェブレン『有閑階級の理論』，ちくま学芸文庫，1998年
トム・ウルフ『そしてみんな軽くなった――トム・ウルフの1970年代革命講座』，ちくま文庫，1990年
海野弘『流行の神話――ロールスロイスとレインコートはいかに創られたか』，光文社文庫，1986年
同『足が未来をつくる――〈視覚の帝国〉から〈足の文化〉へ』，洋泉社新書y，2004年
英米文化学会編『アメリカ1920年代――ローリング・トウェンティーズの光と影』，金星堂，2004年
エミネム『アングリー・ブロンド』，河出書房新社，2003年
奥井俊史『アメリカ車はなぜ日本で売れないのか――「TEACH」型文化と「LEARN」型文化の違い』，光文社ペーパーバックス，2006年
レイ・オルデンバーグ『サードプレイス――コミュニティの核になる「とびきり居心地よい場所」』，みすず書房，2013年
鹿島茂『馬車が買いたい！』，白水社，1991年（増補版，2009年）

加藤裕子『食べるアメリカ人』，大修館書店，2003年
デービッド・カラハン『「うそつき病」がはびこるアメリカ』，日本放送出版協会，2004年
J・キーツ『くたばれ自動車——アメリカン・カーの内幕』，至誠堂新書，1965年
栗山定幸，花澤宏行『小型自動車とともに——石塚秀男の足跡』，交文社，2004年
グレッグ・クライツァー『デブの帝国——いかにしてアメリカは肥満大国となったのか』，バジリコ，2003年
デーヴ・グロスマン『戦争における「人殺し」の心理学』，ちくま学芸文庫，2004年
ハーヴィー・コックス『世俗都市の宗教——ポストモダン神学へ向かって』，新教出版社，1986年
小谷節男『アメリカ石油工業の成立』，関西大学出版部，2000年
小山勉『トクヴィル——民主主義の三つの学校』，ちくま学芸文庫，2006年
サイエンティフィック・アメリカン編『都市の科学』，紀伊國屋書店，1966年
向坂正男編『新版　日本産業図説』，東洋経済新報社，1968年
サトウマコト『横浜製フォード，大阪製アメリカ車——1936年陸軍国産車保護立法で生産阻止』，230クラブ，2000年
佐藤正明『ホンダ神話〈2〉——合従連衡の狭間で』，文春文庫，2007年
猿谷要編『総合研究アメリカ〈1〉人口と人種』，研究社，1976年
ジェイン・ジェイコブズ『アメリカ大都市の死と生』，黒川紀章訳，鹿島出版会SD選書，1977年（山形浩生訳，鹿島出版会，2010年）
同『壊れゆくアメリカ』，日経BP社，2008年
清水草一『フェラーリがローンで買えるのは，世界で唯一日本だけ』，ロコモーションパブリッシング，2005年
下川浩一『世界自動車産業の興亡』，講談社現代新書，1992年
デイヴィッド・A・シャノン『アメリカ——二つの大戦のはざまに』，南雲堂新アメリカ史叢書，1976年
アミティ・シュレーズ『アメリカ大恐慌——「忘れられた人々」の物語〈上・下〉』，NTT出版，2008年
エリック・シュローサー『ファストフードが世界を食いつくす』，草思社，2001年
アルフレッド・P・スローンJr.『GMとともに』，田中融二・狩野貞子・石川博友訳，ダイヤモンド社，1967年（有賀裕子訳，ダイヤモンド社，2003年）
染谷孝太郎『イギリス農業経済史序説』，白桃書房，1985年
高岸清『世界の自動車——各国代表車の特長と背景』，光文社カッパブックス，

1964年
クリストファー・ターナード，ボリス・プシュカレフ共著，鈴木忠義訳編『国土と都市の造形』，鹿島出版会，1966年
立花啓毅『なぜ，日本車は愛されないのか』，ネコ・パブリッシング，2003年
ジム・ハイマン編『アドバタイジング――50年代の車』，タッシェン・ジャパン，2003年
同『トラベル広告集　SEE THE WORLD』，タッシェン・ジャパン，2003年
林壮一『アメリカ下層教育現場』，光文社新書，2008年
デイヴィッド・フィンケル『帰還兵はなぜ自殺するのか』，亜紀書房，2015年
マイク・デイヴィス『自動車爆弾の歴史』，河出書房新社，2007年
東京大学社会科学研究所編『20世紀システム〈2〉経済成長〈Ⅰ〉基軸』，東京大学出版会，1998年
A・トクヴィル『アメリカの民主政治〈上・中・下〉』，講談社学術文庫，1987年
中村良夫『クルマよ，何処へ行き給ふや』，グランプリ出版，1989年
野村達朗『新書アメリカ合衆国史〈2〉フロンティアと摩天楼』，講談社現代新書，1989年
マーク・バウアーライン『アメリカで大論争!!　若者はホントにバカか』，阪急コミュニケーションズ，2009年
ジグムント・バウマン『コミュニティ――安全と自由の戦場』，筑摩書房，2008年
萩原伸次郎・中本悟編『現代アメリカ経済――アメリカン・グローバリゼーションの構造』，日本評論社，2005年
ウォルター・バジョット『ロンバード街――ロンドンの金融市場』，岩波文庫，1941年
林洋『「成熟期」の交通論――21世紀の交通改革のために』，技術書院，1995年
同『続　交通事故鑑定の嘘と真』，技術書院，2004年
原隆之『アメリカ人は，なぜ明るいか？』，宝島社新書，1999年
原悠太郎『歌謡文化考――「みんぞく」的世界への慮行』，島津書房，1987年
原田泰『日本はなぜ貧しい人が多いのか――「意外な事実」の経済学』，新潮選書，2009年
デイビッド・ハルバースタム『覇者の驕り――自動車・男たちの産業史〈上・下〉』，日本放送出版協会，1987年
S・ブライネス，W・J・ディーン『歩行者革命』，鹿島出版会SD選書，1977年
ジェイ・ボールドウィン『バックミンスター・フラーの世界――21世紀エコロジー・デザインへの先駆』，美術出版社，2001年
星野芳郎『技術革新』，岩波新書，1958年
ウィリアム・J・ホルスタイン『GMの言い分――何が巨大組織を追いつめた

のか』，PHP研究所，2009年
本城靖久『馬車の文化史』，講談社現代新書，1993年
牧厚志『日本人の消費行動――官僚主導から消費者主権へ』，ちくま新書，1998年
エヴァン・マッケンジー『プライベートピア――集合住宅による私的政府の誕生』，世界思想社，2003年
シドニー・W・ミンツ『甘さと権力――砂糖が語る近代史』，平凡社，1988年（ちくま学芸文庫、2021年）
マイク・モラスキー『日本の居酒屋文化　赤提灯の魅力を探る』，光文社新書，2014年
安武秀岳『新書アメリカ合衆国史〈1〉大陸国家の夢』，講談社現代新書，1998年
山崎清『GM（ゼネラル・モーターズ）――巨大企業の経営戦略』，中公新書，1969年
エレン・ラペル・シェル『太りゆく人類――肥満遺伝子と過食社会』，早川書房，2003年
チェスター・リーブス『世界が賞賛した日本の町の秘密』，洋泉社新書，2001年
エリコ・ロウ『太ったインディアンの警告』，NHK生活人新書，2006年
ジェラルド・J・S・ワイルド『交通事故はなぜなくならないか――リスク行動の心理学』，新曜社，2007年
渡辺正『「地球温暖化」神話――終わりの始まり』，丸善出版，2012年
和田一夫『ものづくりの寓話――フォードからトヨタへ』，名古屋大学出版会，2009年
Gene Lees, *Singers and the Song*, Oxford University Press, 1987
Tom Lewis, *Divided Highways*, Penguin Books, 1997
Richard Sennett and Jonathan Cobb, *The Hidden Injuries of Class,* Vintage Books, 1973
Don and Susan Sanders, *The American Drive-In Movie Theatre*, Motorbooks International Publishers & Wholesalers, 1997

統計集・年鑑・単発論文など

ティム・アルトフ他『Large-scale physical activity data reveal worldwide activity inequality（身体行動に関するビッグデータがあばく世界中に蔓延する行動の不平等性）』，2017年，マクミラン・パブリッシャーズ『リサーチ・レター』，同『サプリメンタリー・インフォメーション』に収録
運輸政策研究機構『数字で見る鉄道　2005年』
OECD『経済政策改革　成長をめざして　2008年』

国土交通省総合政策局情報管理部『交通関係エネルギー要覧　平成12年版』
古今書院『世界と日本の地理統計　2005／2006年版』
警察庁『警察統計』
社会経済生産性本部『県別生産性比較　2006年版』
世界銀行『世界ロジスティックス・パフォーマンス指数　2019年版』
日本エネルギー経済研究所『エネルギー・経済統計要覧　2019年版』
労働政策研究・研修機構『データブック　国際労働比較　2007年版』

雑　誌

『The Futurist』（1971年12月号）World Future Society
『Monocle』（該当各号）Monocle Publishers
『Voice』（2009年5月号）PHP研究所

ウェブサイト

ウェブ版『The Economist』
『Today in Energy』
『iSee Cars』
『Jesse's Café Américain』
『Mises Wire』
『社会実情データ図録』（http://www2.ttcn.ne.jp/honkawa/）
『SRSrocco Report』

出　典

［45頁］日本エネルギー経済研究所計量分析ユニット『エネルギー・経済統計要覧　2019』より作成.
［47頁］消費エネルギーと炭酸ガス排出量は『交通関係エネルギー要覧　平成12年版』より，スペース占有量は天野光三編著『都市交通のはなし〈Ⅰ〉』より著者作成.
［55頁］ワイルド『交通事故はなぜなくならないか』，76頁より引用.
［58頁］ウェブサイト『JIJI.COM』，2021年1月4日のエントリーより引用．原資料：『警察統計』，「交通事故死者数推移」.
［59頁］ウェブサイト『Response.jp』，2011年1月28日のエントリーより引用.
［63頁］世界銀行『世界ロジスティックス指数　2019年版』より作成.

［65頁］Stephen S. Golub, *Measures of Transportation Costs for OECD Countries*, OECD Economics Department Working Paper（2015年5月15日刊行）より引用．原資料：米連邦運輸省，KPMG，OECD.

［121頁］『未来主義者』1971年12月号掲載のジョゼフ・コーツ著「テクノロジー・アセスメント」より拙訳.

［128頁］©Bettman/CORBIS/amanaimages

［132頁］ボールドウィン『バックミンスター・フラーの世界』，162頁を参考に作成.

［136〜137頁］ターナード，プシュカレフ『国土と都市の造形』，100〜101頁より転載.

［143頁］阿利莫二ほか『都市政策』，大場康正論文，211頁．原出所：東京都訳「ニューヨーク市の当面する諸問題〈Ⅲ〉*Agenda for a City: Issues Confronting New York*」42頁．原資料：President's Commission on Law Enforcement and Administration of Justice, *Task Force Report: Crime and Its Impact - An Assessment*, 1967, pp.212-215.

［145頁］サイエンティフィック・アメリカン編『都市の科学』，168頁より引用.

［149頁］アメリカ連邦交通省道路局編『アメリカ道路史』，221頁より転載.

［153頁］『Monocle』誌各年「住みやすい都市」特集号より作成.

［157頁］『社会実情データ図録』中の「諸国民の所属団体数平均（OECD諸国）」より引用．原資料：Society at a Glance: OECD Social Indicators - 2005 Edition.

［185頁］東京大学社会科学研究所編『20世紀システム〈2〉経済成長〈Ⅰ〉基軸』，87頁．原資料：U. D. Bureau of Census, *Historical Statistics of the United States: Colonical Times to 1970, Part 2*, 1975, pp.716.

［193頁］星野芳郎『技術革新』，153頁より転載.

［196頁・上］ハイマン編『トラベル広告集　SEE THE WORLD』より転載.

［196頁・下］同『アドバタイジング・50年代の車』より転載.

［202〜203頁］ウェブサイト『iSee Cars』，2020年1月の「Cars People Keep the Longest」エントリーより引用.

［210頁］原資料：OECD Health Data 2008.

［211頁］『社会実情データ図録』中の「米国では肥満が社会問題化」より引用．原資料：農水省ホームページ「海外農業情報」(2004年).

［212頁］『社会実情データ図録』中の「1人1日あたり供給カロリーの推移（主要国）」より引用．原資料：FAOSTAT（"Food Supply"，2010.1.13）（日本需給表は農水省「食料需給表」の値）.

［213頁］原資料：OECD，毎日新聞（図録2220及び図録6370参照）.

［215頁］『社会実情データ図録』中の「肥満の2要素：過食と運動不足（要因分解試算）」より引用．原資料：OECD，毎日新聞（図録2220および図録

6370参照).

[217頁] ウェブサイト『Mises Wire』, 2018年9月25日のエントリーより引用.

[221頁] 日本経済新聞（2010年2月22日付夕刊）より転載.

[223頁] ウェブサイト『社会実情データ図録』, 2009年3月30日のエントリーより引用. 原資料：FAO, *Statistical Yearbook 2005-2006*.

[230頁]『社会実情データ図録』中の「甘いもの好きの国際比較」一覧表より著者作成.

[239頁] 奥井俊史『アメリカ車はなぜ日本で売れないのか』などより著者作成.

[243頁] 高岸清『世界の自動車』, 向坂正男編『新版　日本産業図説』より著者作成.

[244頁] 牧厚志『日本人の消費行動』, 82頁より転載.

[249頁] 星野芳郎『技術革新』, 127頁より転載.

[265頁] 小谷節男『アメリカ石油工業の成立』より著者作成.

[269頁] 浅羽良昌『アメリカ経済200年の興亡』, 22頁より著者作成.

[289頁] 原田泰『日本はなぜ貧しい人が多いのか』, 221頁より引用. 原資料：ブライアン・R・ミッチェル編『マクミラン新編世界歴史統計〈1〉ヨーロッパ歴史統計：1750～1993』『同〈2〉』『同〈3〉南北アメリカ歴史統計：1750～1993』(東洋書林, 2001～02年). アメリカは, George Tomas Kurian, *DATAPEDIA of the United STates 1790-2000: America Year by Year*, Berman Press, 1994, イギリスのマネー指標は, Forrest Capie and ALan Webber ed. *A Monetary History of the United Kingdom 1870-1982, Volume I, Data, Sources, Methods*, George Allen & Unwin.

[291頁] 染谷幸太郎『イギリス農業経済史序説』より著者作成.

[293頁] 星野芳郎『技術革新』, 149頁より引用.

[295頁]『社会実情データ図録』より引用. 原資料：世界銀行『世界開発報告2006』.

[296～297頁] 山崎清『GM』, 115頁と127頁より引用.

[299頁] 星野芳郎『技術革新』, 77頁より引用.

[307頁] 同書, 190頁より引用.

[309頁] 上杉忍『パクス・アメリカーナの光と陰』, 67頁, 141頁より引用. 原資料：U. S. Bureau of the Census, *Historical Statistics of the United States, Colonial Times to 1970*, Bicentennial Edition.

[311頁] 萩原伸次郎・中本悟編『現代アメリカ経済』, 168頁, 本田浩邦論文「アメリカにおける所得格差の長期的変化」より引用. 原資料：Piketty and Saez [2001] Table A1より作成.

[317頁・上] 猿谷要編『総合研究アメリカ〈1〉人口と人種』, 133頁より引用.

原資料：St. Clair Drake & Horace R. Cayton, *Black Metroplis, Vol.1*, Harper & Row, 1945, p.234.

[317頁・下] 同書, 134頁より引用．原資料：Drake & Cayton, *Black Metroplis*, p.219.

[327頁] ウェブサイト『Energy Matters』，2014年9月8日のエントリーより引用．

[329頁] 原資料：ブルッキングス研究所．

[333頁] 米連邦エネルギー省エネルギー情報局『今日のエネルギー』より引用．

[347頁]『戦後半世紀1945-1995〈現代日本の歩み〉』，84頁より転載．

[355頁] 浅羽良昌『アメリカ経済200年の興亡』, 177頁より引用．原資料：U. S. Department of Labor, *Monthly Labor Review*, December 1992, pp.29-32, February 1995, p.30.

[357頁] 労働政策研究・研修機構『データブック　国際労働比較　2007年版』，49頁より引用．原資料：Bureau of Labor Statistics, *International Comparisons of Manufacturing Productivity and Unit Labor Costs Trends, Revised Data for 2004,* 2006.

[359頁] サイエンティフィック・アメリカン編『都市の科学』，18頁より引用．

[361頁]『世界と日本の地理統計　2005／2006年版』より著者作成．

[363頁] 社会経済生産性本部『県別生産性比較　2006年版』より著者作成．